Noces macabres

DAVID THOMAS

Noces macabres

Roman

Traduit de l'anglais par Amélie de Maupeou

**PRESSES
DE LA CITÉ**

Titre original : *Blood Relative*

© 2010 by David Thomas
© Presses de la Cité, 2013 pour la traduction française
ISBN 978-2-258-09307-2

Presses
de   un département **place des éditeurs**
la Cité

place
des
éditeurs

1978

Francfort, Allemagne de l'Ouest

Sur la petite piste de danse circulaire, une blonde et une brune se trémoussaient avec enthousiasme au rythme des Bee Gees, guettant les regards des hommes. Hans-Peter Tretow n'allait pas leur faire ce plaisir.

— Bon, me voilà. Qu'est-ce que tu me veux ? avait-il lancé en tournant le dos aux filles.

Agé d'environ vingt-cinq ans, il portait un complet croisé ainsi qu'une large cravate de soie. Sa voix trahissait encore la confiance arrogante, sinon impudente, de la jeunesse. Appuyé au bar, un verre de bière à la main, il s'était penché vers l'homme le plus près de lui. Celui-ci était assis, son corps filiforme tassé sur un tabouret.

Le maigrichon ne s'était pas donné la peine de répondre tout de suite. Il portait des rouflaquettes de rocker et sa chevelure noire était plaquée en arrière. Une veste de cuir caramel au col en pelle à tarte retombait lâchement sur ses épaules osseuses. Les creux de ses joues s'étaient accentués quand il avait approché sa main de sa bouche pour aspirer les derniers millimètres consumables de sa cigarette.

— Qu'est-ce que tu attends ? avait insisté Tretow. Je n'ai pas que ça à foutre, moi, ce soir.

L'homme s'était finalement décidé à prendre la parole :

— Je crois bien que si.

Il avait écrasé sa cigarette dans un cendrier en plastique posé sur le bar.

— Il faut que tu disparaisses. Tu as été suivi. Ils t'ont repéré.

Tretow avait eu l'air agacé, comme si cette situation était la faute de son interlocuteur.

— Impossible. Je m'en serais aperçu.

— Il semblerait pourtant que non.

— Eh bien, appelle Günther, alors, et dis-lui de faire marcher ses relations. Il va bien pouvoir nous débarrasser de ça.

— Laisse tomber : l'enquête est trop avancée. Tout le monde commence à s'en mêler maintenant, les gens vont se poser des questions. Il faut que tu disparaisses.

— Je connais un endroit en Bavière, tout en haut, dans la montagne. Je pourrais aller prendre un peu de repos là-bas, avec ma femme et les enfants.

Le maigrichon avait sorti une deuxième cigarette qu'il tapotait sur le zinc, battant tranquillement la mesure avant de lancer :

— Tu ne piges pas, hein ? Il ne s'agit pas de prendre des vacances, mon vieux. Il faut que tu disparaisses. Complètement. Tout de suite.

— Ne me dis pas ce que j'ai à faire !

— Oh, très bien, t'as qu'à aller te planquer dans ta montagne si ça te chante. Tu verras bien qui te trouvera en premier : les flics ou le type que Günther va t'envoyer pour te faire taire définitivement. Tu n'auras même pas le temps de voir la couleur des murs d'une salle d'interrogatoire. Tu en sais beaucoup trop. Il fera en sorte que tu ne puisses rien raconter à personne...

— Il n'oserait quand même pas faire ça !

Toujours assurée, la voix de Tretow trahissait cependant davantage de fanfaronnade que de certitude, maintenant.

Le gringalet avait tendu la main, empoignant fermement l'avant-bras de Tretow.

— Ecoute-moi bien, sale petit frimeur de merde. Tu savais depuis le début que ça pouvait arriver. Tu as bien un plan B, non ?

Tretow avait hoché la tête.

— Eh bien, voilà. C'est le moment de t'en servir.

En quittant le club, Tretow n'était pas rentré chez lui, où l'attendaient sa femme Judith et leurs deux jeunes enfants. Au lieu de cela, son élégant coupé Mercedes 250C s'était engagé dans une ruelle crasseuse, bordée de garages. Il avait déverrouillé l'un d'eux et y avait garé son véhicule à côté d'une autre voiture, une Coccinelle Volkswagen beige qui devait bien compter une dizaine d'années et n'avait pas été lavée depuis longtemps : anonyme et insignifiante, le plus banal des véhicules allemands.

Au fond du garage, une porte conduisait vers un petit cabinet de toilettes sale d'où s'échappait une odeur nauséabonde. Tretow avait passé une main derrière le réservoir de la chasse d'eau, arrachant deux bandes de ruban adhésif noir pour libérer un sac en plastique transparent n'excédant pas vingt centimètres carrés, qu'il avait aussitôt fourré dans la roue de secours de la Coccinelle. D'un placard de rangement couvert de peinture verte écaillée, il avait alors extrait un bleu de travail, des bottes et une grosse veste d'ouvrier qu'il avait troqués contre son élégant costume et sa cravate. Puis il s'était installé au volant de la Volkswagen, l'avait sortie du garage en prenant soin de refermer à clé les portes derrière lui, et s'était mis en route.

Au moment où Tretow atteignait la périphérie de la ville, suivant les panneaux indiquant l'autoroute A45 menant vers le nord, en direction de Marbourg, il était 1 h 27 du matin.

Il avait roulé pendant deux heures et demie avant de s'accorder trois heures de sommeil sur le parking d'une aire d'autoroute, puis il avait repris le volant en direction de l'est.

Il était maintenant 7 heures du matin. A Francfort, un policier revenant d'une nuit de planque particulièrement monotone venait de signaler à son chef que Tretow n'était pas rentré chez lui de la nuit. Des voix avaient commencé à s'élever, des coups de fil de plus en plus agités avaient été passés. Peu de temps après, la police du Land de Hesse recevait l'information selon laquelle Hans-Peter Tretow était désormais officiellement considéré comme recherché par la justice. L'information n'avait pas tardé à être relayée dans les gares et les aéroports de la région. Il fallait compter un peu plus de temps, cependant, pour mettre en place un système de surveillance des frontières.

Sur les mille quatre cents kilomètres de mur et de barbelés séparant l'Allemagne de l'Est de celle de l'Ouest, seuls trois passages permettaient aux véhicules motorisés d'aller d'un pays à l'autre. Herleshausen, situé à quatre-vingts kilomètres de la ville d'Erfurt, était l'un d'eux. La Volkswagen de Tretow avait pris place dans la longue file de voitures et de camions attendant leur tour pour entrer dans le pays régi par une dictature communiste. Chaque conducteur, chaque passager et chaque véhicule était scrupuleusement contrôlé par les gardes frontaliers est-allemands de la 6e direction du ministère de la Sécurité d'Etat, également connue sous le nom de Stasi. Muni de son passeport et de sa carte d'identité de la République fédérale, Tretow était prêt. Quand son tour était venu, il avait expliqué qu'il se rendait à Berlin-Ouest car il espérait y obtenir un emploi sur un chantier.

Avant de rejoindre Berlin-Ouest, il devait d'abord parcourir trois cent soixante-dix kilomètres d'Allemagne de l'Est, pour lesquels un visa était nécessaire. La durée de validité de celui-ci ne se calculait pas en jours ou en mois, mais bien en heures et en minutes. Les autorités est-allemandes voulant éviter que l'on s'arrête sur le bas-côté de leur *Autobahn* pour ramasser quelque passager clandestin désireux de passer à l'Ouest, les automobilistes étaient priés de parcourir les kilomètres d'autoroute à une vitesse constante de quatre-vingts kilomètres-heure. On avait calculé que la durée moyenne du trajet ne pouvait ainsi excéder quatre heures et quarante minutes. La validité du visa de Tretow correspondait donc très exactement à ce laps de temps. S'il se présentait avec du retard au *checkpoint* de Drewitz-Dreilinden, à la périphérie sud-ouest de Berlin, la Stasi ne manquerait pas de lui en demander la raison.

Tretow avait patienté longtemps dans la queue interminable avant d'obtenir enfin son visa et de pouvoir se remettre en route. Il était maintenant 10 h 19. A Francfort, un mandat officiel ordonnant l'arrestation immédiate de Tretow était envoyé à tous les gardes-frontières d'Allemagne de l'Ouest. L'information avait également été relayée aux points de contrôle de la partie ouest du Mur. Si Tretow tentait d'entrer dans Berlin-Ouest, il serait arrêté et réacheminé vers Francfort par avion.

Tretow, pourtant, nourrissait d'autres projets. Une fois arrivé à Drewitz-Dreilinden, il s'était inséré dans l'une des nombreuses queues de véhicules qui s'étiraient le long de l'autoroute. Chaque file avançait lentement vers une grande plateforme surélevée sur laquelle étaient disposées six cabines de contrôle en bois blanc. Des hommes en uniforme y vérifiaient les papiers des voyageurs.

Surmonté de fil barbelé, le mur de Berlin était clairement visible depuis ce poste de surveillance. Pour renforcer sa défense, des miradors truffés de soldats armés jusqu'aux dents se dressaient à intervalles réguliers sur toute sa longueur. Au pied du Mur, côté Est, un no man's land parsemé de mines antipersonnel et de fossés antichars avait été aménagé. Des gardiens escortés de chiens d'attaque y patrouillaient. Un second mur se dressait après le no man's land. Au cours de l'histoire, des Chinois jusqu'aux Romains, nombreuses étaient les civilisations qui avaient bâti des murailles pour tenir leurs ennemis à distance. Aucune, cependant, n'avait atteint un tel perfectionnement dans le but d'enfermer son propre peuple.

Enfin, Tretow avait pu aligner sa Coccinelle le long d'une des baraques. Au moment de montrer ses papiers, il avait simplement déclaré :

— Je voudrais passer à l'Est.

L'officier chargé du contrôle des passeports avait froncé les sourcils, se demandant manifestement si cet ouvrier à la tenue miteuse, assis au volant d'une voiture déglinguée, se fichait de lui. Sans lui laisser le temps de répliquer, Tretow avait répété :

— Je demande l'asile politique. A l'Est.

1

De nos jours

York, Angleterre

Mardi

Mon épouse, Mariana, est la plus belle femme sur laquelle j'aie jamais posé mon regard, mais elle est également si intelligente, si complexe et constamment capable de me surprendre que sa beauté me semble presque un aspect négligeable de sa personne. Cela fait six ans maintenant que je partage sa vie et j'ai toujours du mal à croire à ma chance.

Ce matin là, celui où tout a commencé, je lui ai annoncé que mon frère Andy venait passer la nuit à la maison, et que nous projetions d'aller prendre un verre au pub, tous les deux, avant de rentrer pour le dîner.

— C'est au sujet de maman. Andy va lui rendre visite aujourd'hui et il s'inquiète de la manière dont elle est traitée. Il voudrait en parler avec moi et comme il sait que tu ne t'es jamais entendue avec elle... J'espère que cela ne t'embête pas ?

J'ai dû prendre un air particulièrement penaud parce que Mariana s'est mise à rire de cette manière si merveilleuse qui est la sienne, si insouciante et pleine de vie, avec ce soupçon d'ironie qui me donne toujours l'impression qu'elle sait quelque chose que j'ignore.

— Bon, très bien, a-t-elle répliqué, allez discuter entre frères, les garçons.

Seuls un accent très subtil et quelques bizarreries grammaticales trahissent ses origines germaniques.

— Moi, je vais rester bien sagement devant ma cuisinière, comme une bonne petite *Hausfrau*.

Mariana a eu un nouveau gloussement amusé : elle était bien la dernière qu'on imaginât devenir un jour une bonne épouse docile et soumise. Moi, je suis resté planté là, dans la cuisine, à sourire comme un imbécile : un imbécile très heureux.

Je m'appelle Peter Crookham. J'ai quarante-deux ans, je suis architecte. Si je devais avoir un signe particulier, ce serait ma taille. Je suis plutôt grand, un mètre quatre-vingt-dix en chaussettes. A l'école, je faisais partie de l'équipe de rugby, et j'ai pratiqué un peu l'aviron à l'université. Rien de bien sérieux, juste l'équipe de la fac. Aujourd'hui, comme n'importe quel type ayant dépassé la quarantaine, j'essaie de me faire violence pour aller régulièrement au Fitness Club et trouver le temps de faire un jogging de temps à autre, et je m'étonne toujours que mes pantalons soient de plus en plus ajustés. D'où peuvent bien venir ces poignées d'amour ? J'ai des yeux bleu pâle et une chevelure d'un châtain plutôt terne, qui commence d'ailleurs à se clairsemer. L'été dernier, pour la première fois, je me suis retrouvé avec un coup de soleil sur le crâne, de la taille d'une pièce de cinquante pence.

« Mon pauvre bébé chauve », s'était alors moquée Mariana en passant de la Biafine sur ma peau d'un rose vif.

Quant à mon visage – eh bien, même si une femme voulait en faire une description flatteuse, elle ne me qualifierait jamais de beau mec, encore moins de type sexy. Elle dirait sûrement que j'ai un sourire gentil. Je n'ai jamais été un fantasme sexuel. Mon rôle était plutôt celui du gars sympa, fiable et sans danger. Cela n'avait rien de gênant pour une fille d'être vue en ma compagnie à une fête, mais elle n'avait pas à s'inquiéter non plus de ce qu'une autre se jette sur moi.

Bref, je suis Monsieur Tout-le-Monde. Enfin, je l'étais. Jusqu'à ce que Mariana entre dans ma vie.

Cela faisait douze heures maintenant que je lui avais parlé de la venue d'Andy et à ce stade la pinte de bière allait visiblement devoir attendre. J'avais été retenu sur un chantier, à Alderley Edge, dans le Cheshire, à quelque cent vingt kilomètres de notre logement. Sur le chemin du retour, je l'ai appelée depuis la M62 avec mon kit mains libres. La neige, ajoutée à des travaux routiers et des radars, avait ralenti le trafic au point de provoquer un embouteillage : un scénario des plus classiques pour un mercredi soir de février.

— Je vais être en retard, c'est certain, ai-je dit à Mariana. Je crois bien que je vais devoir faire l'impasse sur l'apéro avec Andy. Est-ce qu'il est déjà arrivé ?

— Oui, il est là, m'a répondu Mariana.

Elle avait une drôle de voix : quelque chose de monocorde, que je n'avais jamais entendu auparavant. Peut-être que la connexion était mauvaise, tout simplement.

— Je peux lui parler ?

— Non, m'a-t-elle répondu. Il ne peut pas parler.

— Ce n'est pas le genre d'Andy, pourtant, avais-je répliqué en souriant dans ma barbe.

D'habitude, c'était plutôt le contraire : impossible de le faire taire, surtout quand il se payait ma tête.

— Qu'est-ce qu'il fait ?

— Il est... il est en train de téléphoner de son côté, je crois. Peut-être qu'il te rappellera quand il aura fini. Il faut que je te laisse, maintenant. Le dîner est sur le feu.

Elle avait raccroché. Ça aussi, c'était étrange. Mariana terminait toujours nos conversations téléphoniques par un « Je t'aime », ou alors elle m'envoyait ce qu'elle appelait « un doux baiser ». Quand elle se sentait particulièrement en forme, elle prononçait quelques mots en allemand avant de reposer le combiné en riant. En général, je ne comprenais qu'après coup l'allusion coquine qu'elle venait

15

de me lancer. En tout cas, jamais elle ne raccrochait de cette manière abrupte.

Peut-être qu'Andy se tenait près d'elle et que cela la gênait de parler devant lui. Pourtant, Mariana n'est pas de celles qui se laissent embarrasser. J'avais pu m'en convaincre dès la première seconde de notre rencontre.

A moins qu'Andy ne l'ait énervée. Dieu sait si je l'aimais, mais mon jeune frère était parfois un véritable emmerdeur. Savoir être insistant au risque d'agacer certaines personnes est assurément l'une des facettes du métier de reporter, et l'incapacité d'Andy à respecter certaines limites lui était certainement utile quand il travaillait à un article. En société cependant, ce manque de respect affiché pouvait devenir un trait de caractère sacrément pénible. Voilà qui pouvait expliquer la voix sans timbre de Mariana, en admettant que ce soit l'effet de la colère réprimée.

Il m'a fallu une heure encore avant d'arriver à la maison. Pendant tout le chemin du retour, j'avais imaginé mille scénarios pour réconcilier deux personnes qui s'étaient toujours très bien entendues jusque-là. A court d'idées, j'avais fini par laisser tomber et j'avais allumé la radio. J'étais associé principal dans un bureau d'architectes, Crookham-Church and Partners – Mariana y travaillait également –, et notre clientèle était essentiellement composée de footballeurs. Dans notre coin d'Angleterre, ils étaient plus ou moins les seuls à gagner suffisamment d'argent pour pouvoir s'offrir de belles maisons modernes. Or, l'un de nos clients participait en cet instant même à un match de la Ligue des champions à Old Trafford, et j'avais tout intérêt à savoir comment il se débrouillait.

Je me suis engagé dans l'allée de notre maison un peu avant la mi-temps, et j'ai rangé notre voiture dans le garage à trois places. Tandis que la porte automatique se refermait derrière moi, j'ai traversé la bande de gravier en direction de la porte d'entrée, les épaules rentrées pour me protéger du froid glacial. J'étais sur le point d'insérer ma clé dans la serrure de la porte quand celle-ci s'est ouverte à la volée.

Mariana se tenait devant moi.

Sa longue chevelure couleur de miel était emmêlée, collée par une substance qui avait commencé à sécher en formant de grosses mèches caoutchouteuses, comme si quelqu'un avait versé de la peinture sur sa tête.

Son visage aussi était couvert de ce liquide qui formait des plaques sèches, craquelées à certains endroits par les mouvements de sa bouche et de son front. Dans la pénombre du porche, il m'était difficile d'en distinguer la couleur. En m'approchant, j'ai constaté que sa robe n'avait pas été épargnée non plus par ces mystérieuses éclaboussures.

— Chérie ?

C'était la seule chose qui me soit venue à l'esprit.

Nous sommes restés plantés là en silence, immobiles, à un peu plus d'un mètre l'un de l'autre. Si Mariana me regardait, elle ne semblait rien voir. Ses yeux fauves piquetés d'or et de vert, qui avaient toujours brillé d'intelligence et de vie, étaient vides à présent, et son visage exempt de toute expression. Elle semblait parfaitement indifférente à l'état dans lequel elle se trouvait. Elle a articulé un « *Komm herein* », l'équivalent d'« Entre donc » en allemand, avant de se retourner et de se diriger vers la cuisine.

Dans le halo de lumière, j'ai vu que la couleur était un cramoisi profond, tirant à certains endroits sur le noir violacé.

A cet instant j'ai reconnu ce qui l'avait éclaboussée de haut en bas, détrempant ses cheveux et sa robe, engluant son visage, ses bras et ses mains, et dégoulinant au point de laisser des traces sur les dalles derrière elle.

Mariana était couverte de sang de la tête aux pieds.

2

Notre maison était une ancienne grange réaménagée. Sur les plans que nous avions dessinés nous-mêmes, le garage et l'entrée principale se trouvaient à l'arrière de la bâtisse. Le vestibule servait également de vestiaire pour les manteaux, les parapluies et les bottes. A son extrémité, une porte, encastrée sous les courbes sinueuses de l'escalier en verre et métal, menait à la pièce maîtresse, le cœur proprement dit de la maison : un immense salon, ouvert jusqu'au toit.

L'espace dédié à la cuisine se trouvait sur la droite de ce dernier. Les éléments qui le composaient provenaient de la gamme « Purisme moderne » de Poggenpohl : un choix de Mariana qui m'avait surpris, comme tant d'autres de ses décisions. Je m'étais attendu à quelque chose de chaud et de naturel, mais les lignes épurées et l'ergonomie des plus simples donnaient à cette cuisine des apparences de laboratoire de pointe en gastronomie plutôt que de foyer familial.

Peut-être avait-elle essayé de me faire passer un message. A l'époque de notre installation, nous étions tous deux tellement occupés à peaufiner les habitations des autres qu'il ne nous était pas resté suffisamment de temps pour accorder le même amour et le même soin à notre propre maison. Quand il s'agissait du bien-être de nos clients, nous étions obsédés par le moindre détail. Nous étions prêts à accepter tous les atermoiements, à affronter toutes les difficultés pour trouver le carrelage, le robinet, la poignée de porte ou le plan de travail idéaux. Quand il s'était agi de notre propre confort, en revanche, nous avions opté pour l'installation rapide d'éléments basiques, reportant toujours à plus tard le choix des touches personnelles. Afin de nous simplifier la vie et de gagner du temps, nous avions finalement acheté la plupart de nos meubles chez Conran Shop. Tout avait été bouclé en l'espace d'un seul samedi après-midi. Trois canapés en cuir Naviglio formaient un carré dont le quatrième flanc était occupé par une cheminée imposante. La table sur laquelle nous prenions nos repas était en noyer, tout comme les chaises assorties.

Tous les murs, à l'exception d'un seul, avaient été peints dans la teinte « Casablanca » de chez John Oliver : une émulsion immaculée, douce, poudreuse et apaisante, parfaitement inimitable. Le mur le plus éloigné, lui, était presque entièrement constitué d'une baie vitrée qui offrait une perspective spectaculaire sur la campagne du Yorkshire. La nuit tombée, le verre se transformait en une toile de fond d'un noir brillant devant laquelle se jouait le spectacle de notre vie.

Ou de notre mort, comme dans le cas présent.

Une fois arrivée dans la cuisine, Mariana avait annoncé : « *Ich muss die Nudeln retten bevor sie überkochen.* »

Hormis quelques rares plaisanteries à connotation sexuelle, nous avions l'habitude de nous entretenir en anglais. Mariana le préférait à l'allemand, qu'elle qualifiait de « langue de Hitler », ne blaguant qu'à moitié. Gêné par ma propre incompétence et désireux de lui montrer ma bonne volonté, j'avais néanmoins suivi pendant plusieurs mois un cours d'allemand sur CD dans ma voiture. Mon piètre niveau me suffit cependant à saisir l'essentiel de ce qu'elle venait de dire : elle craignait que l'eau des pâtes ne déborde.

Je n'avais rien répondu : j'étais tout simplement hors d'état de parler.

Andy était allongé par terre, à quelques pas de l'endroit où je me tenais, à mi-chemin du mur du fond. Son visage était figé dans une expression de peur et de perplexité. Sa chemise bleu pâle à col boutonné était perforée de coups de couteau qui n'étaient rien, cependant, comparés à l'horrible plaie qui béait dans sa cuisse gauche presque jusqu'à l'os.

Mon frère avait trouvé la mort dans une explosion de sang. Des flaques noires et de longues traînées plus claires trahissaient les spasmes et les sursauts de ses membres à l'agonie aussi clairement que les ailes d'un ange dans la neige.

Mais les traces de sang ne s'arrêtaient pas au sol. Il y en avait partout, éclaboussant les murs blanc cassé à la manière d'une toile de Jackson Pollock. Des gouttes écarlates perlaient sur les élégants canapés de cuir – l'un d'eux, surtout, en était imbibé – et tombaient des bibliothèques à roulettes qui flanquaient la cheminée. Nos tapis couleur crème en étaient entièrement souillés. Il y avait même une empreinte de main, écarlate, sur le verre devant moi. Juste en dessous, le sol était couvert d'un mélange confus de traces de pas sanglantes. Andrew avait dû tenter de chercher du secours. A moins que ce ne soit Mariana. Peut-être s'était-elle approchée de lui pour l'aider. C'était sûrement pour cela qu'elle était couverte de sang. Il n'y avait pas d'autre explication... Non, pas Mariana.

Jusqu'à présent, j'étais resté hébété. Mon cerveau, dépassé par les événements, semblait incapable de traiter le torrent d'informations sensorielles et émotionnelles qui s'était libéré en lui au cours de ces dernières minutes. Je n'avais jamais vu de cadavre auparavant. Notre père était décédé quand j'avais onze ans et Andy cinq, mais maman ne nous avait pas autorisés à le voir, jugeant que cela risquait de nous perturber. Je n'avais donc pas la moindre idée de la manière radicale dont l'absence de vie transforme l'apparence humaine. Je ne savais pas à quel point la différence entre l'existence et sa fin pouvait être absolue. Un mort ne ressemble en rien à un acteur allongé par terre, immobile, et qui s'efforce de retenir sa respiration.

Un corps qui s'est vidé de son sang se retrouve ainsi doublement vide : de ce qui le maintenait en vie et de son esprit.

Ma conscience a fini par enregistrer la réalité de la mort d'Andy, comme un site Internet qui, après avoir ramé pendant de longues minutes pour s'ouvrir, afficherait d'un seul coup toutes les informations de son contenu. J'ai fait quelques pas en arrière, titubant comme si j'avais reçu un coup de poing. C'était sans doute une bonne chose, d'ailleurs, parce que cela m'a éloigné du corps et du sang : quand je me suis mis à vomir, le contenu de mon estomac s'est déversé par terre, juste devant moi, sans souiller davantage ce qui était devenu une scène de crime, même si je n'en avais pas encore conscience.

Puis j'ai relevé la tête, j'ai essuyé le reste de vomi et de salive de mes lèvres et je me suis dirigé vers l'évier de la cuisine où j'ai ouvert le robinet, recueillant de l'eau dans mes mains pour me rincer la bouche. J'ai renouvelé l'opération pour m'asperger le visage.

Mariana se tenait debout tout près de moi, à côté de la cuisinière, occupée à puiser les spaghettis dans une casserole énorme et à les transvaser dans trois bols blancs. D'une voix joyeuse, presque chantante, elle m'a lancé :

— *Es gibt reichlich Nudeln für jeden.*

« Il y a bien assez de pâtes pour tout le monde »...

Avant d'ajouter, comme pour elle-même :

— *Die Männer werden hungrig sein. Sie müssen genug zu Essen bekommen.*

« Les hommes vont avoir faim, il faut qu'ils aient suffisamment à manger »... La pensée que je n'aurais pas faim de sitôt me traversa l'esprit.

Ses doigts maculés de sang avaient laissé des traînées rouges sur la vaisselle blanche et la casserole en aluminium. J'ai eu une vision horrible, du sang mélangé à l'eau de cuisson comme de l'encre de seiche, et quand la cuiller pleine de pâtes a émergé de la casserole, je m'attendais presque à ce qu'elles soient roses. Mariana œuvrait comme un automate, sans se rendre compte que les bols étaient sur le point de déborder et que la cuiller qu'elle trempait dans la casserole n'attrapait plus que de l'eau.

Je ne savais pas comment réagir. Je ne savais pas quoi ressentir : de la douleur pour Andy et de la colère à cause de sa mort ; de la peur et de l'inquiétude vis-à-vis de Mariana, mêlées d'amour, d'une sorte de pitié et du désir instinctif de la protéger. Mais, surtout, une perplexité totale face à ce que j'étais en train d'affronter. Toutes ces émotions tourbillonnaient en moi, s'entrechoquaient et s'annulaient les unes les autres jusqu'à ne laisser subsister qu'un engourdissement.

Tout d'un coup, l'attitude de Mariana a changé. Elle s'est mise à tourner la tête de droite à gauche, rapidement, cherchant visiblement quelque chose.

— *Wo habe ich denn die Carbonara-Soße hingetan*?

Elle se demandait ce qu'elle avait fait de la sauce carbonara. Il n'y avait plus rien sur la cuisinière, hormis la casserole qui avait contenu les pâtes. Pendant une seconde, j'ai moi aussi jeté un coup d'œil alentour pour trouver la sauce, comme si celle-ci, en apparaissant comme par magie, avait pu ramener un semblant de normalité.

C'est à cet instant que j'ai aperçu le couteau.

Mariana avait acheté il y a peu un set de couteaux japonais de la marque Ryusen Blazen. Fabriquées à partir d'un cœur en acier poudre pris en sandwich entre deux couches d'inox doux, leurs lames avaient le tranchant d'un rasoir. Le plus grand couteau de la gamme, portant le nom de Western Deba, voyait la sienne atteindre vingt-quatre centimètres de longueur, si effilée qu'il suffisait de l'effleurer pour se couper. Il reposait là, juste derrière les trois bols blancs. Un reste de sang filandreux, à moitié coagulé, gouttait encore de sa pointe sur le blanc pur de la surface de travail Poggenpohl.

J'ai fini par retrouver ma voix :

— Mais qu'est-ce que tu fais, nom de Dieu ?

— Eh bien, je sers le dîner.

22

Mariana s'était remise à parler en anglais, mais son accent allemand était plus prononcé que d'habitude. J'avais l'impression d'entendre quelqu'un d'autre.

— Mais tu ne vois pas Andy ?!...

Elle m'a regardé d'un air perplexe.

— Pardon ? Je ne comprends pas. Ton frère ne vient plus dîner ?

3

J'ai composé le numéro des urgences. Quand, à l'autre bout du fil, une femme m'a demandé à quel service je souhaitais m'adresser, mon esprit s'est embrouillé et j'ai bredouillé :

— Je... je ne sais pas. Il y a un mort, là, chez moi. Il a été poignardé. Quelqu'un l'a tué.

Elle a pris mon nom et mon adresse avant de me demander de rester où j'étais.

— La police et une ambulance seront là dans quelques instants.

A l'évocation de la police, j'ai pensé à tous les thrillers que j'avais lus et à toutes les séries consacrées aux flics que j'avais regardées : en général, les détectives commencent toujours par suspecter les membres de la famille. Allaient-ils me soupçonner d'avoir tué mon frère ? Quelque part au fond de moi, je devais savoir que Mariana était le seul suspect envisageable mais à cet instant j'étais à mille lieues de formuler cette idée, sans parler de l'accepter. A peine avais-je raccroché que j'appuyai sur le numéro préenregistré de mon avocat, Jamie Monkton. C'est lui qui était chargé de tous les éléments relatifs aux contrats, dans notre entreprise. Jamie n'était peut-être pas le genre de type qu'on croise habituellement au poste de police, mais c'était le seul avocat que je connaissais.

— Il faut que tu m'aides.

— Pas de problème. Appelle demain matin, je ne peux pas parler, là. Nous avons des amis à dîner...

— Non, c'est une urgence. Mon frère Andrew est mort.

— Oh, merde. Je suis désolé. Quand est-ce que c'est arrivé ?

— Ce soir, chez moi. Il est allongé par terre, dans le salon. Une ambulance va arriver et ils ont sûrement prévenu la police, aussi.

— Mon Dieu, mais... mais qu'est-ce qui s'est passé ?

— Il a été poignardé. Il était allongé là quand je suis rentré à la maison.

— Poignardé ? Seigneur... je suis désolé, Pete. Je ne sais pas quoi dire... Comment va Mariana ?

— Elle est là. Elle ne va pas très bien. Enfin, physiquement ça va, mais mentalement elle a l'air sacrément perturbée. Ils étaient tous les deux tout seuls à la maison.

— Ah, d'accord... je comprends.

La voix de Monkton a changé quand il a saisi les implications de ce que je venais de lui dire. C'était comme s'il mettait de côté son rôle d'ami pour considérer pour la première fois la situation d'un point de vue d'avocat.

— Ecoute, ce cas n'est pas vraiment de mon ressort, il va te falloir un avocat d'assises... enfin il va vous en falloir un chacun, je pense. Ils sont assez difficiles à trouver, de nos jours. Ça ne rapporte pas assez, tu vois, et puis il faut être spécialement enregistré pour avoir le droit de prendre en charge des cas d'aide légale...

— On n'a pas beaucoup de temps, Jamie. Qu'est-ce qui serait le plus rapide, à ton avis ? Peut-être que je trouverai quelqu'un dans les pages jaunes ?

— Non, je vais te recommander quelqu'un... Ah, mais... attends deux secondes, il y a une femme, ici... Samira quelque chose : elle est venue avec un de nos amis, ce soir. Je suis certain qu'elle nous a dit qu'elle travaillait en tant qu'aide juridique. Peut-être qu'elle pourra t'aider. Ecoute, je pense que les flics vont vous emmener tous les deux au commissariat de York. Ils vous transféreront sûrement au QG de Newby Wiske s'ils pensent que le cas est suffisamment important, mais dans un premier temps vous allez sans doute rester dans le coin. Je vous retrouverai là-bas, accompagné de qui je pourrai trouver d'ici là. En attendant, surtout ne touche à rien qui ressemble de près ou de loin à une preuve. Quand la police arrivera, ne raconte rien. Tiens-t'en à ton nom, ton boulot et ton numéro de sécu, OK ?

— Je suis désolé pour ton dîner...

Je n'avais pas encore compris que le monde dans lequel je venais de basculer n'était pas régi par les mêmes lois et les mêmes règles de bienséance que celui dans lequel j'avais vécu jusque-là.

— Ne dis pas de bêtises, m'a répondu Monkton. Ce dîner est vraiment le cadet de nos soucis. Ecoute-moi bien, Pete : fais gaffe, OK ? On ne rigole plus, là... Bon, je ferais mieux de m'activer, on se voit tout à l'heure.

Je suis parvenu à installer Mariana sur une chaise de la salle à manger, aussi loin que possible du corps d'Andrew. Pour la guider jusque-là, j'ai posé ma main sur le bas de son dos, là où il n'y avait pas de sang. Hormis cet endroit, je ne l'ai pas touchée. Je ne l'ai pas prise dans mes bras pour la réconforter. Je me persuadais de ne faire que suivre les instructions de mon avocat, mais c'était bien plus une question d'autodéfense. Je ne voulais pas être impliqué dans quoi que ce soit qui ait pu se passer ici. Si seulement j'avais su, à ce moment-là, ce qui m'attendrait au cours des heures, des jours, des semaines et des mois à venir, je me serais fichu comme d'une guigne de ces histoires de preuves et d'implication, j'aurais pris Mariana dans mes bras et je l'aurais serrée aussi fort que possible, juste pour la sentir contre moi. Mais je ne l'ai pas fait, et je l'ai amèrement regretté par la suite.

Mariana était plus calme, maintenant, mais elle était toujours très passive. J'ai attrapé une chaise et je me suis assis auprès d'elle. J'ai essayé de lui parler, mais elle ne semblait pas même m'entendre. Nous nous tenions encore là quelques minutes plus tard, aussi silencieux et immobiles que deux mannequins dans la devanture d'une boutique, quand j'ai entendu taper un coup sec sur la porte d'entrée.

La police avait donc été plus rapide que l'ambulance. Deux véhicules sont arrivés coup sur coup : un binôme d'officiers en uniforme dans le premier, un autre de détectives dans le suivant. En apercevant Mariana, le plus âgé des deux enquêteurs a appelé son poste pour s'enquérir d'une troisième voiture et d'un inspecteur de sexe féminin. Et ce n'était que le début.

Nous avons tous deux été arrêtés. On nous a lu nos droits. J'imagine bien que pour certaines personnes les mises en garde et autres déclarations de la police font partie de la vie quotidienne. Elles leur sont aussi familières que leur nom, leur adresse ou un quelconque échange routinier de politesses. Je ne fais pas partie de ces gens-là. Comme l'agent de police nous l'avait répété avec insistance, nous avions « le droit de garder le silence ». Et il avait ajouté, bien sûr, que dans le cas contraire tout ce que nous dirions pourrait et serait utilisé contre nous devant un tribunal. J'avais du mal à réaliser qu'il s'adressait à moi. Quand j'avais lancé « Mais je n'ai rien fait ! », il ne s'était même pas donné la peine de cacher son scepticisme.

Une fois ces formalités accomplies, on nous a demandé de donner chacun notre version des événements. J'ai refusé de parler en l'absence d'un avocat. J'ai aussi insisté avec autant de véhémence que possible sur le fait que Mariana n'était pas en mesure de comprendre ce qu'on lui disait, sans parler d'y répondre de manière cohérente. Les policiers ont fini par réaliser qu'il n'y aurait plus rien à tirer de nous ici. L'un d'entre eux m'a guidé vers une voiture de police et m'a poussé sur la banquette arrière tandis que Mariana était conduite vers une autre voiture, accompagnée de la femme officier.

A ce moment-là, notre maison était déjà passée de l'état de foyer à celui de scène de crime. Une ambulance était garée devant la porte, les deux hommes qui l'occupaient papotaient tranquillement en attendant la permission d'emmener le corps d'Andrew. A l'intérieur de la maison, un médecin légiste était penché au-dessus du corps tandis que des techniciens de scènes de crime analysaient les preuves sanglantes.

Nos véhicules ont démarré et nous nous sommes éloignés de tout cela. La fourgonnette dans laquelle se trouvait Mariana roulait devant la mienne. Au moment où nous avons dépassé la grille du jardin, je l'ai vue tourner la tête et regarder en arrière. Vers moi, vers la maison, vers quelque chose d'autre... je n'en savais rien. Son visage aux yeux écarquillés a été balayé par l'éclat de nos phares. De sa beauté, de son assurance et de son esprit qui m'avait toujours semblé indestructible, il ne restait plus rien. Elle avait l'air tendue, sans défense, effrayée, envahie de cette peur particulière qu'éprouvent les petits enfants ou les animaux quand ils ne sont pas en mesure de comprendre ce qu'on leur fait, et encore moins de changer quoi que ce soit à leur situation.

Je la reconnaissais à peine.

4

Jamie Monkton avait eu raison. On nous a emmenés au poste de police de York, un immeuble carré et moderne, d'inspiration seventies, caché derrière les murs victoriens d'une ancienne caserne militaire. Les mots « Police du Yorkshire », en lettres à bâtons blanches, figuraient sur le fronton de l'édifice.

Quand nous nous sommes garés, j'ai tout juste eu le temps d'apercevoir le dos de Mariana avant que l'inspectrice de police ne l'emmène. Quant à moi, j'ai été mis en garde à vue. Quelqu'un est venu me dire que j'avais le droit de prévenir la personne de mon choix et j'ai donné le nom de mon collaborateur, Nick Church. Ensuite, le sergent m'a offert un exemplaire du « Code des bons usages en matière de détention, traitement et interrogatoire des personnes par les officiers de police », et m'a informé de mon droit à me faire assister gratuitement par un avocat.

— Mon avocat sera là dans une minute.

— Très bien, m'a-t-il répondu. Maintenant, nous devons remplir un formulaire d'évaluation des risques.

Ce n'est pas parce qu'on est en taule qu'on échappe aux services de santé et de sécurité.

Il m'a demandé si je suivais un traitement médicamenteux particulier, si j'avais besoin de voir un médecin ou si je souffrais d'une quelconque maladie mentale. Puis il m'a prié d'enlever tous mes vêtements, à l'exception de mes chaussettes et de mon caleçon. Il m'a également débarrassé de ma montre et de mon téléphone portable. Tout cela serait utile pour l'examen médico-légal, m'a-t-il expliqué. Je ne me suis pas donné la peine de protester ou de clamer mon innocence, mais je me souviens très clairement d'avoir ressenti un sursaut de panique à l'idée qu'un peu du sang d'Andy avait pu se déposer sur mes vêtements, et que quelqu'un pourrait en déduire que j'avais été présent au moment du meurtre. J'ai aussitôt été parcouru d'un frisson de culpabilité à l'idée que ma première préoccupation avait été de sauver ma propre peau plutôt que de me soucier de la situation autrement plus grave dans laquelle se trouvait Mariana.

On m'a muni d'un drap gris et rêche pour me couvrir et on m'a escorté jusqu'à une cellule vide. Je ne fais pas partie des gens qui souffrent de claustrophobie mais une fois la porte métallique fermée et verrouillée, seul dans cet espace exigu, j'ai dû faire un véritable effort pour calmer ma respiration et surmonter ainsi une montée presque hystérique d'angoisse et de panique. Je me suis allongé sur le banc solide et rembourré aménagé le long du mur, j'ai fermé les yeux et j'ai essayé de me détendre.

Ma détention n'a pas duré très longtemps. Quelques minutes plus tard, quelqu'un rouvrait la porte et Jamie Monkton pénétrait dans ma cellule. En me voyant me redresser en veillant à m'envelopper soigneusement de ma couverture, il a froncé les sourcils.

— Où sont tes habits ?

— Ils me les ont pris, apparemment ils peuvent servir de pièces à conviction.

— Eh bien, ils ne vont pas te laisser sortir comme ça, tout de même !

Le sort de mes vêtements ne m'inquiétait pas beaucoup. Une seule chose m'intéressait :

— As-tu vu Mariana ? Qu'est-ce qu'ils vont lui faire ?

Il a secoué la tête.

— Ils la gardent sous surveillance rapprochée, ils veulent s'assurer qu'elle ne fera pas de bêtise, ils la protègent... des autres mais aussi d'elle-même, apparemment. Un médecin légiste va venir l'examiner et ensuite ce sera le tour du psychologue, c'est nécessaire s'ils veulent la faire interner...

— La faire interner ?! Pourquoi est-ce qu'on enverrait Mariana chez les dingues ?

Monkton a pris place à côté de moi, sur le banc.

— Ecoute, Pete, il va falloir que tu regardes la réalité en face. Je ne sais pas ce qui est arrivé à Mariana, mais le moins qu'on puisse dire, c'est qu'elle se comporte de manière un peu... inhabituelle. Or, si elle est inculpée, un désordre mental sera sans doute sa meilleure ligne de défense.

— Pourquoi aurait-elle besoin d'une défense ?

— Tu connais la réponse à cette question.

— Non, je ne vois pas ce que tu veux dire ! Mariana n'a rien fait. C'est impossible. J'ai passé la matinée avec elle au bureau et elle allait très bien. Je lui ai parlé dans le courant de l'après-midi et nous avons eu une conversation parfaitement normale. Comment est-ce qu'elle aurait pu...

— Pete, j'en sais rien, vraiment. C'est le boulot des spécialistes, ça. Mais je voulais te dire que la fille qui était chez moi ce soir bosse effectivement dans le pénal. Mariana et toi allez tous les deux avoir besoin d'un avocat, alors cette femme va parler à son chef et ils vont voir ce qu'ils peuvent faire. Ils seront là dans un moment. En attendant, je crois qu'ils veulent que tu te tiennes à leur disposition pour une photo, une analyse ADN et tous ces trucs, d'accord ?

— OK... De toute manière je n'ai pas vraiment le choix, si ?

— Je crains que non. Mais je vais insister pour qu'ils te donnent quelque chose à te mettre sur le dos.

— Arrange-toi surtout pour que Mariana soit bien traitée.

— Je vais faire mon possible. Ça va aller, toi ?

— Oui, oui, ça va, je tiendrai le coup.

Après s'être levé, il m'a gratifié d'une petite tape maladroite sur l'épaule, presque gêné, puis il a demandé à sortir de la pièce. Dix ou quinze minutes plus tard, un agent de police me remettait un pantalon en jean qui avait dû appartenir à une personne considérablement plus petite et plus ronde que moi, tout en me refusant une ceinture pour le retenir. Ils avaient également déniché une chemise blanche, taillée dans une de ces fibres synthétiques qui vous donnent l'impression d'être enveloppé dans un sac en plastique. On m'a remis un formulaire à remplir par lequel je donnais mon consentement pour les photographies et l'analyse ADN, puis on m'a emmené pour effectuer toutes ces formalités. Ensuite, j'ai passé encore vingt minutes à attendre dans cette cellule avant qu'on vienne me chercher.

5

La salle d'interrogatoire était quelconque, une simple enceinte aux murs vaguement grisâtres, assortis à une moquette gris foncé. Le mobilier comprenait une longue table rectangulaire avec un dictaphone et quelques micros, trois chaises en plastique à cadre métallique disposées de part et d'autre de la table, une caméra fixée sur le mur opposé et inclinée vers la salle.

J'étais assis d'un côté de la table, face à la caméra. Un flic en uniforme se tenait à l'autre bout de la pièce et m'observait sans mot dire. Puis la porte s'est ouverte et une femme est entrée ; une Asiatique aux grands yeux marron, soulignés par un maquillage intense et des lèvres peintes dans un ton pourpre à l'éclat presque liquide. Elle portait une robe courte ajustée et sans manches, des collants chair et des talons sur lesquels elle semblait mal assurée. Toute sa tenue était noire. Une odeur entêtante et épicée s'est répandue dans la pièce lorsqu'elle s'est approchée de la table.

— Je suis Samira Khan. Et pour répondre tout de suite à votre question : non, ce n'est pas ma tenue de travail habituelle. J'étais à un dîner chez votre ami Monkton. Jamie m'a dit que vous auriez sans doute besoin d'aide.

— Et Mariana ? Quelqu'un s'occupe d'elle ?

— Oui, mon supérieur, maître Iqbal. Il a insisté.

Elle s'est alors tournée vers le policier.

— Vous pouvez y aller, lui a-t-elle intimé comme une jeune duchesse renverrait son valet. Je voudrais parler en tête à tête avec mon client.

Dès que nous avons été seuls, Samira Khan s'est assise sur une chaise, à côté de moi.

— Bon, on n'a pas beaucoup de temps, alors faites bien attention à ce que je vais vous dire. Vous allez être interrogé par l'inspecteur Simon Yeats. Il est bon et il le sait. Mais rappelez-vous : vous n'êtes pas obligé de tout lui dire. Si une question vous déplaît, n'y répondez pas. Ne le laissez pas parler à votre place. C'est facile de déformer les propos de quelqu'un. Les mots dont vous vous servirez aujourd'hui pourront être interprétés très différemment quand on les lira au tribunal.

— Mais je n'ai rien à cacher ! Je n'ai rien fait ! ai-je répondu, espérant qu'elle, au moins, me croirait.

Elle m'a adressé un sourire de mère indulgente à l'égard d'un enfant un peu lent à la détente.

— Vous croyez que ça change quelque chose ?

J'étais sur le point de répliquer quand un bruit de pas s'est fait entendre, juste derrière la porte. Samira a levé la main pour me faire taire et Yeats est entré dans la pièce. Il avait environ mon âge, la petite quarantaine, et portait un costume bleu marine avec une chemise blanche déboutonnée au cou, la cravate desserrée. Il était plus petit que moi mais il prenait visiblement soin de sa ligne : sûrement un de ces types qui jouent au squash trois fois par semaine et dament le pion aux plus jeunes du club.

— Bonsoir, mademoiselle Khan, a-t-il lancé en accrochant sa veste sur le dossier de sa chaise.

— Monsieur l'inspecteur, a répondu froidement Samira.

Il m'avait semblé percevoir dans sa voix comme un léger sous-entendu. De l'hostilité, quelque chose de sexuel ou un peu des deux, je n'aurais su le dire. Ce qui était sûr, c'est qu'ils se connaissaient bien.

Yeats s'est assis en souriant et a déposé un carnet sur la table, devant lui.

— Mlle Khan a une piètre opinion de nos méthodes de travail.

Sa voix ressemblait à la mienne : aisée, éduquée, mais avec une pointe d'accent du Yorkshire.

— Au risque de rappeler une évidence je tiens à vous assurer, monsieur Crookham, que nous prenons les affaires de meurtre très au sérieux. Nous connaissons notre métier. Très bien, allons-y maintenant.

Après avoir enclenché un bouton sur l'enregistreur, il a commencé par énumérer les noms de toutes les personnes présentes dans la pièce, avant d'indiquer la date et l'heure. Puis il a répété la mise en garde habituelle. Avant même qu'il puisse poser sa première question, j'ai lancé ·

— Je veux parler à ma femme.

— Je crains que cela ne soit pas possible, monsieur Crookham, a répondu Yeats, sur un ton sensiblement plus formel maintenant que l'enregistrement était en cours. Elle est en train de passer un examen médical en ce moment même.

— L'avocat est avec elle ?

— Elle dispose d'une représentation juridique appropriée, oui.

— Elle va bien ?

— Je ne peux pas répondre à cette question. D'ailleurs, même si je le pouvais, je n'en ferais rien. Vous êtes un suspect potentiel dans une affaire de meurtre. Je crois que nous devrions garder cela en mémoire. Donc, vous pourriez peut-être commencer par me dire où vous étiez dans les heures qui ont précédé l'arrivée des premiers policiers à votre domicile, vers 9 heures, ce soir.

J'ai jeté un coup d'œil interrogateur à Samira, qui a acquiescé.

— Vous voulez que je commence par quoi ? ai-je demandé.

Yeats m'a gratifié d'un autre sourire qui rappelait davantage, cette fois, le médecin sympathique demandant à un patient de décrire ses symptômes que le flic essayant de coincer un assassin.

— Racontez-moi votre journée, par exemple.

— D'accord. Eh bien...

Je me suis interrompu un instant pour rassembler mes idées. Tous les événements normaux et quotidiens de cette journée me semblaient soudain tirés d'une autre vie que la mienne.

— Mariana et moi sommes partis pour le bureau vers 8 h 30, ce matin. Nous travaillons ensemble, dans notre cabinet d'architectes, Crookham-Church. Notre siège se trouve à Archbishop's Row...

— Un quartier très agréable, a remarqué Yeats. Les affaires doivent bien marcher alors ?

— Ça se passe plutôt bien, oui.

— Donc, vous êtes allés au bureau en voiture.. Ensemble ?

— Non, chacun avec sa voiture. Nous savions que nous ne rentrerions pas à la maison à la même heure.

— Pourriez-vous me dire la marque de vos véhicules respectifs ?

— Bien sûr. J'ai un Range Rover Sport, et Mariana une Mini Cooper S.

— Et ces voitures se trouvent actuellement à votre domicile ?

— Oui, dans le garage.

— Et votre frère, est-ce qu'il avait une voiture ?

— Il a... il avait une vieille Alfa, celle qui est garée dans notre allée.

Yeats a noté quelque chose puis a levé la tête.

— Vous êtes resté combien de temps sur votre lieu de travail, en fin de compte ?

— Jusqu'à 13 heures, environ. J'ai déjeuné tôt, à mon bureau. Ensuite, j'ai dû partir pour une visite de chantier prévue à 15 h 30 à Alderley Edge. Juste une réunion de routine, avec mes clients et le maître d'œuvre.

— Vous pouvez me donner les noms de ces clients ?

— M. et Mme Norris... Joey Norris.

— Comme le footballeur ?!

— Eh bien, en fait, c'est lui, et aussi sa femme, Michelle.

Yeats a haussé les sourcils puis esquissé une grimace en lâchant un « Eh bien, ça alors ! ». Il était impressionné, comme l'étaient la plupart des gens. Non sans un soupçon d'amertume, je me suis demandé s'il était tenté de

36

suspendre l'interrogatoire et de me poser la même question que tout le monde : « Alors, comment sont-ils, en réalité ? »

Cependant, Yeats s'est contenté de demander :

— Peuvent-ils confirmer votre présence ?

— Très certainement, oui... même si j'imagine qu'ils préféreraient ne pas être mêlés à tout ça. Je peux vous donner le numéro de l'agent de Joey ou celui du maître d'œuvre, si vous voulez. Il s'appelle Mick Horton. Il peut vous dire tout ce que vous avez besoin de savoir. Et puis vous pouvez localiser les déplacements des gens à partir de leur téléphone portable, n'est-ce pas ?

Samira Khan a froncé les sourcils. Elle ne semblait pas d'accord avec le fait que je livre autant d'informations de mon plein gré.

— On s'en occupe déjà, m'a répondu Yeats.

— Tant mieux. Vous constaterez donc que j'ai appelé Mariana vers 16 h 30 depuis Alderley Edge. Elle était encore au bureau, à ce moment-là. Elle m'a dit qu'elle comptait rentrer chez nous à 17 heures pour être sûre d'être là quand Andy – mon frère – arriverait.

— Quel était l'objet de la visite de votre frère ?

— Il s'était rendu dans le Nord pour rendre visite à ma mère. Elle réside dans une maison de retraite près de Harrogate ; Andy habite plus au sud, près d'Ashford, dans le Kent. Nous sommes à mi-chemin, c'était logique pour lui d'en profiter pour passer la nuit chez nous.

— Ainsi, votre frère est allé seul rendre visite à votre mère ? Vous ne vous êtes pas dit que ce serait bien...

— Je me rends régulièrement à la maison de retraite de ma mère, inspecteur, mais elle n'a plus toute sa raison – elle est atteinte de la maladie d'Alzheimer – et elle s'agite facilement. Il vaut mieux la voir en tête à tête.

Ce n'était pas la vérité – ou du moins pas toute la vérité. Yeats parut toutefois s'en accommoder :

— Je vois. Quel était l'objet du coup de téléphone que vous avez passé à votre femme à 16 h 30 ?

— Je voulais la prévenir du fait que mon rendez-vous risquait de s'éterniser.

— Pourquoi cette prolongation ? Vous...

— Ce n'est pas le sujet, l'a interrompu Samira. Mon client vous a déjà dit que vous pouviez vérifier tous ses déplacements.

— C'est ce qu'il dit, oui, a concédé Yeats. Cependant, plus nous réunirons de détails au cours du témoignage de M. Crookham, plus il sera aisé de faire des recoupements avec les témoignages d'autres personnes interrogées et plus je serai enclin à le croire.

— C'est bon, ai-je rassuré Samira avant de me retourner vers Yeats, assis de l'autre côté de la table. Si vous voulez tout savoir, Michelle Norris n'était pas contente des dalles en pierre que nous avions installées dans l'entrée. Elle les trouvait trop sombres. Nous avons dû nous mettre d'accord pour en faire acheminer des neuves depuis l'Italie. Bref, je n'ai pas quitté le chantier avant 18 h 30 et j'ai rappelé Mariana une heure plus tard, depuis la voiture, pour la prévenir de l'heure approximative de mon retour... et avant que vous me posiez la question : oui, j'ai un kit mains libres...

— Les infractions au code de la route ne sont pas de mon ressort, monsieur Crookham. Poursuivez.

— Eh bien, Andy et moi avions prévu d'aller boire un verre au Queen's Head avant le dîner, mais j'ai dit à Mariana qu'on allait être obligés de remettre ça à un autre jour...

— Il devait donc être environ 19 h 30 ?

— Oui.

— Vous en êtes sûr ?

— Oui. J'écoutais Five Live. Ils faisaient monter la sauce avant le match de Man U à Old Trafford. Le coup d'envoi était prévu pour 19 h 45. Il devait donc être environ 19 h 30.

— Vous avez parlé pendant longtemps ?

— Non, pas plus de quelques minutes. Peut-être même moins.

— Vous vous êtes donc contenté d'avertir votre femme que vous n'iriez pas au pub avec votre frère ?

— Oui.

— Avez-vous parlé à votre frère ?

— Non.

Yeats a froncé les sourcils.

— C'est curieux, non ? Vous n'aviez pas envie de lui dire bonjour, de lui dire deux mots personnellement ?

— Eh bien, si...

— Pourquoi ne l'avez-vous pas fait, alors ?

— Parce que...

D'un coup, j'ai réalisé pourquoi Andy était dans l'impossibilité de prendre le combiné, mais je n'avais pas besoin de l'aide de Samira Khan pour savoir qu'il valait mieux garder cette information pour moi. Je me suis donc contenté de répondre sans mentir :

— Mariana m'a dit qu'il ne pouvait pas me parler, qu'il était en ligne sur son propre téléphone.

Yeats s'est penché en avant comme un chien ayant flairé une piste.

— Ah ? Et comment était sa voix quand elle a expliqué que votre frère ne pouvait pas vous...

Samira s'est penchée pour murmurer à mon oreille :

— Vous n'êtes pas obligé de répondre à cette question.

Puis elle a repris à voix haute :

— Le conjoint d'un accusé ne peut être contraint à faire une déclaration risquant d'incriminer l'accusé, vous le savez très bien, inspecteur.

— Ah bon ? a répondu le détective. Montrez-moi le texte de droit pénal qui stipule cela. Au mieux, cela relève du droit commun. Au pire, ce n'est qu'une légende urbaine juridique. Quoi qu'il en soit, maître Khan, laissez-moi vous récapituler quelques faits. Nous n'avons pas encore l'heure officielle du décès, mais il est clair que, lorsque le légiste a examiné le corps d'Andrew Crookham, il était mort depuis au moins deux heures. Si l'alibi de votre client tient la route, il est impossible qu'il ait commis le meurtre. Cependant sa femme, qui se trouvait très probablement dans la maison au moment du décès, était couverte de sang. Elle semble par ailleurs très perturbée. On a retrouvé un couteau sur la scène du crime, couvert de sang également, qui va être examiné très rapidement pour que nous puissions relever les empreintes digitales et faire les tests ADN nécessaires. Pendant ce temps, il nous serait déjà fort utile d'avoir une idée de l'état mental de Mme Crookham à l'heure où son mari est rentré à la maison...

— Si elle est accusée, en effet. Mais pas avant, a répliqué Samira.

— Mieux nous documenterons les événements décrits, plus les preuves seront solides.

— Je vais répondre à vos questions, ai-je déclaré.

La quantité de preuves dont la police prétendait disposer m'était indifférente ; à mes yeux, la culpabilité de Mariana était inconcevable.

Samira m'a gratifié d'un regard noir.

— Très bien. Cela n'engage que vous, monsieur Crookham.

Yeats a semblé satisfait de sa victoire.

— Alors, reprenons : votre femme, quelle voix avait-elle ?

— Une voix étrange. Monocorde. Un peu perdue, comme si elle était distraite, ailleurs...

— Est-ce que vous sous-entendez qu'elle était sous l'empire de l'alcool ou de drogues ?

— Non. Mariana boit très peu et à ma connaissance elle n'a jamais pris de drogues.

— Je vois. Et comment votre conversation s'est-elle terminée ?

— Elle a raccroché, tout simplement.

— Vous n'avez pas essayé de la rappeler ?

— Non, cela me semblait inutile : j'allais être à la maison dans quelques instants, s'il y avait un problème, ce serait plus simple de le régler sur place.

Du coin de l'œil, j'ai vu Samira secouer la tête d'un air dépité, comme pour dire « Ce ne sera pas faute de vous avoir prévenu ».

— De quel genre de problème s'agissait-il, selon vous ? a poursuivi Yeats.

— Comment voulez-vous que mon client réponde à cette question, est intervenue Samira. Il s'agit de pures conjectures...

— Je ne sais pas, ai-je dit, sans lui prêter davantage d'attention. J'ai dû croire qu'ils s'étaient disputés, quelque chose dans ce goût-là...

Yeats a saisi la balle au bond :

— Cela leur arrivait fréquemment de se disputer ?

— Non, ils se sont toujours très bien entendus.

— Alors quelle raison auraient-ils eue de se disputer, tout d'un coup ?

— Aucune. C'était juste une explication possible pour le ton très inhabituel de sa voix.

— Monocorde, dites-vous... distraite, c'est bien ça ?

— Oui.

— Et maintenant, comment vous l'expliquez-vous ?

— Mon client ne répondra pas à cette question, est intervenue l'avocate, s'adressant tout autant à moi qu'à Yeats.

L'inspecteur a changé de sujet :

— Est-ce que votre vie conjugale était satisfaisante, ces derniers temps ?

— Hors sujet, encore une fois, a dit Khan.

— C'est à moi d'en juger, a insisté Yeats.

— Mon mariage se porte très bien, je vous remercie, ai-je répondu.

J'avais envie de le crier sur les toits, pour que le monde entier le sache.

— Pas de relations extraconjugales ?

— Non ! Mon épouse est l'amour de ma vie, inspecteur. C'est la plus belle femme que j'aie jamais vue. Pourquoi aurais-je envie d'aller voir ailleurs ?

— Beaucoup d'hommes trompent leur femme, si belle soit-elle.

— Eh bien, je n'en fais pas partie.

— Vous a-t-elle trompé ?

— Non... Je suis sûr que non. Pourquoi ne me croyez-vous pas sur parole ? Nous sommes heureux, tous les deux.

— Je n'essaie pas de jeter l'opprobre sur votre vie conjugale, monsieur Crookham. J'essaie juste de savoir ce qui aurait pu pousser votre femme à se jeter sur votre frère

41

pour le larder de coups de couteau entraînant le décès de celui-ci. Statistiquement, l'une des premières raisons pour lesquelles une femme attaque un homme est le sexe. Peut-être que c'était un acte d'autodéfense ? Est-il possible que votre frère ait essayé de la violenter ?

— A vous entendre, ma femme est une meurtrière adultère et mon frère un violeur frustré... Est-ce qu'il vous a seulement effleuré l'esprit qu'ils pouvaient tous les deux être des victimes ? Pourquoi ne cherchez-vous pas un autre coupable, un intrus ? Cela arrive tout le temps que des cambrioleurs entrent dans les maisons des gens, et s'ils trouvent quelqu'un à l'intérieur, il n'est pas rare qu'ils l'éliminent. Cela pourrait aussi bien être un cinglé, un schizophrène, je ne sais pas, moi... N'importe qui aurait pu faire cela ! Mais tout ce qui vous intéresse, vous, c'est ma famille !

— La raison de mon insistance est qu'un membre de votre famille repose actuellement à la morgue et que l'autre est en train de se faire examiner par un médecin légiste avant de subir un examen psychiatrique complet, a calmement répliqué Yeats. Par ailleurs, nous n'avons trouvé aucune trace d'effraction : pas de serrure forcée, pas de carreau brisé, aucune trace de pas – rien. Vous m'excuserez donc de ne pas vouloir perdre mon temps à chercher des gens qui n'existent pas. Bon, reprenons votre récit. A quelle heure êtes-vous arrivé chez vous ?

Je lui ai décrit l'enchaînement des événements depuis le moment où j'étais descendu de la voiture jusqu'à l'arrivée de la police. Une fois que j'eus terminé, l'inspecteur m'a dit :

— Merci, monsieur Crookham. Il me reste deux petites questions...

— Allez-y.

— La première, pour l'enregistrement : avez-vous tué votre frère, Andrew Crookham ?

— Non.

— Et la seconde : avez-vous des informations susceptibles de nous aider à prouver que votre femme aurait tué votre frère ?

42

— Certainement pas, non.

L'inspecteur a prononcé quelques mots dans le micro pour signaler que l'interrogatoire était clos en prenant soin d'en préciser l'heure exacte, puis il a éteint l'enregistreur. Il s'est ensuite levé de sa chaise. Juste avant de quitter la pièce, il a marqué une pause et m'a dit :

— Merci de votre coopération, monsieur Crookham Toutes mes condoléances.

Je me suis retrouvé seul avec Samira Khan. Après s'être levée elle s'est dirigée vers le mur opposé, juste en dessous de la caméra, et m'a fait signe de la rejoindre.

— Personne ne peut nous voir, ici. Ils sont censés éteindre la caméra à la fin de l'interrogatoire, mais on n'est jamais trop prudent. Je voulais juste vous demander : les informations que vous avez données à Yeats sur la visite de chantier et les coups de fil, elles tiennent la route ?

— Oui, bien sûr.

— Vous n'avez pas touché au couteau ?

— Non.

— Très bien, alors ils n'ont rien contre vous. Tout ira bien. J'y veillerai personnellement. A partir de maintenant en revanche, c'est pour votre femme que vous devriez vous inquiéter.

6

Bien entendu, je n'ai pas fermé l'œil de la nuit. Comment l'aurais-je pu ? Quand bien même les événements des dernières vingt-quatre heures ne m'auraient pas torturé l'esprit tel un ongle qui s'acharne sur une croûte, les procédures de police exigeant que l'on vérifie toutes les trente minutes l'état des prisonniers pour s'assurer qu'ils n'essaient pas de se blesser ou de se suicider ne m'autorisèrent aucun repos digne de ce nom. Les agents ne pénétraient pas dans ma cellule, mais le claquement du panneau métallique coulissant au sein de la fente percée dans la porte, le puits de lumière s'engouffrant soudain dans cet espace confiné et la sensation troublante d'être observé par un œil invisible suffisent amplement à priver de sommeil quiconque n'est pas assommé par l'alcool ou les drogues.

Allongé sur ce bloc dur qui me servait de lit, avec une simple couverture rêche pour me couvrir, je me suis donc efforcé de dresser le bilan des derniers événements. C'est à cet endroit que je dois faire une confession. Je sais que j'aurais dû penser à Andy. C'était mon frère, et il était mort. J'aurais dû le pleurer, commencer à faire mon deuil, me repasser mentalement des scènes de nos vies, comme des films de famille. Je n'ai rien fait de tout cela. Toutes mes pensées étaient tournées vers Mariana.

Ma mémoire est remontée jusqu'au jour de notre rencontre. A l'époque, cela faisait deux ans que j'étais divorcé de ma première femme, Stephanie. Steph était une fille sympa, gentille, douce, relativement séduisante, moyennement intéressante : la femme idéale pour l'homme que j'étais alors. Elle était pharmacienne. Lorsque nous avons acheté notre premier et unique logement, elle a choisi un joli petit trois-pièces dans un lotissement récent, car elle préférait la propreté des constructions neuves. Nous nous disputions rarement. Notre rupture s'est faite de manière très civilisée. Pas d'enfants, pas de récriminations, l'élément le plus triste étant sans conteste l'immense soulagement que j'ai ressenti à l'idée d'en avoir fini avec ce mariage.

Ce n'est pas pour autant que j'ai profité de mon célibat. Je disais à qui voulait bien l'entendre que ma carrière ne me laissait absolument pas le temps d'entamer une nouvelle relation, et c'était en partie vrai. L'agence en était encore à ses balbutiements et je travaillais d'arrache-pied pour faire tourner l'affaire. Mais c'était aussi une bonne excuse pour éviter de réitérer l'expérience que j'avais eue avec Stephanie. Nous avions cessé d'être des individus à part entière pour devenir Peter-et-Stephanie, les Crookham. Pete et Steffi pour les intimes. J'en avais vite eu ma dose.

Mariana Slavik s'est présentée à notre bureau par une journée de mai inhabituellement chaude. Elle cherchait un stage d'été. Vingt-quatre ans, allemande mais s'exprimant dans un anglais irréprochable, elle préparait un diplôme de troisième cycle en architecture à l'université de Sheffield. Sheffield est loin d'être une mauvaise faculté, elle est même plutôt bien cotée. Pourtant, cela m'avait intrigué que cette jeune femme soit venue jusqu'en Angleterre pour finir ses études. L'Allemagne compte pléthore d'établissements prestigieux pour étudier la profession.

Lorsque je lui avais fait part de mon étonnement à ce sujet, Mariana avait penché la tête de côté, esquissé une légère grimace, le temps de réfléchir, puis elle m'avait expliqué en haussant les épaules que plus rien ne la retenait en Allemagne. Son père avait quitté leur foyer quand elle était enfant et n'avait fait aucun effort pour garder le contact. Sa mère venait de se remarier pour la deuxième fois :

« Et celui-là est encore pire que le dernier. »

Elle n'avait pas de frères et sœurs, et plus de petit ami :

« J'ai cassé avec mon copain. C'était un vrai con. »

Cela ne la dérangeait visiblement pas de dévoiler sa vie privée lors d'un entretien d'embauche, ni d'avoir employé un terme déplacé. Au contraire, elle avait ponctué sa déclaration d'un « Pff ! » presque muet et pourtant empreint de mépris, avec un tel naturel comique que j'avais failli éclater de rire. J'avais essayé de paraître sérieux en parcourant ses références, qualifications et dessins, tous aussi excellents les uns que les autres. Son niveau était bien trop élevé, à vrai dire, pour le travail subalterne – préparation de café, photocopies, courses diverses et variées – que nous avions à lui proposer. Quand j'avais relevé la tête, Mariana attendait calmement ma prochaine question. Derrière elle, cependant, Nick Church affichait un large sourire libidineux et m'adressait de grands signes d'approbation. Notre secrétaire, Janice, secouait la tête silencieusement, désespérée par tant de bêtise masculine. Quant à nos deux employés juniors, Jake et Laurie, ils contemplaient la scène, aussi ébahis et bouche bée que des poissons rouges.

Pour être honnête, je n'avais guère été plus brillant qu'eux. Mariana avait débarqué dans ma vie en débardeur orange et en jean, un grand sac en cuir marron en bandoulière. Au fil des ans, j'allais finir par m'habituer à ses apparitions remarquées et à l'expression admirative des passants lorsqu'elle marchait dans la rue ou traversait une pièce. Mais ce jour-là c'était la première fois, et cet effet immédiat m'avait soudain rendu nerveux, légèrement moite et désespérément incohérent. Il m'avait soudain semblé que c'était moi qui passais un entretien, et non l'inverse.

Comme je devais le découvrir à force de côtoyer Mariana, la vraie beauté est une force naturelle, voire même une forme de pouvoir. Elle touche la part profonde, primaire et instinctive de notre animalité. Elle fait de la femme qui la possède l'exemple même de la maîtresse

46

femme. Mariana, en tout cas, correspondait tout à fait à cette définition.

« C'est l'illustration unique et parfaite d'un design intelligent, m'avait confié Nick au pub, le soir même, après le boulot. Il faudrait être un génie béni des dieux pour concevoir un corps tel que le sien. Aucune mutation génétique aléatoire ne pourrait y arriver. »

La vérité de son propos m'avait tout autant fait sourire que son humour. N'importe quel architecte digne de ce nom sait que le critère d'évaluation d'un bâtiment ne réside pas dans l'aspect impressionnant de sa façade ou dans les moyens financiers mis en œuvre pour sa réalisation. Tout est dans le détail, depuis le savoir-faire du menuisier qui a assemblé les planches de la charpente jusqu'au plus petit interrupteur. Ce sont ces détails, aussi, que j'appris à connaître et à aimer chez Mariana : les accents circonflexes que formaient les courbes de ses sourcils ; son nez aquilin, presque mais pas tout à fait trop long pour son visage ; ses lèvres au dessin si précis et pourtant si pleines et pulpeuses ; la cambrure de son dos quand elle s'étirait comme un félin, le matin, allongée à côté de moi ; le contact de sa peau de velours sous mes doigts.

J'aimerais que vous ayez goûté, comme moi, à son odeur et à la saveur de sa peau ; que vous ayez ressenti ce que j'éprouvais en la tenant dans mes bras, le mélange d'incrédulité, d'extase et de triomphe qui déferlait en moi chaque fois que nous faisions l'amour. Malgré le temps qui passait, il me semblait toujours aussi impossible qu'un type comme moi ait su conquérir une telle créature.

Bien sûr, au début, je n'ai même pas essayé. Ce n'était pas de la faiblesse ou de la lâcheté de ma part mais une évaluation réaliste de ma position dans la hiérarchie des relations sexuelles. Nick, quant à lui, avait tenté sa chance dès les premiers jours où Mariana avait commencé à travailler avec nous, en août. Ce n'était pas étonnant. A l'époque, pendant que je roulais au volant d'un Range Rover Discovery, il conduisait une Porsche 911. Ma voiture était plus lente et moins impressionnante, sans aucun doute, mais beaucoup plus pratique pour se rendre sur un chantier d'aménagement de grange au fin fond d'une vallée du Yorkshire. Ces deux véhicules résumaient à eux seuls tout ce qui nous séparait, Nick et moi.

Nick avait emmené Mariana boire un verre plusieurs fois avant de l'inviter à dîner dans un restaurant qu'il connaissait, près du château d'York. Le patron connaissait Nick et appréciait ses généreux pourboires et son faible pour les bordeaux coûteux. Il accueillait toujours Nick avec un sourire démonstratif, lui donnait la table la plus tranquille, à l'écart des autres clients, et traitait la fille qui l'accompagnait comme une reine. Une fois ce décor planté, Nick n'avait plus qu'à conclure.

« Laisse tomber, aucune chance », m'avait-il répondu lorsque je l'avais questionné, le lendemain matin, autour de sandwichs au bacon et de café.

A cette époque, nous avions pris l'habitude d'arriver régulièrement tôt au bureau pour faire un point avant que les autres n'arrivent. Comme Mariana, quoique non rémunérée, faisait partie des employés, nous avions conclu que cette fameuse invitation à dîner relevait des affaires de l'entreprise et était donc un sujet de discussion tout ce qu'il y avait de plus approprié.

« Elle a été très polie, très sympa, elle m'a remercié pour le dîner et m'a fait une bise sur la joue. Et c'était foutrement évident que c'était tout ce que je pouvais espérer.

— Bon, et notre duo de choc, il a tenté sa chance, lui aussi ?

— Jake, oui. Il a tellement de veine, ce mec. Il n'en rate pas une.

— Alors ?

— Pareil : un sourire, une bise et à demain. Le jeune maître Laurence essaie toujours de rassembler suffisamment de courage pour lancer une offensive directe. Mais soyons honnêtes, c'est mission impossible.

— Eh bien, on dirait qu'il ne reste plus que moi, alors... »

Nick avait rigolé, et moi aussi. Nous savions tous deux que ça n'arriverait jamais.

Le lendemain, j'avais emmené Mariana faire une visite de chantier, un cottage que nous rénovions pour un couple répondant au nom de Black, à la sortie de Harrogate. Le gros œuvre du bâtiment était complètement achevé, il ne s'agissait plus que d'équiper l'intérieur.

Mariana s'était mise en retrait, m'observant en silence pendant que je discutais avec les artisans, vérifiais si les travaux étaient conformes aux plans établis et m'entretenais longuement avec Mme Black sur l'emplacement qu'elle avait choisi pour les équipements de la cuisine et de la buanderie. Sept hommes travaillaient alors sur le chantier : tous, sans exception, sont entrés dans la cuisine sous un prétexte différent pendant la quinzaine de minutes qu'a duré notre conversation. Il était on ne peut plus évident qu'ils venaient tous pour la même raison : jeter un coup d'œil sur Mariana.

Ces simagrées peu discrètes avaient fini par agacer Mme Black. La cinquantaine, c'était une femme bien conservée dont l'apparence exigeait certainement un entretien régulier : shopping, régimes et autres séances de coiffure et de maquillage. Et voilà qu'une femme assez jeune pour être sa fille l'éclipsait sans même le vouloir. Pour ne rien arranger, son mari cachait mal son attirance pour l'apparition qui avait fait irruption dans sa cuisine.

J'essayais péniblement de faire baisser la tension croissante et de convaincre Mme Black d'installer sa plaque de cuisson à l'endroit prévu au départ et non là où elle la voulait maintenant, lorsque Mariana avait pris la parole :

« Pardonnez-moi, Peter, avait-elle dit, mais je partage l'avis de Mme Black. Certes, le côté pratique de la plaque contre le mur est indéniable, vous avez pleinement raison. Mais, dans ce cas, celui ou celle qui sera aux fourneaux se retrouvera face à un mur vierge. Alors que si vous la placez sur l'îlot central, comme le désire Mme Black, celle-ci pourra voir ce qui se passe dans la maison tout en cuisinant. Elle pourra parler à ses invités, au lieu de leur tourner le dos. C'est beaucoup mieux, à mon avis. »

Ensuite, elle s'était tournée vers Mme Black et avait ajouté, d'une voix mutine, complice :

« Comme vous pouvez le constater, M. Crookham est un architecte remarquable, mais il n'en reste pas moins un homme. Il y a des choses qu'il ne comprendra jamais. »

Mme Black avait alors souri pour la première fois depuis le début de la conversation. Mariana s'était approchée d'elle, l'avait prise par le bras et lui avait dit :

« Je trouve votre maison magnifique. Tout est si parfait, si anglais. On n'a vraiment rien de semblable en Allemagne. J'adorerais faire le tour du propriétaire, si vous le voulez bien. Est-ce que cela vous embêterait de me la faire visiter ?

— Bien sûr que non, j'en serais même ravie », avait répondu Mme Black.

Toute tension, toute dureté avait à présent quitté son visage.

« Je suis soulagée d'avoir réglé cette histoire de plaque de cuisson ! Laissons les hommes se charger du reste, maintenant. »

J'aurais dû être hors de moi. Une stagiaire venait non seulement de me contredire devant un client mais aussi de remettre en question le travail de notre partenaire ! Mais comment aurais-je pu être en colère alors qu'elle avait de toute évidence séduit un de nos clients les plus précieux ?

« Bon sang, c'est une perle que vous avez dénichée là ! m'avait lancé M. Black une fois que les femmes avaient quitté la pièce. Je ne vous savais pas si doué, mon gars. Surtout, prévenez-moi si elle prévoit de faire d'autres visites, hein ? »

Le temps avait changé du tout au tout quand nous en eûmes terminé : le ciel bleu de la semaine passée avait fait place à des nuages noirs et menaçants, qui défilaient maintenant en rangs serrés au-dessus d'un sinistre paysage aux tons gris, marron et vert éteint alternés. A l'heure du déjeuner, Mariana et moi nous étions réfugiés dans mon Range Rover Discovery, où nous avions dévoré des sandwichs en partageant un thermos de café tandis que la pluie s'abattait sur le toit et coulait sur le pare-brise en un torrent unique et continu.

« Désolée pour tout à l'heure, dit Mariana. Je n'aurais pas dû m'en mêler, mais j'avais l'impression que Mme Black était en train de s'énerver. J'avais peur que son mari s'en mêle et que tout... Enfin, en tout cas, je n'ai pas pu m'empêcher de réagir...

— Ne vous en faites pas. Vous avez bien fait.

— C'était tellement mignon ! J'ai vu que vous étiez sur le point de vous mettre en colère et puis, tout d'un coup, j'ai vu que vous aviez compris ce que je faisais. Cela m'a vraiment soulagée. »

Curieusement, venant d'elle, le terme « mignon » m'agaçait moins que d'habitude.

« Par contre, son mari, avait repris Mariana en lâchant un petit rire, quel obsédé, celui-là ! Il a essayé deux fois de me peloter les fesses.

— Ah ça, ce n'est pas difficile à comprendre », avais-je lâché machinalement.

Les mots s'étaient échappés de ma bouche avant même que je puisse les rattraper et désormais ils étaient là, entre nous, en suspension dans l'air, tandis qu'une petite voix dans ma tête répétait : « Et merde, merde, MERDE ! »

Un sourire nonchalant s'était alors dessiné sur son visage.

« Ah ? Parce que vous aussi, vous aimeriez me peloter les fesses ? »

Dans neuf cas sur dix, je me serais récrié : « Non, non, bien sûr que non, Seigneur ! » Je suis un homme prudent de nature, et le patron de Mariana de surcroît. La dernière chose dont j'avais besoin, c'était une accusation de harcèlement sexuel de la part d'une jeune employée. Mais la courbe de son sourire et une certaine lueur dans son regard avaient dû me laisser entendre qu'il s'agissait d'une sorte de test. Il y avait aussi quelque chose d'autre, une espèce de complicité, un courant fluide qui passait entre nous, une énergie indéfinissable. Toujours est-il que j'avais fini par lui rendre son sourire.

« Bien sûr ! »

Et avant de me dégonfler à nouveau, j'avais vite ajouté :

« Enfin, "peloter" n'est pas le mot. Disons plutôt caresser, masser... »

Mariana avait ri :

« Fouetter, pendant que vous y êtes ? »

Et merde, m'étais-je dit, au point où j'en suis, autant y aller franco !

« Ah ça ! Si vous me refaites le même coup que tout à l'heure, je ne vais pas me priver ! »

Un an plus tard, presque jour pour jour, nous étions mari et femme.

7

Le vacarme a duré toute la nuit : cris et disputes entre ivrognes et flics, cavalcades dans les couloirs, claquements de portes, téléphones sonnant dans le vide... J'ai essayé de faire abstraction de tout ce bruit et, les yeux fermés, de me concentrer sur ce qui se passait dans ma tête. En revisitant ces premières années avec Mariana, l'élément qui me frappait le plus était l'improbabilité de la situation. Parmi tous les bureaux d'architectes de toutes les villes du monde, c'était le mien qu'elle avait choisi. Quelles étaient les probabilités pour que cette rencontre se produise ?

Rétrospectivement, la facilité avec laquelle elle était tombée dans mes bras soulevait une foule de questions sur ses réelles motivations que je n'avais jamais vraiment osé me poser. Mais quel rapport cela avait-il avec le cadavre qui gisait sur le sol de mon salon, sur le corps froid et livide, étendu dans une mare carmin, qui me revenait sans cesse à l'esprit, inopinément, comme une suite d'instantanés parasites insérés dans le film de ma vie ? Je ne pensais pas activement à Andy mais mon subconscient ne lâchait pas l'affaire si facilement. J'ai ouvert les yeux pour faire disparaître l'image de son cadavre, j'ai attendu quelques instants pour retrouver mes esprits, puis je me suis replongé dans mes souvenirs de Mariana.

Les gens vous traitent différemment lorsque vous êtes marié à une belle femme. Je ne parle pas seulement des clins d'œil, des bourrades ou de la jalousie ouverte de certains hommes. Les femmes aussi changèrent d'attitude à mon égard. Elles se firent soudain plus dragueuses, mais aussi étrangement plus graves, comme si leurs intentions étaient réelles. Avec le temps, j'ai fini par comprendre que Mariana m'avait en quelque sorte validé : si une femme comme elle voulait de moi, c'est que je devais en valoir la peine.

Mais pourquoi ? Les Français ont un dicton : « C'est la femme qui choisit l'homme qui la choisira. » Il ne faisait aucun doute que Mariana m'avait choisi, et après quelques années j'ai fini par rassembler suffisamment de courage pour oser lui en demander la raison.

« Eh bien, avait-elle commencé, après avoir reculé d'un pas et m'avoir scruté de la tête aux pieds, comme pour me jauger. Tu étais le seul du bureau à n'avoir pas "tenté le coup" avec moi, pour reprendre tes mots. Tu étais toujours très gentil, très poli et très respectueux. Le parfait gentleman anglais. Mais... »

Elle m'avait alors adressé un petit sourire de séduction.

« ... quand je t'ai donné une chance, tu l'as saisie. C'est là que j'ai su que tu pouvais être à la fois un homme et un gentleman. Je me suis dit : Celui-là, c'est le bon.

— Il t'est déjà arrivé de regretter ce choix ? »

Elle avait passé ses bras autour de ma taille et s'était dressée sur la pointe des pieds pour m'embrasser.

« Jamais. Pas une seule seconde. »

Cette confirmation de son amour m'avait submergé de joie. Mariana avait ri en voyant ma tête.

« Et ça, c'est l'autre raison...

— Quoi donc ?

— Ce sourire... Ton sourire... Au début de mon stage, je me suis amusée à t'observer, au bureau. La plupart du temps, tu avais l'air très sérieux, toujours à froncer les sourcils, à jouer les patrons : prendre des décisions, parler aux clients, négocier avec les fournisseurs. Mais de temps en temps il se passait quelque chose de drôle, et dans ces moments-là tu souriais comme un écolier espiègle. Je me souviens m'être dit que ça devait être bon d'être celle qui te faisait sourire comme ça. Et avant que tu me poses la question : oui, c'est aussi bon que ce que j'espérais. »

Quand une femme comme Mariana vous dit ce genre de choses, vous avez le sentiment d'être le roi du monde. Sous son influence, j'ai gagné en assurance, j'ai commencé à soigner davantage mon style vestimentaire. J'ai troqué le Discovery contre un Range Rover Sport, et j'ai acheté une Mini décapotable haut de gamme pour elle. Nous pouvions nous permettre ces voitures, ainsi que notre belle grange reconvertie, car les affaires marchaient du tonnerre.

Cela tenait en partie à la reprise économique quasi euphorique qui régnait pendant ces années-là, alors que nous foncions avec insouciance vers une monumentale crise financière. Mais, même dans ce contexte éminemment favorable, Crookham-Church battait tous les records de succès, un succès qui ne reposait pas seulement sur ma pugnacité et ma capacité à livrer un travail selon le budget et les délais prévus, ni sur l'indéniable flair de Nick pour trouver des moyens nouveaux et originaux permettant de réinventer des bâtisses d'époque en leur donnant une touche plus moderne. La vraie raison, j'en suis convaincu, c'était Mariana.

Un jour, alors qu'elle faisait des emplettes dans une boutique Harvey Nichols, à Leeds, à la recherche d'un jean, elle s'était mise à papoter avec une autre femme d'environ son âge. Après avoir sympathisé autour de tissus suédois terriblement branchés et excessivement chers, les deux jeunes pipelettes étaient montées au café du quatrième étage pour prendre un verre et discuter entre filles. La nouvelle amie de Mariana n'a pas tardé à se révéler être une authentique WAG[1]. Son mari avait joué pour Leeds United, avant d'être transféré au moment de la relégation de l'équipe en division inférieure.

« Comment veux-tu que je m'en souvienne ? avait répondu Mariana quand je lui avais demandé quel club il avait rejoint. Je ne m'intéresse pas du tout au foot. Ça commence par un... *B*, je dirais. »

---

1. Acronyme (popularisé par les tabloïds) de *Wives and Girlfriends*, « femmes et petites amies », s'agissant des compagnes des joueurs de l'équipe d'Angleterre de football. (*Toutes les notes sont de la traductrice.*)

Toujours est-il que le club « B » en question versait un salaire hebdomadaire de cinquante mille livres au mari de cette femme. Le couple venait d'acquérir une maison qu'ils souhaitaient partiellement démolir pour la reconstruire selon de nouveaux plans, mais le chantier s'annonçait compliqué.

« C'est affreux, s'était-elle plainte auprès de Mariana. En plus, le gars qui a dessiné les plans est snob comme pas possible. Il n'écoute jamais ce qu'on lui dit et nous prend vraiment pour des ploucs ! »

Mariana avait alors mentionné qu'elle travaillait dans un cabinet d'architectes.

« Oh, ça alors ! s'était exclamée la WAG, partant manifestement du principe que Mariana devait y remplir des fonctions de secrétaire : Dis-moi, il est comment, ton patron ?

— Eh bien, c'est aussi mon mari, avait répondu Mariana en riant. Et je suis l'une des deux architectes du bureau. »

La WAG avait ouvert des yeux ronds, puis elle avait tendu la main au-dessus de la table pour saisir le bras de Mariana.

« Oh, mon Dieu ! s'était-elle écriée. Toi et ton homme, vous ne pourriez pas nous aider à faire la maison de nos rêves ? De toute manière, vous ne pouvez pas être pires que l'autre vieux con, pas vrai ? »

C'est ainsi que nous étions devenus les architectes attitrés de la Premier League [1], installant pour nos clients des salles de projection privées et autres pièces dédiées aux jeux, et pour leurs femmes des cuisines hors norme, des salles de bains luxueuses, des chambres magnifiques et des dressings gigantesques. Nous n'avons pas tardé à développer une véritable expertise en salles de remise en forme dignes des meilleurs clubs de gym et en piscines intérieures suffisamment grandes pour accueillir les épreuves olympiques de natation. Les années où nous apprenions comment économiser de l'argent et obtenir des effets

---

1. La première division du championnat de football anglais.

sophistiqués tout en nous tenant à un budget modeste semblaient définitivement révolues. Nos clients ne souhaitaient que le meilleur, le plus rutilant, le plus récent et le plus pratique, quel qu'en soit le prix.

Je dois reconnaître que j'étais ravi. Tous les architectes rêvent de travailler pour des clients fortunés. Lorsque, pour couronner le tout, ces clients sont aussi en mesure de vous offrir des billets gratuits pour les tribunes d'honneur des stades d'Anfield ou d'Old Trafford, des passes backstage pour les concerts de leurs petites amies ou encore des invitations à des soirées ultra-sélectes... eh bien, je défie quiconque de ne pas avoir les chevilles qui enflent.

J'ai découvert la dépendance au pouvoir et à l'argent ; la facilité avec laquelle on s'y habitue et la manière dont ce qui nous semblait une extravagance inimaginable si peu de temps auparavant devenait soudain une simple nécessité quotidienne. Mes valeurs n'en sont pas sorties indemnes, je l'admets volontiers. A ma décharge, nous traversions des années de prospérité économique et la perversion était généralisée.

Quant à Mariana, eh bien, pendant un ou deux ans, j'ai tremblé à l'idée qu'elle me quitterait pour l'un de nos jeunes et vigoureux clients trop bien payés. Nombre d'entre eux ont d'ailleurs tenté leur chance, comme tout footballeur qui se respecte. Même les plus mollassons ou idiots d'entre eux se révèlent vite des concurrents féroces, intraitables élus d'un processus d'élimination qui a laissé sur le carreau des centaines d'autres prétendants. Pourtant, Mariana les repoussait les uns après les autres avec intelligence, sans se départir de son charme naturel, veillant toujours à ne blesser personne.

Son domaine de prédilection à elle, c'était la conquête des femmes. Une fois que celles-ci étaient rassurées sur le fait qu'elle ne courait pas après leurs hommes, les WAGs adoraient bavarder avec une fille de leur âge. Mariana s'y connaissait en mode. Elle était capable de se passionner pour le dernier sac à main branché et de passer sans transition à l'explication des détails techniques de nos plans de construction, et elle veillait toujours à s'exprimer dans un langage compréhensible pour le commun des mortels. Nos commandes dépendent en grande partie du bouche-à-oreille et dans le cercle des femmes de footballeurs Mariana a vite acquis le statut de mascotte.

Et pendant tout ce temps, à chaque minute de la journée, j'étais conscient du fait qu'elle portait au doigt l'alliance que je lui avais offerte, et que peu importait l'endroit où elle passait ses journées, ses nuits m'appartenaient.

J'ai dû m'endormir à un moment donné car ce dont je me souviens ensuite, c'est d'avoir rêvé que j'étais rentré à la maison, que j'observais le corps d'Andy. Mon frère me parlait mais je n'entendais pas ce qu'il disait alors je ne cessais de lui demander de parler plus clairement. Tout d'un coup je me mettais à lui crier dessus – toute cette frustration accumulée m'avait mis très en colère. Andy essayait alors de se lever pour se faire entendre, il était parvenu à se redresser puis à se mettre debout, et...

Je me suis obligé à me réveiller, me retrouvant soudain en prison. L'espace d'un bref instant, j'ai ressenti une sorte de soulagement en reconnaissant ma cellule.

8

Le lendemain matin, on m'a servi un petit déjeuner, puis je me suis surpris à contempler le mur. Il n'y avait rien à regarder. Une heure après que quelqu'un était venu récupérer mon assiette vide, j'ai profité du fait que ma lucarne s'ouvrait pour la deuxième fois pour tenter un faible « Excusez-moi ».

— Qu'est-ce qu'il y a ? m'a répondu une voix derrière la porte.

— Je m'ennuie à mourir. Est-ce que ce serait possible d'avoir quelque chose à lire, s'il vous plaît ?

— Tu te crois où, mon vieux, au Hilton ? Bientôt, tu vas me demander du café et des biscuits, c'est ça ? Je rêve...

Quand la lucarne s'est refermée, je me suis senti à la fois honteux et abattu. Quelques minutes plus tard, j'ai entendu cogner à la porte puis le brigadier est entré, un tabloïd négligemment plié sous le bras.

— Tenez, m'a-t-il dit en me le tendant avec un sourire sardonique. Félicitations, t'es devenu célèbre.

J'ai compris la raison de son hilarité et de ce ton moqueur en avisant une double colonne, en page dix, intitulée « Tragédie sanglante au pays du ballon rond ». Le journal avait déniché un cliché pris l'année précédente, lors d'un grand bal caritatif. On y voyait Mariana bavardant avec trois femmes de footballeurs. Ma femme y était décrite comme « une blonde pulpeuse, l'incontournable beauté allemande vers laquelle toute WAG se tourne pour trouver la maison de ses rêves ». Il y avait une seconde photo, prise à la même occasion, où je figurais, affichant un air arrogant dans ma veste de gala et ma cravate noire pendant que je racontais une blague à un couple de directeurs de la Premier League. Un encart inséré dans une colonne titrée « Le monde du foot choqué par ce meurtre abominable » montrait Joe et Michelle Norris, les Foster et trois autres footballeurs pour lesquels nous avions travaillé. Tous étaient, selon le journal, trop bouleversés par la nouvelle pour la commenter.

Plusieurs heures se sont écoulées. Puis, au milieu de l'après-midi, Samira Khan est apparue, cette fois en tenue de travail. Lorsqu'elle a aperçu le journal sur le banc, à côté de moi, elle a levé un sourcil et s'est contentée d'un « Ahh… » désabusé.

— Comment savent-ils tout ça ? ai-je demandé en désignant la double page.

— Dans tous les commissariats, il y a un volontaire prêt à appeler un journal pour se faire un peu d'argent facile. Si vous voulez mon avis, la police est aussi poreuse qu'une passoire. Non, en fait c'est pire : une passoire n'a pas le choix. Mais dans la police les gens font ça délibérément.

J'ai reposé le journal et j'ai demandé :

— Où en est Mariana ?

— Elle a été examinée par un psychiatre ce matin. Il a estimé qu'elle n'était pas en état de subir un interrogatoire.

— Je peux la voir, alors ?

— Je crains que la réponse ne soit non. Mais je me renseigne avec maître Iqbal pour voir ce qu'il en sera quand vous serez libéré. C'est une situation très délicate. D'un côté, vous êtes le mari de Mme Crookham, et à ce titre vous devriez avoir droit à des visites surveillées. Mais, de l'autre, vous êtes encore considéré comme un témoin important dans cette affaire, donc il est possible que le juge vous interdise tout contact…

— Mais si elle ne peut même pas répondre aux questions de la police, il est peu probable qu'elle me parle de l'affaire, vous ne croyez pas ? Je veux juste la voir, lui dire que je pense à elle. Je voudrais l'embrasser. Quoi de plus naturel, enfin ?

Samira m'a regardé d'un air songeur.

— Ne le prenez pas mal, a-t-elle dit enfin, mais, pour être tout à fait franche, je ne comprends pas votre attitude. Votre femme est accusée d'avoir assassiné votre frère et on a l'impression que vous ne vous préoccupez que d'elle. Votre famille, votre sang, ce n'est pas plus important pour vous ?

— Eh bien, si, sans doute, mais... Qu'est-ce que vous voulez que je vous dise ? Andy est mort. Je ne peux plus rien faire pour lui. En revanche, Mariana est accusée de l'avoir tué et on dirait que personne n'envisage d'autre possibilité. Mais il doit forcément y en avoir une. Elle n'a pas pu faire une chose pareille !

— Il va pourtant falloir que vous regardiez la réalité en face, monsieur Crookham, a repris Samira d'une voix si douce que j'ai ignoré sa remarque pour me concentrer sur la question qui l'avait précédée et à laquelle j'essayais désespérément de trouver une réponse.

— Au risque de vous choquer, il me semble que je peux vivre plus facilement sans Andy que sans Mariana, ai-je fini par dire. Vous voyez, on ne peut pas dire que notre famille soit très soudée. Mon père est mort jeune. Ma mère n'était pas la femme la plus facile à vivre et elle ne l'est pas plus aujourd'hui. Chez nous, tout a toujours été, je ne sais pas... compliqué.

— Je crois que toutes les familles sont très compliquées à leur manière, pas vous ?

— Je suppose que vous avez raison. Mais tout de même... Vous savez ce qui m'inquiète le plus ? Je n'ai pas pleuré la mort d'Andy. Enfin : mon frère est mort, tout de même, et la vérité c'est que je ne ressens pas ce que je devrais ressentir.

— C'est sûrement l'effet du choc, m'a dit Samira en posant une main sur mon épaule. Vous avez vécu une expérience très traumatisante. Votre cerveau va mettre du temps à tout analyser. C'est naturel.

— Je l'espère, car j'ai vraiment l'impression de ne pas avoir de cœur, en ce moment. Tout ce que je sais, c'est que je veux voir ma femme.

L'avocate est restée très calme, m'indiquant par son silence qu'elle ne pouvait rien faire de plus pour m'aider.

— Et moi, alors ? ai-je demandé.

— La police est tenue de se décider très vite : soit elle vous inculpe, soit elle vous libère. Cela va se faire incessamment, croyez-moi, mais auparavant Yeats souhaite vous poser quelques questions supplémentaires.

Cinq minutes plus tard, on me conduisait le long d'un couloir, jusque dans une autre salle grise.

— Je suis désolé de vous retenir, a dit l'inspecteur Yeats tout en nous indiquant nos chaises. Mais je crois que vous conviendrez que ça valait la peine d'attendre.

9

L'attitude de Yeats avait changé au cours de la quinzaine d'heures qui venaient de s'écouler. Il semblait fatigué – je doutais qu'il eût dormi davantage que moi la nuit précédente – mais détendu. Il avait fait son boulot et obtenu les résultats escomptés.

— J'ai de bonnes nouvelles pour vous, monsieur Crookham, commença-t-il. Les relevés téléphoniques coïncident avec le compte que vous m'avez indiqué hier soir. Par ailleurs, les Norris ont tous les deux confirmé votre présence sur le chantier. Vous pouvez également récupérer vos vêtements. Il y avait quelques traces de sang sur l'une des manches de votre veste, mais elles correspondaient au frottement de la robe de votre épouse au moment où vous l'avez guidée à travers la pièce. Il n'y a pas d'empreintes de vous sur le couteau de cuisine identifié comme étant l'arme du crime. Il n'y a donc aucune raison de croire que vous ayez été impliqué dans le décès de votre frère...

— Mon client est donc libre, a complété Samira Khan.

— En effet, mais je lui serais reconnaissant de bien vouloir répondre à quelques dernières questions avant de partir. Ah ! Et avant que maître Khan n'émette la moindre objection, j'aimerais être franc avec vous, monsieur Crookham...

Yeats s'est penché en avant, appuyant ses coudes sur la table.

— Les preuves contre votre femme sont accablantes. Sachez-le.

— Non, je ne veux pas le savoir ! Ce que je sais, en revanche, c'est que personne n'envisage d'autre explication pour ce qui est arrivé, parce que personne ne s'est donné la peine d'en chercher !

— Encore une fois, monsieur Crookham, je vous répète que dans le cas présent les simples faits ne laissent aucune place au doute. En termes plus clairs : nous avons fait notre boulot d'officiers de police, point. Nous avons affaire à un cas d'école qui va renflouer les statistiques des affaires résolues. J'admets cependant que l'absence de motif me pose un sérieux problème. Je ne comprends pas pourquoi Mariana Crookham a tué son beau-frère, et cette question me titille.

— Je l'espère bien, que ça vous titille ! Votre unique suspect n'a pas la moindre raison d'avoir commis ce crime. Peut-être, en revanche, que quelqu'un d'autre avait un motif...

— Il n'y a personne d'autre, monsieur Crookham. Vous feriez mieux d'intégrer cela rapidement. Donc...

Yeats a baissé les yeux sur ses notes et a plissé le front en parcourant une page en particulier, puis il m'a demandé :

— Votre frère était journaliste, c'est bien cela ?

— C'est exact, oui.

— Dans quelle mesure son métier influençait-il vos relations ?

— Qu'entendez-vous par là ?

— Votre clientèle se composait largement de célébrités. Est-ce que vous en parliez avec votre frère ?

— Non, absolument jamais. Je ne parle pas de mes clients, et Mariana pas davantage. Quand nous créons un habitat pour quelqu'un, nous entrons dans son intimité, dans la sphère la plus secrète de sa vie. Je suis au courant de choses, concernant mes clients, dont le moindre journaliste ferait ses choux gras. Mon frère était donc de toute évidence la dernière personne à laquelle j'aurais raconté quoi que ce soit.

— Vous ne lui faisiez pas confiance ?

— Ça n'aurait pas été très honnête. C'était son boulot d'écrire des histoires. Je ne pouvais pas m'attendre à ce qu'il fasse une exception pour moi. Ç'aurait été pareil si un de vos amis vous confiait avoir commis un crime. Est-ce que vous garderiez le secret ?

Yeats a haussé les épaules.

— Je comprends. Donc, vous lui cachiez des choses. Est-ce que vous croyez qu'il vous en cachait, lui aussi ?

— J'imagine, oui. Il n'a jamais aimé parler de son travail avant que l'information soit confirmée et imprimée.

— Il aurait donc pu enquêter sur une histoire sans que vous en soyez informé ?

— Bien entendu. Nous n'étions pas si proches. Nous ne nous parlions pas tous les jours, vous savez. Pas même une fois par semaine, à vrai dire. Je ne savais presque rien de ce qu'il faisait.

— Je vois…

Yeats s'est de nouveau penché vers moi.

— Votre frère aurait donc très bien pu faire une enquête sur votre épouse sans que vous vous en rendiez compte ?

— Pardon ?

La question m'avait pris au dépourvu. Pourquoi Andy se serait-il intéressé à Mariana ? Qu'est-ce qu'il y aurait eu à chercher, et qui cela pouvait-il bien intéresser ?

— Eh bien, à en juger par les journaux d'aujourd'hui, ce n'est pas l'intérêt qui manque.

— Mais c'est juste à cause de… à cause de ce qui s'est passé ! Sans cela, il n'y aurait aucune raison d'enquêter à son sujet, comme vous semblez vouloir l'insinuer. En tout cas, Andy n'aurait jamais fait une telle chose. D'accord, il pouvait être un impitoyable salaud quand il était sur une bonne histoire, mais il n'aurait jamais trahi son propre frère.

— Et s'il n'essayait pas de trahir son frère, mais au contraire de le sauver ?… Etes-vous sûr de bien connaître votre femme, monsieur Crookham ?

Au moment de lui répondre, je me suis forcé à m'interrompre, le temps de respirer profondément, pour ne pas perdre mon sang-froid.

— Ma femme et moi n'avons pas été séparés plus d'une douzaine de nuits au cours des six dernières années. Nous travaillons ensemble tous les jours. Je sais tout d'elle.

— Vous avez donc rencontré sa famille ?

— Elle l'a perdue de vue. Son père a quitté le domicile familial quand elle était très jeune et elle ne parle plus à sa mère.

— Oui, enfin c'est ce qu'elle vous a dit...

— Comment cela ? Est-ce que vous voulez me faire croire qu'elle me mentirait ?

A l'instant où je prononçais ces mots, j'ai été frappé par la possibilité épouvantable qu'il ait raison. J'avais passé la nuit à me recomposer une image de Mariana et, à peine quelques heures plus tard, les premières craquelures commençaient déjà à se dessiner.

— Où est née votre femme ? a poursuivi Yeats.

Voilà au moins une question à laquelle je pouvais répondre :

— A Berlin-Est. Sa mère l'a emmenée à l'Ouest après la chute du Mur, mais elle était une Ossi, une Allemande de l'Est, pendant les premières années de sa vie. Je me moquais parfois d'elle à ce sujet. Ma fiancée de l'Est...

— Comme c'est mignon, m'a sèchement interrompu Yeats. Quel était son nom de famille, quand vous l'avez rencontrée ?

— Slavik.

— Et sa date de naissance ?

— Eh bien, elle a eu trente ans le 14 juin... faites le calcul.

— Ce n'est pas nécessaire. Votre frère s'en est chargé... quand il a tenté – en vain, d'ailleurs – de mettre la main sur son certificat de naissance. Tout est dans son ordinateur portable, que nous avons retrouvé dans sa voiture. Il avait un dossier spécialement consacré à votre Mariana : des liens Internet, des résultats de recherches, des photos – tout était soigneusement classé. Vous devriez y jeter un coup d'œil, un jour, vous seriez peut-être étonné de ce que vous découvririez...

— Qu'est-ce que vous essayez de me faire comprendre ?

— Nous avons certaines raisons de croire que votre frère a découvert des informations susceptibles de gêner votre épouse. Saviez-vous qu'Andy était allé à Berlin ?

Je n'ai pas pu cacher ma surprise. Andy et moi n'étions pas les frères les plus proches de la terre mais, sachant que j'étais marié à une Allemande, née à Berlin de surcroît, il aurait semblé logique qu'il m'en parle s'il projetait de se rendre dans sa ville natale... A moins que, justement, il n'ait pas souhaité que nous le sachions.

J'ai essayé de bluffer :

— Etes-vous bien sûr de ce que vous avancez ?

— Absolument certain. Nous avons trouvé de nombreuses allusions à son séjour dans ses notes, ainsi que les confirmations de ses vols et de ses réservations d'hôtel dans ses mails. Nous avons déjà tout vérifié.

— Très bien. Non, je n'ai aucun souvenir qu'il ait mentionné ce voyage. Peut-être qu'il avait prévu de m'en parler hier soir...

Yeats a hoché la tête.

— Peut-être, en effet. Peut-être que c'est cela qui a affecté votre épouse... le fait qu'il enquête sur elle...

— Comment ça, « le fait qu'il enquête sur elle » ? Ne me dites pas qu'il avait découvert une sale histoire dans laquelle elle tremperait, parce que je ne vous croirais pas. A moins que vous ne m'en donniez des preuves irréfutables tirées de ses notes !

— Non, je ne suis pas en mesure de vous affirmer quoi que ce soit, a admis Yeats. Il y a beaucoup d'informations là-dedans, mais la plupart d'entre elles ne mènent nulle part, ou alors elles sont restées à l'état de questions.

— Donc, il n'avait rien trouvé de particulier ?

— Rien de définitif, en tout cas, a de nouveau concédé Yeats, mais j'ai l'impression que c'est précisément ce qui attisait sa curiosité. Eh bien, oui : en toute logique, il aurait dû trouver quelque chose, n'est-ce pas ? Réfléchissez-y. Peu importe la part de secret que nous portons en nous, nous laissons tous une trace au fil de notre vie. Or, votre femme semble avoir surgi de nulle part. Il avait une piste intéressante, un cliché… Mais même celui-ci ne semble pas avoir été clairement identifié. En tout cas, il ne paraît pas avoir eu plus de succès en suivant cet indice-là.

— Est-ce que vous allez vous en charger à sa place, du coup ?

Cette fois, Yeats m'a semblé sincèrement amusé.

— Vous voudriez que je me lance dans un jeu de piste des plus hasardeux, et en Allemagne qui plus est, pour un meurtre qui a déjà été résolu ?! Vu les restrictions budgétaires auxquelles nous sommes soumis, je ne crois pas que notre hiérarchie serait très heureuse que nous affections nos officiers de police à ce genre d'enquêtes. Laissez-moi cependant vous exposer mon hypothèse, monsieur Crookham. Supposez que votre frère ait finalement mis le doigt sur quelque chose d'important concernant votre femme, qu'il ait fait une véritable découverte. Je suis bien placé pour savoir le sentiment que cela procure : c'est terriblement excitant. Maintenant, supposons qu'il n'ait pas trouvé le temps d'enregistrer cette information dans son ordinateur. A moins que ce ne soit quelque chose qu'il voulait garder pour lui, et qu'il s'est donc contenté de mémoriser. Dans tous les cas, il se retrouve chez vous, en tête à tête avec votre épouse, avec cette découverte qui le tarabuste. Il finit par craquer, il pose une question à votre femme, peut-être même un peu trop ouvertement. Après tout, c'est ce qu'il fait d'habitude, c'est son métier. Et voilà que sa découverte, peu importe laquelle, assène un choc énorme à votre épouse. Tout d'un coup, elle a l'impression que tout son univers, tout ce qu'elle a mis tant de temps à construire, est en train de tomber en morceaux. Elle panique. Peut-être même que son équilibre mental est ébranlé. Toujours est-il qu'elle…

— … qu'elle se lance dans une attaque sauvage contre mon frère, avec le couteau qui se trouvait opportunément à portée de main ? C'est bien ça ?

— Quelque chose dans ce goût-là, oui.

— Eh bien, c'est parfaitement absurde. Je n'en crois pas un mot.

68

— Est-ce que vous avez une meilleure explication à proposer, monsieur Crookham ?

Je n'ai pas répondu. Yeats m'a regardé fixement.

— C'est bien ce que je pensais. Eh bien, merci pour votre aide, en tout cas. Vous êtes libre de partir maintenant. Vos habits ainsi que vos effets personnels sont encore au labo mais ils vous seront retournés au plus vite. Nous allons devoir garder les vêtements de votre frère comme preuve à conviction, mais vous pourrez récupérer ses affaires ainsi que son ordinateur une fois que nous aurons effectué une copie de son disque dur. Etant donné l'état de santé de votre mère, je suppose qu'il vaut mieux vous adresser tout cela directement ?

— Oui, je me charge de tout.

— Très bien. Bon, je ne sais pas dans quelle mesure vous avez été informé de l'intérêt médiatique que cette affaire a suscité, mais à mon avis vous n'aurez pas envie de repartir par la porte principale. Les vautours sont en train de se rassembler et j'imagine que vous ne tenez pas spécialement à leur parler. Une parole de travers et la machine à potins se chargera du reste.

Samira Khan a élevé la voix :

— Pourquoi est-ce qu'on n'improviserait pas une petite conférence de presse ? Je pourrais leur déclarer qu'aucune charge n'a pu être retenue contre mon client, par exemple, et j'en profiterais pour demander aux médias de lui accorder la paix et le respect nécessaires en cette période difficile ?

Yeats a hoché la tête :

— Très bien. Pendant ce temps, nous ferons sortir M. Crookham par la porte arrière, avant que quelqu'un n'ait le temps de réagir. Voici ma carte.

Il l'a poussée vers moi sur la table, en ajoutant :

— Si la moindre information pouvant servir l'enquête vous revenait à l'esprit ou si vous découvriez quelque chose qui vous semblerait intéressant, appelez-moi, à n'importe quelle heure... A condition que maître Khan n'y voie pas d'objection, bien sûr.

— Si cela se produisait, je conseillerais à mon client de m'en parler d'abord, a répondu l'interpellée, mais sur le principe je n'ai rien contre.

Dix minutes plus tard, je me faufilais hors du poste de police. J'étais de nouveau un homme libre mais Mariana, elle, resterait prisonnière jusqu'à ce que quelqu'un vienne la libérer, de quelque manière que ce soit.

10

Avant que je quitte le poste, ils m'ont rendu mes affaires. A la seconde où j'ai rallumé mon téléphone portable, la messagerie vocale, les signaux de mails entrants et les bips des textos se sont manifestés dans une cacophonie assourdissante. J'ai tenu à peine trente secondes avant de l'éteindre à nouveau. Je n'étais pas en mesure de gérer les réactions de mon entourage, loin s'en fallait. C'était déjà suffisamment difficile pour moi de comprendre ce qui se passait.

Un officier de police m'a reconduit à la maison, gardant un œil sur moi tandis que je me frayais prudemment un chemin à travers le salon, incapable, bien malgré moi, de détourner les yeux des taches sombres que le sang d'Andy avait laissées sur les murs, le sol et les meubles. J'avais l'impression que la pièce entière en était maculée. J'ai rempli un sac pour la nuit sans savoir précisément où j'allais me réfugier, ni pour combien de temps. Puis j'ai pris mon Range Rover et j'ai roulé jusqu'au centre-ville.

Pendant que j'étais derrière les barreaux, j'avais mentalement élaboré une liste des tâches les plus urgentes à accomplir. Je rêvais de m'asseoir dans un endroit calme et abrité des regards pour essayer de comprendre la mort d'Andy, l'arrestation de Mariana et ma propre incapacité à réagir à l'un comme à l'autre. Mais c'était peine perdue. Les heures à venir s'annonçaient particulièrement chargées.

Dans un premier temps, il me fallait passer au bureau où le chef de Samira, maître Iqbal, travaillait.

— Si j'ai bien compris, vous ne souhaitez pas faire appel à un avocat commis d'office pour la défense de votre femme, monsieur Crookham, a-t-il commencé dès qu'il m'a vu.

C'était un petit homme peu avenant, avec un embonpoint naissant et quelques rares mèches de cheveux plaquées sur son crâne chauve.

— C'est exact. Vous m'enverrez donc les factures, ai-je répondu, m'efforçant de paraître important et rentable.

Je voulais à tout prix qu'il me prenne au sérieux.

— Je subviendrai à tout, quoi qu'il faille mettre en œuvre et peu importe les coûts, entendu ? Je veux qu'elle bénéficie de la meilleure défense qui soit. Ce que dit la police m'est totalement égal, je ne peux pas croire qu'elle ait fait une chose pareille... Pas Mariana. Ce n'est pas possible.

Iqbal m'a examiné pendant quelques secondes avant de dire :

— Je comprends, monsieur Crookham. Vos sentiments sont bien naturels, au vu des circonstances. Soyez assuré de ma plus grande sympathie et de mes sincères condoléances pour la perte de votre frère. Je peux vous certifier que nous envisagerons toutes les options possibles pour notre plaidoirie concernant votre épouse, faites-nous confiance.

Ce n'était pas exactement la réponse que je pensais – ou que j'avais espéré – entendre.

— Pourquoi avez-vous besoin de considérer « toutes les options possibles » ? Contentez-vous de dire qu'elle n'est pas coupable, cela suffira amplement.

Iqbal a haussé les épaules.

— Je crains que ce ne soit pas aussi simple, monsieur Crookham. La police vous a sûrement dit que les preuves contre votre femme sont plutôt accablantes. Quand une configuration telle que celle-ci s'ajoute au fait qu'aucun indice ne laisse supposer l'implication d'une tierce personne...

Là, il a soupiré, avant de poursuivre :

— Eh bien, disons que nous risquons fort d'être en présence d'un cas de figure où les faits fondamentaux ne sont pas sujets à controverse.

— Etes-vous en train de me dire que vous baissez les bras avant même d'avoir essayé ?

L'avocat a froncé les sourcils.

— Du tout, du tout ! Il nous reste un grand nombre de possibilités. Comme vous le savez, votre épouse est très perturbée depuis que vous l'avez retrouvée. Nous attendons l'évaluation psychiatrique définitive, mais tout semble indiquer que nous pourrons bénéficier de circonstances atténuantes. Cela influencera certainement les jurés en sa faveur au moment de la condamnation...

— Je n'arrive pas à croire que vous parliez déjà de condamnation...

Il a de nouveau haussé les épaules.

— Il faut être réaliste.

— Eh bien... Bon, pouvez-vous tout au moins me dire comment va Mariana, et quand je pourrai lui rendre visite ? Est-ce qu'elle a demandé à me voir, d'ailleurs ? Peut-être qu'elle est en mesure de nous dire ce qui s'est passé, elle. Si ça se trouve, elle peut même nous décrire quelqu'un, vous ne croyez pas ?

— Oh, cela fait beaucoup de points d'interrogation, a dit Iqbal avec un soupir.

— Je suis désolé, mais...

— Non, non, il n'y a pas de quoi, monsieur Crookham. Votre inquiétude est bien normale. Permettez-moi de répondre à vos questions une à une. Vous m'avez interrogé concernant l'état de santé de votre femme, et je peux vous dire qu'elle est un peu plus réactive qu'hier. Elle est encore fragile, très déstabilisée, mais elle parvient à répondre à quelques questions simples...

— Qu'est-ce qu'elle a dit ?

Iqbal a tendu les mains dans un geste de supplication.

— S'il vous plaît, monsieur Crookham, je suis son avocat. Je suis tenu au secret professionnel.

J'ai eu l'impression de me heurter à nouveau à un mur de pierre : d'abord Samira Khan m'expliquant que je n'avais pas le droit de voir Mariana, maintenant Iqbal qui refusait de me rapporter ce qu'elle avait dit... en admettant qu'elle ait dit quoi que ce soit.

— Mais je suis son mari, enfin ! C'est moi qui paie les factures, tout de même !

J'étais totalement submergé par un sentiment grandissant de frustration.

— Oui, monsieur Crookham, c'est exact, mais ni l'un ni l'autre de ces faits n'a le moindre impact sur mes obligations morales et professionnelles envers mes clients. Par ailleurs, vous êtes un témoin potentiel. C'est déjà une grande chance qu'en tant qu'avocat de votre femme je sois autorisé à parler avec vous. Quant à vous décrire l'état de votre épouse, c'est encore autre chose. Ni vous ni moi n'en sortirions gagnants si quelqu'un s'avisait de suggérer que nous avons enfreint la procédure ou influencé le déroulement du procès...

J'ai fait de mon mieux pour me mettre à sa place. Ce n'était pas évident, vu l'état dans lequel je me trouvais.

— Vous pouvez tout de même me dire si elle a parlé de moi, ou si elle m'a fait passer un quelconque message, non ?

— En effet, je peux répondre à cette question : elle n'a rien mentionné à votre sujet et elle n'avait aucun message à votre intention, a répliqué Iqbal.

J'ai tenté de masquer la violente déception que ses mots m'avaient infligée en adoptant un ton aussi pragmatique que possible :

— Et que va-t-il se passer maintenant, alors ?

— Eh bien, la police ne peut garder un suspect plus de trente-six heures. Une fois ce laps de temps écoulé, elle doit adresser une requête de prolongation auprès du tribunal de police. Pour notre part, nous avons la possibilité de faire une demande de libération sous caution ou, si ce n'est pas opportun, de faire transférer l'accusée dans une institution médicalisée. En général, c'est assez compliqué de trouver un lit et d'obtenir le financement des autorités sanitaires, mais je suis sûr que nous trouverons une solution si nous devons en arriver là.

— Si Mariana a besoin de soins médicaux, je les paierai. Peut-être qu'une clinique privée serait plus appropriée...

Iqbal a noté quelque chose sur un bloc qu'il tenait devant lui.

— A vrai dire, je ne suis pas sûr que ce soit envisageable. Il va falloir que je me renseigne. Il existe des cliniques privées équipées de sections sécurisées pour les patients internés de force, bien sûr, mais je crains qu'elles ne soient pas considérées comme suffisamment sûres pour une patiente accusée de meurtre...

— Quand aura lieu cette audience auprès du magistrat ?

— Attendez voir... Votre épouse a été arrêtée autour de 21 h 30, hier soir... ce qui nous amène à une audience à 9 heures, demain matin. Je suis sûr que nous en apprendrons beaucoup plus à ce moment-là.

Au moins les choses avançaient, des décisions allaient être prises. Une fois de plus, cependant, tout reposait d'emblée sur la présomption que Mariana était coupable. Je ne pouvais tolérer cela.

— Et d'ici là ? ai-je demandé. Est-ce qu'il y a quelque chose que je puisse faire, est-ce que je peux aider ma femme d'une manière ou d'une autre ?

— La meilleure chose que vous puissiez faire est d'attendre le début du procès et de laisser les professionnels faire leur travail. Le système pénal ne bouge pas vite. Ces affaires peuvent prendre des mois, voire des années, avant d'être résolues. Entre-temps, si vous voulez un conseil personnel, monsieur Crookham, je vous dirai d'essayer de poursuivre votre vie de la manière la plus normale possible. C'est facile à dire, je le sais. Mais c'est la meilleure solution.

11

— Ecoute, Pete : je me fais peut-être l'avocat du diable, mais je comprends son point de vue, m'a avoué Nick Church.

Je m'étais rendu au cabinet mû par un sentiment d'obligation. J'étais associé principal, je me devais tout au moins de passer. En traversant le grand bureau d'un air aussi détaché et volontaire que possible, j'ai été confronté pour la première fois à un phénomène auquel je n'allais pas tarder à m'habituer : les regards confus et démunis de personnes n'ayant pas la moindre idée de ce qu'elles devaient dire. Je ne leur en voulais pas. Je ne savais pas, non plus, ce que j'avais envie d'entendre. Quant à Nick, j'avais espéré qu'il partagerait ma juste indignation concernant l'attitude manifestement nonchalante d'Iqbal et voilà qu'il prenait de toute évidence le parti de l'avocat !

— Ecoute, regarde la réalité en face : il n'y a pas grand-chose que tu puisses faire hormis payer les factures et soutenir Mariana. Si tu penses vraiment qu'elle est innocente...

— Qu'est-ce que tu entends par « Si tu penses » ? Tu connais Mariana. Est-ce que tu la crois capable de tuer quelqu'un ?

L'expression du visage de Nick avait changé d'un coup : il venait de réaliser qu'il valait mieux me prendre avec des pincettes.

— Je suis désolé. C'est juste que... Enfin, tu as perdu ton frère, et... Ce que je veux dire, c'est que personne ne peut t'en vouloir si tu as du mal à le lui pardonner, c'est tout...

— Comment peux-tu être aussi certain qu'elle ait quelque chose à se faire pardonner ?

Nick a eu l'air surpris.

— Eh bien, c'est ce que tout le monde... Enfin, en tout cas elle n'est pas en bonne position, d'après ce que j'ai compris.

— En effet. C'est la raison pour laquelle elle a absolument besoin de mon soutien. Il faut qu'elle ait quelqu'un à ses côtés. Tu sais, c'est déjà assez difficile d'avoir perdu Andy... Je m'attends toujours à recevoir un coup de fil de lui pour me demander quand est-ce qu'on rattrape l'apéro qu'on n'a pas pris. Mais si je perds aussi Mariana, alors là... A quoi bon vivre ?

— Pete, il faut absolument que tu fasses confiance aux avocats. Ce sont eux les experts, et je suis sûr qu'ils vont faire au mieux. Ecoute, c'est pareil quand on construit une maison, tous les deux : on passe le plus clair de notre temps à expliquer aux clients des choses qu'ils ne veulent pas entendre. Cette fois, c'est toi le client, et les avocats sont les pros...

Il n'avait pas tort, j'étais le client. Je comprenais tout d'un coup à quel point on pouvait se sentir impuissant dans cette position et combien il était désagréable de payer pour quelque chose qui nous échappait totalement.

— C'est difficile à accepter, c'est tout, ai-je fini par répliquer. J'aimerais tellement faire quelque chose, pour Mariana, et pour Andy, aussi...

— Quoi, par exemple ?

— Je ne sais pas... Découvrir ce qui s'est vraiment passé, et pourquoi c'est arrivé ?

— D'accord, mais c'est le boulot de la police, ça, non ?

— Normalement, oui. Mais là, j'ai vraiment l'impression qu'ils ont trouvé leur coupable et qu'ils ne cherchent pas plus loin. Allez hop, emballé c'est pesé !

— Eh bien, ils doivent bien savoir ce qu'ils font... et puis, honnêtement, tu n'en sais rien, toi. Tu es architecte, pas détective. Tu ne peux pas jouer les Hercule Poirot comme ça, tu ne saurais même pas par où commencer !

— Je ne supporte plus tous ces gens qui me disent de ne pas m'inquiéter, de ne pas m'en mêler, de me tenir tranquille et de faire comme si de rien n'était...

— Je comprends bien, mais qu'est-ce que tu pourrais faire ? Ecoute, t'es un super architecte, pourquoi est-ce que tu ne te concentres pas là-dessus ? Reviens bosser. Comme le dit ton bonhomme, là : essaye de revenir à un semblant de normalité. Je suis persuadé que c'est la meilleure chose à faire.

— Mais rien n'est normal, tu ne comprends pas ?! Je ne sais même plus ce que ça veut dire, « une vie normale », là...

— OK, mais fais abstraction de ton imagination, m'a coupé Nick. Contente-toi de te concentrer sur la réalité ! Et la réalité, tu veux que je te dise ? C'est que nous sommes dans la merde. Les téléphones n'ont pas arrêté de sonner depuis hier, les clients se demandent ce qui se passe...

— Je sais. J'ai dû éteindre le mien pour pouvoir m'entendre penser.

Il m'a fait signe de le suivre dans un espace de conférence, séparé du reste de l'open space par de grands panneaux.

— Eh bien, je vais te dire ce que tu ne sais pas encore, alors... a-t-il poursuivi, d'une voix étouffée, presque un chuchotement. Certains, essentiellement les femmes, ont demandé des nouvelles de Mariana, mais la plupart sont vraiment dans tous leurs états. Nous nous attendons à chaque instant à recevoir le premier mail de rupture de contrat. Et ça promet d'être sacrément difficile d'en récupérer de nouveaux, si tu veux mon avis. Cette histoire nous fait du tort. C'est donc pas seulement pour ta santé mentale que je te demande de te remettre au boulot. Ce que je te dis, c'est qu'il y a une vingtaine de personnes, ici, dont l'emploi est remis en question par ce qui est arrivé. La moindre des choses serait que tu les aides à sortir de ce merdier.

— D'accord, je comprends, mais il faut d'abord que j'aille voir ma mère pour lui annoncer la mort d'Andy. Une fois que ça sera fait, j'essaierai de rédiger une sorte de... de circulaire adressée à tous nos clients, histoire de leur communiquer ma confiance dans l'innocence de Mariana, ma foi en la justice, et cetera. Je leur dirai qu'en attendant nous poursuivons comme d'habitude. OK ?

Nick a hoché la tête avec réticence.

— Ouais... Ça devrait aller pour commencer...

— C'est tout ce que je peux faire pour le moment. L'audience de Mariana est demain. Il faut que je me renseigne sur ce que je dois faire du corps d'Andy. Il va bien falloir que j'organise l'enterrement à un moment ou à un autre, aussi. Donne-moi deux semaines, ça devrait suffire...

— Deux semaines ?! a lâché Nick d'une voix stridente. Le monde a le temps de s'écrouler d'ici là...

— Calme-toi, tu veux bien ? Dis à l'équipe et aux clients que je suis en congé pour raisons familiales. Pourquoi pas ? C'est bien plus naturel que si je continuais à me balader dans le bureau comme si de rien n'était.

— Et si nos clients nous lâchent ?

— Ils ne vont pas le faire. Enfin pas tous, en tout cas. Ecoute, Nick, la plupart de nos gros clients sont des footballeurs, tu le sais bien, non ? Ces gens-là sont habitués aux affabulations des médias. Je crois, au contraire, que nous serons bien plus soutenus que tu ne le penses. En plus, tout le monde aime Mariana. Ils n'ont aucune raison de penser du mal d'elle.

— A la différence que, maintenant, les journaux la présentent comme une meurtrière...

— D'accord, mais nous savons tous les deux que les footballeurs détestent les médias. S'ils ont le choix entre la version de Mariana et celle d'un troupeau de reporters hystériques, laquelle vont-ils choisir, à ton avis ?

Nick a laissé échapper un gros soupir.

— Bon, admettons, peut-être que tu as raison...

— Super. De toute manière, j'ai mon téléphone et mon ordinateur. Si quelqu'un a vraiment besoin de moi, je suis joignable.

— Qu'est-ce que tu vas faire, alors ? A part l'enterrement et ces trucs-là, je veux dire...

— Je ne sais pas, Nick. Je n'en ai vraiment aucune idée. Mais une chose est sûre : il faut que je fasse quelque chose, bordel !

12

L'établissement que j'avais déniché quand ma mère n'avait plus été en mesure de se débrouiller seule était censé être une bonne adresse. A en croire les factures, en tout cas. Cela ne le rendait cependant pas moins déprimant : le tableau de bord du hall d'entrée, couvert d'affichettes multicolores annonçant les prochaines sorties, réunions et autres festivités ; le volume des téléviseurs, réglé pour réveiller un sourd, voire un mort ; la salle de séjour, remplie de têtes à la peau parcheminée et aux cheveux blancs comme neige, le regard vide perdu dans le vide. Tout cela était largement suffisant pour vous donner l'envie d'en finir par vous-même plutôt que de risquer de terminer vos jours dans un endroit comme celui-ci. Celui où j'avais installé ma mère.

Tout d'un coup, la pensée coupable que j'avais peut-être voulu me venger d'elle en l'enfermant ici m'a traversé l'esprit. Maman n'avait peut-être plus toute sa tête, mais elle n'avait jamais perdu cette capacité à me mettre mal à l'aise. Ce n'était pas dirigé contre moi, personnellement, et je m'en rendais compte maintenant que j'étais adulte. Mais ça, je ne l'avais pas compris quand j'étais enfant. Pour ma mère, j'étais le souvenir vivant de quelque chose ou plutôt de quelqu'un qu'elle aurait préféré oublier : cet homme qui l'avait mise enceinte avant de l'abandonner, la laissant élever seule un enfant à une époque où la condition de mère célibataire était encore honteusement éloignée de ce qu'elle est devenue depuis : un choix de vie aidé par l'Etat.

En réalité, Andy n'était que mon demi-frère : l'enfant de John Crookham, l'homme qui avait épousé ma mère et m'avait donné son nom, la seule véritable figure paternelle dans ma vie. Depuis l'instant où il était né, Andy avait été la prunelle des yeux de ma mère, le symbole de tout ce qui était bon et bien. Quand papa était mort, mon petit frère était devenu la mémoire vivante du seul homme qu'elle avait vraiment aimé. J'avais tout essayé pour me gagner moi aussi ses faveurs, mais je n'avais jamais été à la hauteur, même quand je faisais de mon mieux. Mes résultats irréprochables n'étaient rien comparés au dernier poème d'Andy. Quand je remportais une course, elle lâchait :

« Enfin, en tout cas ton frère nage comme un poisson. »

Quand j'avais quinze ans et que j'étais couvert de boutons et de complexes, elle m'avait lancé :

« Tu ne seras jamais beau mais tu as une tête amusante. Andrew concentre toute la beauté, dans cette famille, béni soit-il. »

Son parti pris était tellement flagrant qu'Andy et moi avions fini par en plaisanter, et je suis sûr que cette capacité à en rire nous avait sauvés de la brouille. Notre relation s'était peu à peu muée en une sorte d'acceptation nonchalante et quelque peu distante de l'autre, mais nous n'en nourrissions pas moins une réelle affection réciproque. Nous ne serions jamais des frères de lait, il comptait sept ans de moins que moi, il vivait à l'autre bout du pays et il n'était pas plus doué que moi pour entretenir le contact. Aucun de nous ne semblait désireux ou pressé de resserrer les liens familiaux. Il n'y avait pas d'urgence.

Et maintenant, c'était trop tard.

Quant à maman, son attitude vis-à-vis de nous n'avait pas évolué. Elle n'avait jamais aimé Mariana, non plus. Juste après nos fiançailles, nous l'avions invitée à déjeuner. C'était un dimanche. Mariana s'était donné un mal fou pour préparer un festin, elle s'était vêtue comme une parfaite petite épouse et avait usé de tout son charme pour plaire à sa future belle-mère. Maman ne s'était même pas donné la peine de cacher son antipathie instantanée et viscérale.

Le lendemain, je l'avais appelée pour lui demander quel était le problème.

« Il n'y a aucun problème ! avait-elle aboyé. Je n'ai pas d'atomes crochus avec elle, c'est tout. Elle est allemande, cela vient sans doute de là. Je n'ai jamais aimé les Allemands. »

Mariana en avait été attristée pendant quelques jours, mais nous étions tellement absorbés l'un par l'autre que la désapprobation de tierces personnes n'avait eu pour seul effet que de nous souder encore un peu plus. Au cours des années suivantes, au fur et à mesure que le comportement de ma mère devenait de plus en plus imprévisible et que ses colères, corollaire apparemment incontournable de la démence, se multipliaient, nous avons pris l'habitude de considérer ce déjeuner désastreux comme un symptôme précoce de sa maladie. Cela me permettait de démontrer ce que je pensais très sincèrement : il fallait vraiment être fou pour ne pas aimer Mariana.

Pourtant, les personnes frappées de folie font parfois preuve d'une intuition étonnante – peut-être parce qu'elles disent ce qu'elles pensent vraiment, sans autocensure, sans inhibition. En traversant le couloir de l'hospice en direction de la chambre de ma mère, j'ai repensé à ce déjeuner et je n'ai pas pu m'empêcher de me demander si ma mère avait senti quelque chose que je n'avais pas perçu, ce jour-là. Une quelconque intuition lui indiquant que j'aurais tiré la mauvaise carte...

J'ai secoué la tête. C'était ridicule. La vérité, c'était que j'avais trouvé une femme magnifique tandis que son fils préféré s'empêtrait encore dans des relations éphémères ou des coups d'un soir, généralement sous l'empire de l'alcool. Le contraste était trop violent pour son cerveau en voie de désintégration.

Maman était assise sur une chaise, près de la fenêtre, et regardait dehors sans sembler réaliser qu'il faisait déjà noir. Elle ne m'a pas reconnu, bien entendu, mais là non plus cela n'avait rien de personnel.

Je me suis accroupi, j'ai saisi une de ses mains usées de vieille dame, osseuses et tachetées, et, aussi doucement que possible, je lui ai annoncé que son fils, mon frère, n'était plus de ce monde.

Elle a écouté la nouvelle sans manifester le moindre signe d'émotion ou de compréhension, au point que je me suis demandé si cela valait la peine de continuer. J'avais l'impression de parler dans le vide. Pourtant, j'ai poursuivi :

— Je suis désolé, maman. C'est arrivé chez nous. Quand je suis rentré à la maison, Andy était allongé par terre. Je n'ai rien pu faire. Je suis tellement, tellement désolé...

L'une des infirmières avait dû m'entendre en passant dans le couloir et est entrée dans la pièce. A l'expression de son visage, j'ai vu qu'elle se retenait difficilement de me poser toutes les questions qui devaient l'assaillir, mais son professionnalisme l'a finalement emporté et elle s'est penchée vers ma mère.

— Votre fils est là, Muriel, a-t-elle dit. Votre fils...

Elle m'a lancé un regard interrogateur.

— Peter.

— Votre fils Peter, a repris l'infirmière. Il a quelque chose à vous dire.

Ma mère a froncé les sourcils : c'était la première émotion qu'elle exprimait depuis que j'avais passé la porte. Puis elle m'a considéré avec une stupéfaction et une confusion profondes, que je n'avais jamais observées auparavant, même dans les moments les plus sombres de sa démence.

— Oh non, ce n'est pas mon fils. Je suis sûre que ce n'est pas lui.

Elle semblait se creuser la tête pour retrouver des informations qui ne venaient pas, puis elle a fini par dire :

— Mon fils, c'est Andrew. Cet homme n'est pas Andrew. Ce n'est pas mon fils.

Cinq minutes plus tard, j'étais assis au volant de ma voiture, dans le noir, essayant de minimiser l'impact de la scène que je venais de vivre. J'ai allumé mon téléphone histoire de me distraire. Il était temps d'affronter nos clients en déroute. Quand j'ai parcouru la liste des messages, un nom m'a sauté aux yeux. Il se répétait à intervalles de plus en plus courts, trahissant l'état désespéré, accablé de douleur, de celle qui le portait. Vickie Price, la petite amie d'Andrew depuis deux ans.

Comment pouvais-je être aussi idiot ?!

Elle devait être folle d'inquiétude ! Cela ne m'avait pas même traversé l'esprit de lui téléphoner. Cela dit, je la connaissais à peine. Nous nous étions croisés une fois ou deux, mais toujours en coup de vent. Nous n'avions jamais eu de retrouvailles familiales, ce n'était pas tellement notre genre. Mais était-ce une excuse valable pour autant ?

Je l'ai appelée et je me suis pris les pieds dans le tapis dès la première seconde de notre conversation :

— Je suis désolé, je n'ai pas eu tes messages. Mon portable est resté éteint toute la journée.

— Ah, parce que tu n'aurais pas pensé à m'appeler si tu n'avais pas vu mes textos ?!

La voix de Vickie trahissait son épuisement, ses larmes, et une dose d'alcool indéterminée.

— J'ai vécu avec ton frère pendant ces deux dernières années et toi, tu n'as pas pensé à moi du tout ?!

— Tu as raison. J'aurais dû t'appeler. Tu sais, les dernières vingt-quatre heures... Enfin, en tout cas, ça n'a pas été facile.

— Oui, eh bien, ça n'a pas non plus été une sinécure pour moi, si tu veux tout savoir. Est-ce que tu sais l'effet que cela fait d'ouvrir le journal et d'apprendre que ton compagnon a été assassiné ?

Je ne sais pas ce qui m'a poussé à agir de la sorte : le ton acide de sa voix, ou peut-être seulement le stress accumulé pendant les dernières vingt-quatre heures. Toujours est-il que j'ai répondu du tac au tac :

— Non, bien sûr... Et dans le même ordre d'idées, est-ce que tu sais, toi, ce que ça fait de rentrer tranquillement chez toi, après une journée de boulot, et de retrouver ton frère mort, allongé par terre ?

Pendant de longues secondes, je n'ai rien entendu d'autre que le léger craquement des interférences, sur la ligne.

— Je te demande pardon, je n'aurais pas dû dire ça, ai-je fini par lâcher.

— Non, enfin... Cette situation n'est facile pour personne, hein ? m'a répondu Vickie, essoufflée par l'effort fourni pour garder son calme. Nous voulions nous marier, tu sais. C'est pour ça qu'Andy voulait vous voir... Il voulait vous annoncer la nouvelle...

— Oh, je suis désolé, ai-je bêtement répété tandis qu'elle recommençait à pleurer. C'est... c'est...

Qu'est-ce que c'était, exactement ? Quel mot pouvait décrire ce que je ressentais ?

— Et maintenant... et maintenant... a-t-elle poursuivi de sa voix hachée de larmes, l'église où nous allions nous marier... eh bien, c'est celle où je vais devoir l'en... l'enterrer... Oh, Seigneur, c'est tellement injuste ! Qu'est-ce qu'il vous a fait, à Mariana et à toi, hein ? Qu'est-ce qu'il a fait pour mériter d'être... d'être charcuté comme ça ? C'est... Je n'arrive pas à y croire !

— Oui, c'est terriblement injuste... pour tout le monde. Je veux que tu saches, cependant, que je vais m'occuper de tout... de toutes les affaires d'Andy. Il faut aussi que nous parlions de ce que nous allons faire de son corps...

— Oh, je t'en prie !

— Ecoute, je sais que c'est affreux et je sais que ce n'est sans doute pas le moment. Mais il n'y aura jamais de bon moment pour cela, tu ne crois pas ? Il faut que nous affrontions tout ça, il faut que nous surmontions ça du mieux que nous le pouvons.

Soudain, j'ai été frappé par le fait que j'agissais avec Vickie exactement comme Nick avait agi avec moi peu de temps avant, au bureau : je lui enjoignais de s'écarter du cœur du problème en le réduisant à des démarches tangibles et concrètes. Je m'appliquais d'ailleurs la même recette :

— Je vais me renseigner sur les formalités à remplir pour le récupérer auprès de la police et sur le meilleur moyen de l'acheminer jusque chez vous. Et quand tu te sentiras prête, tu me donneras le nom d'une entreprise de pompes funèbres et je le ferai chercher...

— Comment tu fais ?

— Comment je fais quoi ?

— Comment tu... Comment arrives-tu à parler de récupérer le corps, de contacter des pompes funèbres exactement comme si tu, je ne sais pas... comme si tu commandais des carrelages pour ton sol, par exemple ? Tu ne ressens donc rien ?

Bonne question. Le mieux était sans doute d'éluder.

— Bien sûr que si. Mais je n'ai pas vraiment le choix. Personne ne va se charger de tout ça à ma place, tu vois. Et puis je dois ça à Andy et à...

— A qui ?

— Eh bien...

— Tu étais sur le point de dire « Et à Mariana », n'est-ce pas ? N'est-ce pas ?

— Oui... oui, c'est ce que j'allais dire.

— T'as des putains de nerfs d'acier, tu le sais, ça ? T'as aussi un putain de culot de penser à cette femme alors que c'est à cause d'elle que ton frère, mon fiancé, se trouve actuellement dans un frigo de merde !

— Oui, tu as raison. Andy est dans un frigo. Notre père est mort. Notre mère est tellement à côté de la plaque qu'elle ne reconnaît même plus la chair de sa chair... Tu ne comprends pas, Vickie ? Tout ce qui me reste, c'est ma femme. Si j'arrête de croire en elle, il ne me restera plus rien.

A peine avais-je prononcé ces mots que je réalisai deux choses. Premièrement, à quel point ils avaient dû sembler dénués de sensibilité vis-à-vis de Vickie. Et, deuxièmement, qu'ils étaient néanmoins l'expression exacte de la vérité.

1978

Berlin-Est

A la fin des années 1960, l'époque où Hans-Peter Tretow, alors âgé de dix-huit ans, laissait pousser ses cheveux et manifestait contre la guerre au Vietnam, son père, scandalisé, avait tenté de le convaincre du fait qu'il faisait fausse route. Les vrais criminels, avait soutenu le vieil homme, ne se trouvaient pas à la Maison-Blanche ou au Pentagone mais à Hanoi, à Pékin, à Moscou et dans tous les avant-postes de ce qu'il avait coutume de décrire comme une conspiration communiste globale.

« Il te suffit de regarder ce qui se passe à l'est de ta propre patrie, grondait Tretow père. Les hommes de la Stasi sont des animaux. Ils torturent des gens – de simples Allemands, des gens comme toi et moi – avec une violence qui ferait passer les types de la Gestapo pour des enfants de chœur !

— Lâche-moi avec ta nostalgie, papa, avait répliqué Hans-Peter. Si cette époque te manque tant que ça, pourquoi ne vas-tu pas récurer tes vieux poignards de la Waffen-SS, hein ? Histoire qu'ils soient bien rutilants, bien beaux pour la prochaine réunion ? Au moins, tu me foutrais la paix !

— Ne me parle pas sur ce ton, mon petit bonhomme. Nous nous sommes battus pour défendre ce pays contre le communisme. Tu pourrais faire preuve d'un minimum de gratitude, parfois »

Les tirades politiques de son père faisaient rire Hans-Peter. Enfant de la prospérité de l'après-guerre, il était le pur produit d'une génération qui ne voyait pas de contradiction dans le fait d'accrocher des posters de Che Guevara sur les murs de sa chambre tout en rêvant de la toute dernière Porsche. Son enfance avait été marquée par les abus verbaux et physiques d'un père empli d'amertume et rongé par la défaite, mais à peine avait-il atteint l'âge de se défendre que l'équilibre des pouvoirs au sein de sa famille avait complètement basculé en sa faveur. S'il restait convaincu que son père diabolisait outrageusement le bloc soviétique, il avait vu suffisamment de films d'espionnage pour savoir que le KGB et ses alliés n'étaient pas précisément des modèles de gentillesse avec leurs ennemis, réels ou imaginaires.

Pourtant, c'est à ce régime-là ainsi qu'à la Stasi, qui le représentait, qu'il choisissait aujourd'hui de se livrer.

C'était également le point qui avait intrigué le premier interrogateur de Tretow. Vêtu d'un uniforme vert-de-gris, il affichait une mine fade et inoffensive sous ses cheveux roux, taillés en une brosse brouillonne qui rappelait davantage un prisonnier ou un simple soldat qu'un officier accrédité. Son visage lisse était étrangement enfantin et ses yeux larmoyants d'un bleu pâle, terne. En son for intérieur, il revenait sans cesse à la même question : pourquoi Tretow avait-il quitté l'Ouest ? Jusque-là, le jeune homme n'avait manifesté aucun signe d'engagement idéologique en faveur de la cause socialiste ni de sa défense contre l'impérialisme occidental. Un simple regard sur ses doigts fins, soigneusement manucurés, suffisait à prouver qu'il n'était en rien l'ouvrier que suggérait sa tenue vestimentaire. Quel jeu cachait-il donc ?

— Nous avons trouvé le paquet dans votre voiture, avait signalé l'interrogateur.

— Parfait, avait répondu Tretow. C'est ce qu'il fallait.

L'interrogateur avait froncé les sourcils. La confiance dont faisait preuve son prisonnier constituait également une anomalie inattendue. L'homme aurait dû être nerveux, agité, sinon terrifié. Soit il était idiot, soit il détenait quelque chose qui était susceptible de garantir sa sécurité.

— Nous en avons examiné le contenu, avait poursuivi l'interrogateur. Etes-vous conscient du fait qu'il comporte des preuves d'activités criminelles susceptibles d'entraîner une sentence s'élevant à un minimum de vingt-cinq années dans un camp de travaux forcés ?

— Oui.

— Niez-vous être coupable de ces crimes ?

— Non.

— Dans ce cas, existe-t-il une bonne raison pour que je ne vous fasse pas immédiatement comparaître en justice, reconnaître comme coupable et punir ?

— Oui.

— Voulez-vous me faire part de cette raison ?

— Si cela ne vous dérange pas et sans vouloir vous offenser, je préférerais la partager avec quelqu'un de plus important.

Markus Wolf était le chef du service des renseignements extérieurs, la Hauptverwaltung Aufklärung, HVA en abrégé, du ministère de la Sécurité d'Etat. En d'autres termes, il dirigeait le service d'espionnage de la Stasi et était donc le deuxième homme le plus important de toute l'organisation, répondant directement aux ordres du ministre de la Sécurité lui-même, Erich Mielke.

A cinquante-cinq ans, Wolf affichait le visage expérimenté et patricien d'un banquier : le Rothschild de l'espionnage. Son nez fier et charnu séparait deux petits yeux inquisiteurs. Les coins de sa bouche, tirant vers le bas, suggéraient un certain détachement empreint de scepticisme : un amusement légèrement ironique face aux absurdités de la vie. En temps normal, il ne se serait jamais abaissé à traiter avec une personne aussi insignifiante qu'un petit demandeur d'asile. Quand il avait été informé des circonstances particulières entourant la venue de Tretow, cependant, il avait décidé de faire une entorse à la règle.

— Bien entendu, vous êtes conscient du fait que je pourrais obtenir toutes les informations que vous prétendez détenir au cours d'un simple interrogatoire, que vous le vouliez ou non ? avait-il lancé à son jeune interlocuteur.

— J'en suis conscient.

Tretow n'avait pas la moindre idée de l'identité de Wolf, mais il savait reconnaître un homme de pouvoir quand il en rencontrait un.

— J'en prends le risque. D'ailleurs, le matériel que vous avez vu jusqu'à maintenant n'est qu'une petite partie de ce que je peux vous proposer. Pour cette raison, j'estime qu'à long terme il serait plus facile et plus rentable pour vous d'accéder à mes très modestes requêtes. Loin de moi l'envie de vous manquer de respect, monsieur, mais je vous serais très certainement d'une plus grande aide en tant que mouchard en pleine maîtrise de ses capacités qu'en tant que prisonnier brisé par les mauvais traitements...

Un homme de moindre importance aurait été scandalisé par l'audace de Tretow, sans parler de son allusion intolérable au fait que la RDA traitait mal ses prisonniers. Wolf, lui, s'élevait sans peine au-dessus de ce genre de mesquineries.

— Très bien. Je suis disposé à écouter votre proposition. Si vous êtes en mesure de nous apporter des informations susceptibles de défendre le socialisme démocratique contre ses ennemis capitalistes, vous serez récompensé en conséquence. En revanche, si vous me décevez, de quelque manière que ce soit, je veillerai personnellement à vous voir administrer la punition maximale que méritent vos crimes. Est-ce que nous sommes bien d'accord ?

— Absolument.

— Bon. Evidemment, vous serez placé sous surveillance le temps qu'il nous faudra pour déterminer ce que vous pouvez nous apporter. Il s'agit là de votre propre sécurité. Considérez ceci comme un inconvénient très négligeable en comparaison avec ce qui vous attend si vous essayez de m'induire en erreur.

Tretow avait passé la semaine suivante dans une cellule de la Stasi. A son grand soulagement, les conditions de détention n'étaient pas aussi épouvantables que ce que son père lui avait laissé entendre. Il avait dû s'accommoder d'une simple banquette de bois pour dormir, mais sa cellule était dotée d'une fenêtre, d'un lavabo et de véritables toilettes agrémentées d'une chasse d'eau. Les repas flirtaient avec l'immangeable, mais ils étaient servis régulièrement. Après le stress des derniers jours ou des dernières semaines, il n'était pas désagréable de se détendre un peu. Tretow s'était efforcé de ne pas penser à son passé, à sa famille qu'il avait abandonnée, se concentrant délibérément sur ce que lui réservait l'avenir. Le fait qu'un fonctionnaire aussi haut placé se soit personnellement chargé de son cas était assurément de bon augure. Bientôt, il en était sûr, il pourrait se réinventer une toute nouvelle vie.

Et alors il recommencerait à s'amuser.

13

De nos jours

York, Angleterre

Jeudi

Un gobelet en carton à la main, Samira Khan m'a rejoint au café où je m'étais installé, non loin du tribunal de police. Après s'être assise, elle a ouvert sa sacoche et en a extrait quelques pages A4 retenues par une agrafe.

— Ils ont fait l'autopsie de votre frère, hier soir. On nous a envoyé une copie du rapport dans la nuit. Est-ce que vous souhaitez en parler ? Je crains que ce ne soit pas particulièrement agréable.

— Je m'en doute, ai-je répondu en levant les yeux vers mon avocate. Mais allez-y, dites-moi tout...

— Je ne vais pas vous infliger le jargon technique, mais en tout cas il est mort d'exsanguination... En d'autres termes, il a perdu l'intégralité de son sang et...

— Je sais ce que cela veut dire, l'ai-je interrompue un peu trop vivement.

— Excusez-moi, je n'étais pas sûre de...

— C'est bon. Allez-y, continuez.

Elle a de nouveau baissé les yeux sur ses feuilles.

— En gros, il a perdu la moitié du sang contenu dans son corps, soit plus de deux litres et demi...

— Un plein pot de peinture, ai-je lâché machinalement. Deux litres et demi, c'est le format classique du pot

93

de peinture d'un décorateur. Imaginez ce que cela ferait d'en renverser un entièrement, jusqu'à la dernière goutte.

Mes pensées m'ont ramené à la maison, à cette soirée où tout avait commencé... Quand j'ai repris la parole, j'étais à peine conscient de la présence de Samira :

— Cela formait de véritables flaques... des éclaboussures... il y avait du sang partout. Même les spaghettis étaient tachés de sang...

Visiblement gênée, Samira s'est éclairci la gorge :

— Il y avait vingt et une plaies au couteau, dont certaines lui ont été infligées après sa mort. Le médecin légiste a décrit un meurtre d'une violence exceptionnelle, presque forcenée. Par ailleurs, il n'a trouvé quasiment aucune blessure indiquant que votre frère se serait défendu, hormis quelques coupures légères au niveau des mains prouvant selon toute probabilité qu'il a été pris complètement au dépourvu. Quoi qu'il se soit passé, il ne s'y attendait pas du tout... comme une tornade dans un ciel sans nuages.

— Seigneur !

— Le fait est que rien ne permet de détourner les soupçons de votre épouse. Tout l'accuse, il nous est donc impossible de fonder notre défense sur la présomption d'innocence. Raison de plus pour concentrer nos efforts sur la raison pour laquelle elle aurait pu le commettre et sur l'état dans lequel elle se trouvait au moment des faits.

— Je suis désolé, ai-je répondu. Je sais qu'elle est en mauvaise posture, c'est moi qui l'ai retrouvée, là-bas. Mais je ne peux pas accepter l'idée...

Khan a légèrement penché la tête en signe de compassion.

— Ecoutez, je trouve votre loyauté envers votre femme admirable. Il faut cependant que vous songiez à ce qui est le mieux pour elle dans les circonstances qui sont celles que je vous ai décrites. Cela implique malheureusement que vous envisagiez sa culpabilité et que vous essayiez d'en prendre votre parti. Vous pouvez vous faire aider, si vous estimez cela nécessaire.

— Merci, mais je crois que la dernière chose dont j'aie besoin actuellement, c'est d'une sorte de psychothérapeute qui me demanderait comment je me sens.

Elle s'est redressée et a soutenu mon regard pendant un moment.

— Très bien. Qu'est-ce que maître Iqbal vous a dit à propos de l'audience d'aujourd'hui ?

— Pas grand-chose.

— Il s'agit juste de décider du sort de votre épouse à très court terme. Nous allons être confrontés à un juge de district. La police devra fournir une bonne raison de vouloir la garder pendant trente-six heures de plus. Nous sommes en présence d'un meurtre, il est donc parfaitement normal qu'une prolongation leur soit accordée, mais nous allons néanmoins tenter d'obtenir la libération sous caution, ou, si cela ne donne rien, le transfert dans une institution psychiatrique en arguant de sa condition mentale, selon les dispositions 35 de la loi de 1983 sur les maladies psychiatriques.

Malgré l'état de trouble évident dans lequel je l'avais vue mardi soir, il m'était pénible d'accepter le fait que Mariana allait selon toute probabilité être enfermée dans un asile de fous.

— Elle ne va pas mieux ?

— Je n'en sais rien.

— Vous n'en savez rien ou vous n'avez pas le droit d'en parler ?

— Très sincèrement, je n'en ai pas la moindre idée. Cela dépendra entièrement de l'expertise médico-légale. Le juge s'appuiera sans aucun doute sur celle-ci, à moins que nous ne soyons en mesure de lui prouver le contraire.

— Maître Iqbal m'avait laissé entendre qu'il risquait d'y avoir un problème de disponibilités et de financement pour obtenir une place d'hôpital.

Samira a bu une gorgée de son café avant de répondre :

— Eh bien, nous avons affaire aux services de santé britanniques, n'est-ce pas ? Les soins médicaux en psychiatrie sont chers, surtout quand il s'agit de chambres sécurisées. Parfois, ils peuvent être un peu chatouilleux sur les coûts. Nous allons faire de notre mieux pour qu'elle reçoive les meilleurs soins possible.

— Et si vous n'y arrivez pas ?

— On verra ça le moment venu.

Samira a glissé les papiers dans sa sacoche.

— OK, il faut que j'y aille, je dois aider maître Iqbal à préparer l'audience. Donnez-moi environ une minute, puis entrez à votre tour dans le tribunal et tentez de vous faufiler dans la galerie publique. Essayez de rester inaperçu. Il est possible que le Service britannique des poursuites judiciaires la trouve saumâtre s'il vous voit là, mais je crois qu'ils ont eu du mal à faire accepter que vous ne soyez pas même autorisé à poser les yeux sur votre propre femme. Oh, pendant que j'y suis...

Là, elle m'a souri pour la première fois de la matinée.

— Nous avons déposé une requête pour votre droit de visite, soit au poste de police, soit dans toute institution dans laquelle elle risquerait d'être transférée. Ne serait-ce que pour raisons familiales, je pense que nous avons de bonnes chances de l'obtenir.

14

Le tribunal était un de ces bâtiments imposants en brique rouge de la période victorienne tardive. Il aurait tout aussi bien pu être un musée, un hôtel de ville ou un vieux lycée. Un homme portant un pantalon de survêtement sale et une veste en cuir ayant connu des jours meilleurs était assis sur les marches menant à l'entrée principale. Il sirotait une bouteille de cidre enveloppée d'un sac en plastique.

Après avoir passé un contrôle de sécurité digne d'un aéroport, je me suis retrouvé devant un long couloir. Une mosaïque de marbre en recouvrait toute la largeur. Sur un côté du corridor, les bancs rembourrés d'un violet vif avaient été investis par des jeunes hommes en tee-shirts, anoraks bon marché et pantalons de jogging distendus, tous identiques, côtoyant des femmes aux visages laiteux, aux chevelures grasses rejetées en arrière et aux tee-shirts déformés au niveau du ventre, retombant lâchement sur des leggings en stretch. Tous m'ont suivi de leurs yeux froids et inexpressifs tandis que je passais, étonnamment déplacé dans le costume-cravate que j'avais naïvement supposé être la tenue de rigueur dans un tribunal. Ils semblaient tous sur le point de me crier que cet endroit n'était pas fait pour les personnes tendres et gâtées de la classe moyenne, dont je faisais assurément partie.

Le mur opposé était percé de deux portes rouges, à une dizaine de mètres l'une de l'autre. Les panneaux supérieurs en étaient vernis et le mot *AUDIENCES* était gravé

97

dans le verre, de la même manière que les mots *SALOON BAR* sur la porte d'un bar de la même époque.

L'audience de Mariana se tenait dans le tribunal de droite. Après avoir poussé la porte, je me suis glissé le plus discrètement possible dans la salle et j'ai pris place dans l'une des nombreuses rangées irrégulières de bancs de bois abîmés et couverts de graffitis qui tenaient lieu de galerie publique, dans le fond du tribunal. Le juge de circonscription était assis à l'autre bout de la salle, sur une estrade surmontée d'un panneau gravé aux armoiries royales. Ses greffier et sténographe étaient installés juste devant l'estrade. En face d'eux se trouvaient les places réservées aux avocats de la défense et de l'accusation. Le banc des accusés était positionné entre la galerie publique et les avocats, exactement en face du juge. Il était entouré d'une sorte de cage en plexiglas englobant également l'entrée d'une série de marches menant vers le sous-sol et sans doute les cellules aménagées dans la cave du bâtiment.

L'audience de Mariana a commencé sans grande cérémonie. Il me semblait assister à l'ouverture d'une simple réunion de personnel juridique quand le flash inattendu d'un nuage doré a soudain attiré mon regard, m'obligeant à tourner la tête vers le banc des accusés. Quelqu'un l'a guidée le long des marches avant de l'aider à s'installer derrière la vitre de plexiglas. Ses cheveux plats et sales étaient retenus en queue-de-cheval. Elle gardait la tête baissée et j'ai dû me contenter d'un rapide aperçu de son profil aux traits tirés. Sa peau était grise et son visage affichait une expression d'indifférence épuisée et abattue qui lui conférait à peine plus de vie qu'au corps exsangue d'Andy. Elle avait la même expression éteinte et fermée que j'avais observée le soir du meurtre, comme si le fameux conte de bonne femme s'était réalisé : le vent avait tourné, fixant cette expression pour l'éternité. Avec ses yeux sans vie et les vêtements crasseux et informes que la police lui avait fournis, elle ne se différenciait finalement pas tant que ça des femmes dans le couloir, devant la salle d'audience. Elle n'avait certainement pas meilleure allure. J'ai été pris d'une violente envie de crier au juge et aux avocats : « Ceci n'est pas Mariana ! Ce n'est pas comme ça qu'elle est réellement ! »

Une fois lancée, la procédure ressemblait davantage à une sorte de réunion de planification sobre entre confrères qu'à la mise en scène dramatique à laquelle je m'étais préparé. Maître Iqbal ne s'est même pas donné la peine de demander la liberté sous caution. Manifestement, le juge avait déjà reçu une copie du rapport d'expertise médico-légal et il était convaincu que l'état de Mariana justifiait son internement en institution psychiatrique. Ensuite, il y a eu un bref débat sur les problèmes pratiques qu'Iqbal et sa consœur Samira Khan m'avaient décrits, mais le Centre de psychiatrie médico-légale du Yorkshire n'a pas tardé à être suggéré, remportant l'approbation générale.

Pendant tout le déroulement de ces formalités, Mariana est restée muette. Elle n'a pas manifesté le moindre signe indiquant qu'elle comprenait son rôle d'actrice principale de toute cette mascarade. Si son corps était dans ce tribunal, son esprit était visiblement à mille lieues d'ici.

Une fois toutes les questions de médicalisation sécurisée réglées, le greffier a semblé se souvenir d'une dernière question et a demandé à maître Iqbal s'il y avait la moindre indication de ce que l'accusé allait plaider dans le cas d'un procès.

— Oh, elle plaidera non coupable, a-t-il répondu comme si c'était une évidence.

Le greffier a hoché la tête en prenant des notes. L'affaire semblait bouclée quand, sans le moindre avertissement, Mariana s'est levée d'un bond et a crié à pleins poumons :

— Je suis coupable !

Maître Iqbal l'a regardée d'un air horrifié puis s'est retourné vers le juge.

— Je vous assure, monsieur le juge, que nous n'allons pas plaider coupable. Comme vous pouvez vous en rendre compte par vous-même, ma cliente est terriblement perturbée, elle n'est absolument pas en état de juger de la situation...

— Je suis coupable, a répété Mariana. Tout est ma faute, ma faute...

Elle secouait la tête de gauche à droite en marmonnant des paroles inintelligibles. C'était un spectacle insupportable. Un sentiment palpable de gêne et d'embarras a envahi la pièce devant cette explosion de douleur aussi brute qu'inattendue.

— Y a-t-il une infirmière au tribunal, aujourd'hui ? a demandé le juge. Je crois que Mme Crookham nécessite des soins médicaux dans les plus brefs délais.

Mariana a été ramenée au sous-sol. Au moment de partir, elle a prononcé quelques mots en allemand. J'ai tout d'abord compris le mot « *Mädchen* » – « petite fille » – puis « *Böses* ». Je ne connaissais pas la signification de ce dernier mot, mais j'ai réalisé qu'elle répétait sans cesse une même phrase, « *Böses Mädchen* », indéfiniment, comme une rengaine sinistre et monotone.

J'ai essayé de croiser son regard au moment où elle s'est retournée pour être raccompagnée, mais soit elle ne savait pas que j'étais là, soit elle ne souhaitait pas me voir.

Après son départ, je suis resté planté là, abasourdi, pendant un bon moment, m'efforçant de digérer ce que je venais de voir et d'entendre. Il n'y avait aucun moyen d'échapper aux mots qu'elle avait prononcés. Mariana s'était explicitement, publiquement déclarée coupable.

Cela m'a pris un certain temps pour identifier le sentiment qui m'avait envahi : c'était de la colère. J'avais l'impression que toute ma confiance en Mariana venait d'être trahie. Je m'étais démené pour nier, pour ignorer l'évidence alors même que je l'avais eue sous les yeux. Je m'étais battu contre les arguments de la police, des avocats, de mon associé – de toutes les personnes qui avaient tenté de me faire comprendre qu'il ne pouvait y avoir d'autre coupable qu'elle. Et voilà qu'elle se rangeait de leur côté. Elle avait admis avoir tué mon frère et je passais pour un imbécile d'avoir cru ne serait-ce qu'un instant à son innocence.

Une fois retourné dans le couloir du tribunal, j'ai sorti mon iPhone et j'ai tapé les mots « *böses Mädchen* » dans le traducteur. Mariana s'était qualifiée elle-même de méchante, de mauvaise ou de malicieuse petite fille...

— Je suis désolée que vous ayez dû assister à cette scène.

J'ai levé les yeux. Samira Khan se tenait près de moi. J'ai secoué la tête, effaré.

— J'ai regardé Mariana et j'ai eu du mal à la reconnaître. Une partie de moi est en colère contre elle. Une autre est emplie de pitié et de réel chagrin pour elle. Je ne peux plus nier ce qu'elle a fait, en tout cas, et cela change tout. Je crois que je l'ai toujours considérée comme une sorte de figure fantasmée, elle était la femme parfaite par excellence. Et maintenant...

— Vous savez, ce ne doit pas être facile pour une femme d'être le fantasme de quelqu'un, m'a répondu Samira. Une femme a besoin d'être aimée pour ce qu'elle est. Il faut, d'une manière ou d'une autre, que vous acceptiez Mariana telle qu'elle est.

J'ai opiné du chef mais je ne ressentais rien.

— Ainsi, elle a plaidé coupable. Dans ces conditions, je suppose que nous n'avons plus aucun espoir...

— Oh, non, ne vous inquiétez pas sur ce point, m'a rassuré mon avocate. Le greffier ne faisait que se renseigner sur la suite de la plaidoirie. Ce n'est qu'une ligne directrice, une formalité : nous informons généralement la cour de notre intention de mettre ou non en place une défense pour les cas dont nous avons la charge. Rien de ce que votre épouse a dit ne revêt la moindre valeur juridique. La seule conséquence de sa déclaration est qu'elle a confirmé la fragilité de son état mental. En vérité, son attitude a plutôt joué en notre faveur – d'une manière légèrement détournée.

— Comment cela ?!

— Eh bien, dans un cas comme celui-ci, nous avons le choix entre deux lignes de conduite : dans la première, l'accusé n'est tout bonnement pas en mesure de supporter un procès. Si on l'applique à la situation présente, cela correspond de toute évidence à l'état de votre épouse, mais dans un cas pareil il peut se passer des mois avant que le procès puisse s'ouvrir. J'espère donc qu'elle ira mieux d'ici là.

— Et dans ce cas, quelle serait notre argumentation ?

— Que l'accusation de meurtre doit être remplacée par une accusation d'homicide involontaire sur la base d'une irresponsabilité pénale pour cause de trouble mental. Dans ce cas, on se bat pour obtenir des circonstances atténuantes. Nous avançons qu'elle n'avait jamais eu l'intention de faire du mal à votre frère et qu'elle ne peut pas être tenue pour responsable de ses actes, puisqu'elle n'en était pas même consciente au moment de l'agression.

J'ai frémi.

— C'est très dur, je sais, a repris Samira. Mais je suis sûre que nous avons toutes nos chances de convaincre la cour.

— Bon, si vous le dites... Supposons que vous gagniez. Supposons que le juge dise d'accord, elle était hors d'état de réaliser ce qu'elle faisait, c'est un homicide involontaire et non un meurtre. Qu'est-ce qui se passera ensuite ?

— Cela fait une différence énorme pour la sentence à venir. Dans le cas d'un homicide involontaire comme celui-ci, les juges bénéficient d'une latitude incroyable. Ils peuvent requérir ce qu'ils veulent, de la libération immédiate à l'emprisonnement à vie. Pour être honnête, aucun de ces deux cas de figure n'est sérieusement envisageable. Je ne peux pas imaginer qu'un juge la condamne à la réclusion perpétuelle compte tenu de l'état mental dans lequel elle se trouve ; mais on n'a jamais libéré un meurtrier, non plus : vous comprenez bien que cela ne ferait pas bonne impression. Les circonstances atténuantes, cependant, peuvent conduire à une réduction importante de la peine...

— Une réduction de quelle sorte ?

— Cela dépend. Le juge doit prendre deux choses en considération : le degré de responsabilité ou d'irresponsabilité de l'accusé par rapport aux faits qui lui sont reprochés, et le danger qu'il représente pour son environnement. Si nous arrivions à convaincre le juge du fait que l'accusée a souffert d'un incident psychotique sans antécédent et sans possibilité de récidive, alors nous pourrions trouver une institution psychiatrique sécurisée où elle séjournerait pendant la durée d'internement dont auront décidé les experts psychiatriques... Un instant, s'il vous plaît...

Le téléphone de Samira Khan avait sonné. Elle a pris l'appel et a écouté avec attention avant de demander :

— Vous êtes sûr de ça ?... Et cela s'applique immédiatement ?

Quand elle s'est tournée vers moi, elle arborait un grand sourire.

— Enfin de bonnes nouvelles ! Le juge a décidé que vos droits en tant que mari l'emportaient sur vos obligations en tant que témoin. Vous êtes donc autorisé à rendre visite à Mme Crookham !

— Oh, Seigneur, c'est une excellente nouvelle !

Mon corps s'est légèrement affaissé sous l'effet du soulagement.

— Où est-elle ? Quand est-ce que je pourrai lui rendre visite ?

— On est en train de la transférer dans une institution semi-sécurisée en ce moment même, je vais vous donner l'adresse et les indications nécessaires. A votre place je lui laisserais quelques heures, le temps de s'installer, de prendre ses marques, mais je ne vois pas ce qui vous empêcherait d'y aller aujourd'hui, en milieu d'après-midi... autour de 16 heures, par exemple, dans ces eaux-là.

— Je suis tellement soulagé !

J'ai adressé un sourire las à Samira.

— Je vous en prie, n'attendez pas trop de cette entrevue. Vous avez vu dans quel état est votre épouse. Elle est un peu plus consciente de son environnement, maintenant, mais il est fort peu probable qu'elle vous accueille à bras ouverts.

— Je sais. Croyez-moi, je suis tout à fait conscient de la détérioration de son état mental. Mais rien que de la voir, de tenir sa main... eh bien, ce sera déjà quelque chose.

15

L'établissement où Mariana avait été internée se trouvait à environ une heure de route, au sud de Leeds. J'ai découvert un complexe d'immeubles de brique jaune, peu élevés et surmontés de hauts toits à pignons. Un portique, lourd et oppressant, revêtu de bois noir, dominait l'entrée principale, aussi menaçant que la cape de la grande faucheuse. Malgré cela et malgré l'effet encore plus déprimant d'une bruine glacée tombant d'un ciel de plomb, j'ai traversé le parking d'une démarche légère, printanière. J'allais voir Mariana ! Enfin, nous allions pouvoir parler et peut-être, si j'avais de la chance, répondrait-elle à certaines des questions qui me taraudaient. Le fait de la voir, à lui seul, me suffisait.

Le hall d'accueil ne différait pas beaucoup de celui des autres hôpitaux. Le même modernisme insipide aux tons pastel, la même réceptionniste débordée. Je lui ai adressé ce que j'aimais à considérer comme mon sourire le plus ravageur.

— Bonjour, mon nom est Peter Crookham. Ma femme Mariana est une de vos patientes et je possède une ordonnance du juge me permettant de lui rendre visite.

La réceptionniste ne m'a pas rendu mon sourire.

Elle a consulté son écran avant de me répondre :

— Je suis désolée. Cela ne va pas être possible.

Je n'allais pas me laisser abattre aussi facilement :

— Je n'arrive peut-être pas au bon moment, dites-moi juste quels sont les horaires de visite et je reviendrai plus tard...

— Non, a-t-elle répété, cela ne va pas être possible. Pas du tout.

— Vous ne comprenez pas, ai-je insisté. Le juge en personne a dit que je pouvais rendre visite à ma femme. Tenez, je vais appeler mon avocate et elle vous le confirmera...

— Je suis désolée, monsieur, mais cela ne changera rien. Quand bien même elle serait une de nos patientes, chose que je ne suis pas autorisée à confirmer ou à infirmer, vous ne pourrez pas voir votre femme.

Après toutes les frustrations réprimées et l'horreur accumulée ces derniers jours, j'ai senti quelque chose lâcher en moi.

— Ne soyez pas ridicule, bordel ! Je sais qu'elle est ici, je suis en possession d'une ordonnance du tribunal confirmant son transfert. J'exige de voir ma femme !

Elle s'est redressée sur sa chaise de bureau rembourrée.

— Aucune agression de membres du personnel ne sera tolérée au sein de cet établissement. Je vous prie de partir, sans quoi je me verrai dans l'obligation d'appeler le personnel de sécurité de l'hôpital...

— Oh, pour l'amour du ciel ! Est-ce que vous pouvez arrêter deux minutes de me réciter le règlement et réagir comme un être humain ? Je suis désolé si je vous ai offensée, mais je dois absolument voir ma femme. Vous allez bien pouvoir faire quelque chose pour moi, tout de même, non ? Je vous en prie !

— Conformément au règlement de l'hôpital, je me vois dans l'obligation de vous demander de quitter immédiatement nos locaux...

— Je vous en supplie. Est-ce qu'il n'y a personne à qui parler, ici ?

Deux malabars en chemises d'uniforme bleu pâle, pantalons sombres et lourdes chaussures noires sont apparus à un coin du hall d'accueil, se dirigeant manifestement vers moi.

— S'il vous plaît... ai-je répété.

Le premier des deux hommes se trouvait maintenant à quelques pas de moi.

— Vous ! Dehors ! a-t-il grogné.

Ce ne pouvait être vrai. Enfin, enfin on m'offrait la possibilité de voir Mariana, de la regarder dans les yeux et, qui sait, de déceler un infime fragment d'explication sur ce qui s'était passé, et voilà qu'une paire de primates pointilleux allait me jeter dehors parce que j'avais prononcé un gros mot !... C'était grotesque. Mes instincts les plus bas me pressaient de leur sauter au visage, mais je me suis fait violence pour conserver un semblant de dignité.

— Si vous acceptiez de patienter un instant, ai-je prononcé d'une voix tremblante d'indignation et de douleur refoulée. Je ne présente aucun risque pour votre sécurité et je ne menace rien ni personne. J'aimerais juste vous poser la question suivante : me serait-il possible de voir l'un de vos responsables ? Oh, et pendant que vous pesez le pour et le contre, je vous serais reconnaissant de bien vouloir prendre en considération le fait que mon épouse et moi-même avons fait la une de tous les tabloïds au cours des derniers jours. Je suis certain, d'ailleurs, que le *Sun* serait absolument enchanté d'apprendre la manière dont j'ai été renvoyé d'ici. Les reporters auront certainement très envie de parler à une personne haut placée de votre établissement, croyez-moi. Je ne suis pas sûr, en revanche, que cette personne en ait très envie, qu'en pensez-vous ?

Les hommes de la sécurité ont regardé la réceptionniste, qui m'a jeté un regard noir. Elle a fait une moue désapprobatrice, m'a lancé un « Très bien, comme vous voulez ! » lourd de sens et a composé un numéro avant de parler dans le microphone du téléphone, tout en le couvrant de sa main pour s'assurer que je n'entendrais pas ce qu'elle disait. Enfin, elle a reposé le combiné et s'est adressée aux deux malabars :

— Emmenez M. Crookham au bureau du Dr Wray. Il l'attend.

Je suis parti escorté des deux hommes. Si je les dépassais l'un comme l'autre d'une demi-tête, j'étais nettement moins costaud. Nous avons parcouru toute une série de couloirs à angles droits, jusqu'à ce qui m'a semblé être le cœur de l'établissement. Enfin, mes deux gardes du corps se sont arrêtés devant une porte en tous points identique aux innombrables portes que nous avions dépassées, hormis une plaque indiquant « Dr Tony Wray ». L'un des deux hommes a frappé deux coups secs et une voix venant de l'intérieur a répondu :

— Entrez !

— Allez-y, m'a dit le garde qui avait toqué à la porte. Nous vous attendons ici.

Il avait prononcé ces mots sur un ton de défi, comme si son acolyte et lui-même rêvaient que je leur offre une bonne excuse pour entrer et m'administrer la correction qu'ils brûlaient visiblement de m'infliger. Je les ai ignorés et je suis entré.

16

Le Dr Wray s'est levé et s'est penché par-dessus un bureau recouvert de dossiers, de paperasses, de fournitures diverses et d'une masse indistincte de bric-à-brac pour me serrer la main. C'était un homme petit et sec, vêtu d'une veste en tweed décontractée et d'un jean noir. Sa masse de cheveux gras d'un gris d'acier semblait avoir gardé la même longueur au cours des dernières quarante années, au mépris du large cercle chauve, quasi monastique, qui ornait le haut de son crâne. Toutes ces années à s'occuper d'aliénés criminels avaient laissé leurs marques sur son visage creusé de rides profondes. Il dégageait néanmoins une sorte d'agitation joyeuse et, lorsqu'il parlait, ses mots étaient ponctués d'une multitude de tics vocaux : des « heu », des « hmm », des « hein », autant de petites éruptions d'énergie ainsi expulsées de son système.

— Prenez place, prenez place, m'a-t-il dit en m'indiquant une chaise. Pourquoi est-ce que je ne vous rejoindrais pas pendant que j'y suis, hein ?

Il s'est extrait de derrière son bureau pour s'asseoir sur une chaise placée en face de la mienne.

— Hmm, si je comprends bien, les choses se sont un peu tendues à l'accueil, n'est-ce pas ?

— Oui, j'en suis désolé. J'avais hâte de voir ma femme et j'ai été très déçu d'apprendre que ce ne serait pas possible, du coup je me suis un peu énervé après votre réceptionniste. Je n'aurais pas dû agir ainsi, je le sais bien...

— Ne vous inquiétez pas, elles sont habituées. Cela arrive tout le temps.

— De fait, cette dame ne m'a pas semblé comprendre la situation. Vous savez, j'ai l'autorisation du juge. Je suis officiellement autorisé à rendre visite à Mariana.

— Eh bien, euh, cette décision ne repose pas entièrement entre les mains du juge, vous savez. Bien sûr, il peut vous signaler qu'il n'a rien à objecter au fait que vous la voyiez, mais cela ne veut pas dire que vous pouvez le faire, ni même, d'ailleurs, qu'elle est effectivement une patiente de cet hôpital.

Jusque-là, je m'étais conforté dans l'illusion que je trouverais en la personne du Dr Wray un interlocuteur sensé et que tout s'arrangerait rapidement. J'ai soudain été frappé par l'idée qu'il vivait peut-être, lui aussi, dans le même monde d'Alice au Pays des Merveilles que toutes les autres personnes que j'avais rencontrées dans cet hôpital psychiatrique.

— Ecoutez, docteur, je sais qu'elle est ici. La police l'a emmenée pas plus tard qu'aujourd'hui, je suppose donc, bordel, qu'elle est encore là...

J'étais conscient du fait que mon ton s'élevait de nouveau. J'ai pensé aux deux gorilles qui attendaient devant la porte, l'oreille pressée contre celle-ci, et je me suis forcé à baisser le volume :

— Pourquoi ne pouvez-vous pas admettre qu'elle est ici ?

Le Dr Wray a froncé les sourcils, l'air songeur. Les lèvres pressées, il semblait profondément concentré sur sa réflexion. Puis il a passé une main dans ses cheveux emmêlés, a lâché un nouveau « hmm », et en esquissant une grimace a déclaré :

— Je ne suis malheureusement pas en mesure d'admettre ou de nier quoi que ce soit concernant votre épouse, monsieur Crookham. Mais je peux vous parler des conditions générales auxquelles je suis soumis, comme tout autre psychiatre travaillant dans une clinique. Peut-être que cela pourrait vous aider un peu.

— Je suppose que oui...

— Très bien, alors permettez-moi de vous dire quelques mots en ce qui concerne le secret professionnel. C'est une question de principe de précaution. Chaque psychiatre, dans chaque institution, est formellement soumis aux souhaits de ses patients. A partir du moment où un patient est âgé de dix-huit ans ou plus, son droit à la confidentialité la plus totale est reconnu, à moins qu'il n'y renonce explicitement. Nos patients peuvent vouloir qu'un certain nombre d'informations soient communiquées à leur conjoint ou un parent. De la même manière, ils ont aussi le droit de demander que rien ne soit révélé à personne. Quand c'est le cas, nous sommes obligés de respecter leur souhait.

— Est-ce que vous êtes en train de me dire que Mariana ne veut pas me voir ?

— Je ne vous parle pas de Mariana...

— Elle est ma femme, pour l'amour de Dieu. Est-ce que cela ne compte pas ?

Le Dr Wray a soupiré et sa voix s'est quelque peu radoucie.

— Je comprends tout à fait votre situation, monsieur Crookham, croyez-moi. Mais je ne peux rien faire. Je sais qu'une maladie mentale est terriblement difficile à supporter pour les proches du patient et ce en bien des aspects, dont celui-ci fait partie... Ah ça !...

Les doigts de Wray se sont lancés dans une nouvelle exploration des mèches sauvages et grasses de ses cheveux avant de s'interrompre pour gratter le haut de son crâne. Son visage s'est renfrogné puis il a poursuivi :

— Ecoutez, au-delà de mon activité dans cette institution, je travaille également dans une clinique privée, hmm ? Quand les patients viennent nous voir, ils sont généralement dans un état terrifiant. Ils flirtent avec la mort, ils ont des idées suicidaires. La plupart du temps, leurs familles sont folles d'inquiétude. Il m'est arrivé d'avoir au bout du fil des mères qui me demandaient si leur enfant était vivant ou mort, et je n'avais pas même le droit de leur fournir cette information...

— Mais... c'est de la cruauté pure !

— Je sais... Ce n'est pas facile pour nous non plus, croyez-moi, mais le premier et unique souci des médecins est le bien de leurs patients. Or, ceux-ci ont le droit de poser leurs conditions. Peu importe ce qu'ils traversent, c'est leur expérience, leur lutte, et on ne peut qu'espérer qu'ils s'en sortent à la fin. Vous comprenez ? Ils ont donc le droit de décider s'ils veulent partager cette expérience avec une tierce personne.

— Mais, comme vous le dites vous-même, ces personnes sont malades. Comment peuvent-elles savoir ce qu'elles veulent vraiment ?

— Ha ! Les patients psychotiques ou sujets à des délires à certains moments peuvent être parfaitement rationnels à d'autres. Ils sont tout à fait en mesure de prendre des décisions raisonnées sur le degré de connaissance que leurs proches doivent avoir de leur maladie. Vous comprenez ?

— Oui, mais j'ai encore du mal à saisir pourquoi des patients refuseraient d'être entourés des personnes qui les aiment. Est-ce que cela ne leur serait pas bénéfique, au contraire ?

— Pas forcément. Certaines personnes ont honte de leur état. Si elles voient des membres de leur famille ou quelqu'un qu'elles aiment, si elles s'aperçoivent que cette personne est attristée de les voir ainsi, elles peuvent en éprouver un profond sentiment de culpabilité. Les patients se disent alors : Je suis en train d'infliger cela à la personne que j'aime. Je lui fais mal. Je dois être mauvais pour lui faire autant de mal. Ce sentiment terrible s'ajoute alors à la honte qui les habite déjà : ces émotions sont, selon toute probabilité, à l'origine du trouble qu'ils traversent. Voilà pourquoi ils ne supportent pas qu'on les voie dans cet état.

— Dans ces conditions, y a-t-il quelque chose que vous puissiez me dire ? Quoi que ce soit ?

Le docteur m'a contemplé d'un regard parfaitement vide et inexpressif qui m'a semblé encore plus énervant, encore plus provocant que tous les mots qu'il avait prononcés jusque-là.

— Mais non, vous ne comprenez pas, ai-je dit en bondissant sur mes pieds tandis que ma voix regagnait quelques décibels. Au diable la culpabilité et la honte de Mariana ! Comment croyez-vous que je me sente ? Je suis tendu, vingt-quatre heures sur vingt-quatre ; jour et nuit. Cela ne s'arrête jamais.

J'ai commencé à arpenter son bureau pour tenter de relâcher quelque peu la pression et je me suis lancé dans une sorte de harangue, libérant ma conscience dans un flot ininterrompu de paroles :

— Je me sens nauséeux. Mes tripes font n'importe quoi et j'ai une boule dans la gorge. Ça fait mal, c'est une douleur physique, comme si j'avais des bleus à l'intérieur de mon corps. Mon esprit n'arrête pas de tourner sans jamais arriver à aucune conclusion...

— Monsieur Crookham, détendez-vous. Essayez de vous calmer...

— De me calmer ?! Mais comment est-ce que je pourrais me calmer, bon Dieu ?

J'ai frappé mon front avec ma paume.

— Ça hurle là-dedans, docteur. J'ai un milliard de questions et pas une seule putain de réponse...

J'ai entendu la porte s'ouvrir dans mon dos et j'ai vu le Dr Wray lever la main comme pour dire : « Ne vous inquiétez pas, je m'en occupe. » La porte s'est refermée.

D'une étrange manière, son geste m'a apaisé, comme la preuve qu'il me faisait confiance. Je suis retombé sur ma chaise.

— Je me sens tellement coupable, ai-je confessé en enfouissant mon visage dans mes mains. Mon frère est mort, ma femme est derrière des barreaux et tout est de ma faute. Ils ne se seraient jamais rencontrés si je ne les avais pas présentés l'un à l'autre. Et pourtant, c'est moi qui suis libre. Je ne peux pas accepter ça. Je vais devenir fou si ça continue comme ça. Je vous assure, je vais devenir dingue...

Le Dr Wray m'a contemplé de nouveau, mais cette fois il y avait de la gentillesse, ou plus précisément de la compassion dans ses yeux.

— Attendez... peut-être que je peux quand même vous aider... tout au moins un tout petit peu.

17

Le Dr Wray s'est levé, il a fait quelques pas jusqu'à son bureau et a farfouillé dans le désordre qui le recouvrait jusqu'à ce qu'il déniche un crayon et un bloc-notes. Ensuite, il est revenu vers moi et a rapproché sa chaise de la mienne. Il a tracé un petit cercle en haut d'une page.

— Ceci est un enfant, m'a-t-il expliqué. Un tout petit enfant, peut-être même un nourrisson.

Il a dessiné des flèches dirigées vers le bébé.

— Ça, ce sont les douleurs que lui ont infligées ses parents. Soit ils sont absents et ne donnent pas suffisamment d'amour et d'attention à leur enfant, soit ils ne subviennent pas à son besoin de nourriture et de confort, ou encore ils ont un comportement activement abusif à son égard : sexuel, émotionnel ou physique... Vous voyez de quoi je parle. Il se peut également qu'ils soient injustes et qu'ils rendent leur enfant responsable de leurs actes, comme une mère qui dirait : « Regarde ce que tu me fais faire ! » ou : « C'est toi qui m'as fait pleurer. » Car tout le monde agit de la sorte avec ses enfants, qu'il en ait conscience ou non.

— Les parents vous foutent en l'air...

— Exactement. Toujours est-il que l'enfant pense que si son parent, qui est aussi la personne la plus importante, la plus puissante de sa vie, agit ainsi envers lui, c'est qu'il a forcément mérité ces mauvais traitements. D'ailleurs, il ne faut pas nécessairement que ce soit un parent : n'importe quel adulte entretenant une relation particulièrement proche avec l'enfant peut exercer la même influence.

L'important, c'est que l'enfant endosse la culpabilité, la responsabilité et, surtout, la honte. Il sait que ce n'est pas bien, oui, et même sale, d'une certaine manière. Et alors... eh bien, il enterre cette honte profondément en lui, comme, heu, comme ça...

Wray a dessiné un point au milieu du cercle.

— Voilà. Bien entendu, il est essentiel pour cet enfant que personne ne sache jamais rien de cette chose honteuse. Il faut à tout prix qu'elle reste cachée. L'enfant construit donc une sorte de coquille autour de lui, comme un mur destiné à camoufler sa honte...

Cette fois, il a dessiné un carré noir autour du cercle et du point.

Parlait-il de Mariana ? Il ne pouvait pas avoir établi un diagnostic aussi rapidement, mais il avait peut-être jeté un coup d'œil au dossier la concernant, ou alors il avait parlé au médecin légiste. Travaillant dans un endroit comme celui-ci, il devait par ailleurs être habitué aux malades dangereux.

Il a poursuivi :

— Si, en grandissant, l'enfant se convainc du fait qu'il n'est pas aimable, il va développer un charme incroyable pour compenser. Il sera sans doute perçu par la plupart des gens comme immensément sympathique, attirant, voire même charismatique. Pourtant, toute l'affection qu'il recevra ne changera jamais le profond sentiment de haine qu'il ressentira vis-à-vis de lui-même. A ses yeux, l'enfant ou l'adulte qu'il est devenu n'est rien d'autre qu'un imposteur, mais il est le seul à le savoir. Il croit très sincèrement que de toute manière il ne pourra jamais être apprécié ou aimé pour sa véritable personnalité, son moi réel, soigneusement enfoui. Aussi, quand un patient entame une thérapie, l'un des objectifs de son thérapeute sera d'exposer cette honte originelle, de l'éclairer...

Wray a alors dessiné des traits traversant le carré comme des rayons de soleil.

— Vous voyez, une fois que la honte est exposée, acceptée, voire même partagée avec d'autres – un coming out, en quelque sorte –, son pouvoir s'atténue. Dans la

114

plupart des cas, les patients s'aperçoivent vite que les choses ne sont pas aussi graves qu'ils le craignaient et que leur entourage ne les en aime pas moins...

— Je sens qu'il va y avoir un grand « mais », l'ai-je interrompu.

Le Dr Wray a souri.

— Ha ! Vraiment, vous le sentez venir ? Eh bien, revenons au tout début du processus, au moment où le sentiment de honte s'est formé. Parfois, celui-ci est le résultat d'un événement véritablement affreux qui dépasse largement les manquements routiniers d'un parent ordinaire et faillible...

— Vous voulez parler de maltraitance ?

— Oui, mais cela pourrait également être la perte d'un membre de la famille, par exemple, surtout si les circonstances de son décès sont violentes. L'enfant peut aussi avoir été témoin de quelque chose de terrible. Il y a mille manières de traumatiser profondément quiconque – et ce à n'importe quel âge, d'ailleurs. Certains théoriciens suggèrent même que des traumatismes non résolus peuvent être transmis comme des... oui, comme des bombes à retardement, à travers des générations entières. Selon cette théorie, nous pourrions souffrir de méfaits qui auraient été perpétrés avant même que nous venions au monde. Dans tous les cas, ce traumatisme extrême est enterré, exactement comme je vous l'ai décrit. Là encore, le patient érige un mur. Mais cette blessure psychique est bien plus dangereuse. Elle peut être complètement oubliée par l'esprit conscient de l'enfant mais elle s'est néanmoins inscrite dans son subconscient, telle une bombe à retardement qui n'attendrait qu'une chose : qu'on la fasse sauter. Un détonateur, si vous voulez.

— Quand vous parlez de « bombe », je suppose que vous parlez en général, n'est-ce pas ?

— Bien entendu, a répliqué Wray.

Il était évident cependant que ce médecin ne se donnerait pas la peine de me raconter ce processus en détail s'il ne contenait pas une clé pour comprendre Mariana. Tout d'un coup, j'ai réalisé quelque chose d'autre : bien qu'il ne soit pas autorisé à le dire, le docteur était probablement tout aussi intéressé par ce que je pouvais lui apprendre que je l'étais par les informations qu'il pouvait m'apporter. Après tout, lui aussi allait avoir besoin d'éléments pour avancer dans sa thérapie.

— Qu'est-ce qui pourrait jouer le rôle de détonateur ? ai-je demandé.

— Oh, eh bien... n'importe quel élément serait susceptible de créer un lien immédiat avec le passé de cette personne : une association d'idées qui ferait subitement émerger le traumatisme du subconscient, par exemple. Supposez qu'un enfant ait été maltraité dans une pièce où se trouve une grande horloge ancienne au tic-tac entêtant. Bien plus tard, le son d'une montre pourrait très bien servir de détonateur et déclencher cette bombe mentale... Enfin, je laisse libre cours à mon imagination, vous vous en doutez. J'essaie juste de vous donner une idée globale d'un certain cas de figure...

— Est-ce que cette réaction pourrait être violente ?

— C'est envisageable.

— Et elle est incontrôlable, n'est-ce pas ? Je veux dire : la bombe explose tout simplement dans la tête de la personne et celle-ci pète un câble. Il n'y a rien de planifié, de prémédité, dans sa réaction. Elle n'est pas même consciente de ce qu'elle fait ?

— En effet, a acquiescé le Dr Wray en hochant la tête.

J'ai senti monter comme une bouffée d'espoir. Si j'arrivais à trouver ce qui avait déclenché ce mécanisme dans l'esprit de Mariana, si j'arrivais à établir le lien manquant avec sa vie antérieure, peut-être que je serais en mesure d'expliquer pourquoi elle s'était défoulée sur Andy. Je pourrais peut-être fournir la preuve nécessaire à l'allège-ment de sa peine.

— Vous avez dit que cela pouvait prendre des années pour découvrir l'origine de ce genre de trouble, ce qui a poussé une personne à agir d'une certaine manière, et pourquoi...

— Eh bien, le fait est qu'un psychiatre n'est pas un inspecteur de police. Nous n'avons pas d'autres indices pour progresser que ceux qui se trouvent dans la tête de la personne. Cela peut prendre un moment avant qu'ils ne remontent à la surface.

— Mais si vous décidiez de mener une véritable enquête concernant la personne, à la manière d'un détective, cela pourrait faire avancer les choses, n'est-ce pas ?

Là, Wray s'est mis à rire.

— Je n'en ai pas la moindre idée ! Mais je suppose que vous avez raison.

Il y avait donc une chance. Dans ce cas, il me fallait obtenir une dernière information de mon interlocuteur :

— Ces détonateurs dont vous parlez, est-ce qu'ils peuvent inclure quelque chose que quelqu'un aurait dit ? Mettons que vous ayez été violé quand vous étiez enfant et que je vous demande de but en blanc : « Est-ce que vous avez été violé dans votre enfance ? »... Est-ce que cela pourrait servir de détonateur ?

Wray a secoué la tête d'un air pensif.

— Non... Cela peut vous sembler étrange, mais j'en doute. Bien entendu, je présume que c'est théoriquement possible. Mais face à une question directe telle que celle-ci, c'est la conscience qui se mettrait en action. Or, celle-ci a occulté la vérité. Il est plus probable que la personne vous réponde : « Non, bien sûr que non », en croyant sincèrement vous dire la vérité. Il est plus fréquent que cela vienne d'un élément faisant l'impasse sur l'esprit rationnel pour s'adresser directement au subconscient : une expérience sensorielle non verbale comme la vue, l'ouïe, l'odeur ou le goût...

— Si je comprends bien, une expérience sensorielle serait donc susceptible de faire ressurgir des souvenirs capables de déclencher une réaction violente ?

— Plus ou moins, oui, a approuvé le Dr Wray.

Subitement, il a changé de ton après avoir jeté un coup d'œil à sa montre :

— Oh là, mais j'ai un autre rendez-vous, moi ! C'était un plaisir de vous rencontrer, monsieur Crookham. J'espère que j'ai pu vous aider un petit peu. Et si vous trouvez quelque chose qui pourrait nous être utile...

— Je vous tiens au courant.

Les deux malabars m'ont reconduit jusqu'à la porte d'entrée. A chaque fois que nous passions un coin, dans ce dédale interminable de couloirs, je priais pour voir Mariana venir à ma rencontre. Si j'avais pu ne serait-ce que l'apercevoir un bref instant, même au loin, cela aurait déjà été quelque chose. Mais elle est restée invisible. De ce point de vue, j'avais fait le trajet pour rien et la frustration était cuisante. Mais je repartais tout de même muni d'un nouvel objectif.

Le seul moyen d'alléger la peine à laquelle Mariana allait être condamnée était de trouver pourquoi elle avait tué Andy. En ce qui concernait la police, le cas était clos. Quant au Dr Wray, il m'avait avoué que cela pourrait lui prendre des années pour trouver la réponse. Enfin, les avocats allaient se contenter de traiter ce cas comme tous les autres cas dont ils étaient chargés.

Il ne restait plus que moi.

1984

Berlin-Est

Hans-Peter Tretow avait soulevé sa fille de quatre ans et l'avait propulsée dans les airs, au milieu des braillements aussi effrayés qu'heureux de la petite fille. Aussitôt il l'avait rattrapée, plantant un gros baiser sur son front avant de la reposer sur le chemin, devant l'immeuble abritant l'appartement familial.

« A moi ! A moi ! » s'était alors écrié son fils, un petit bonhomme de deux ans aux joues rebondies, qui tendait les bras pour être attrapé, exactement comme sa sœur. Tretow avait cédé de bon cœur, riant de concert avec ses enfants. Sa femme contemplait la scène avec un sourire indulgent et maternel qui éclairait son visage aussi lumineux et rose qu'une pomme. Avec ses yeux couleur de bleuet et sa chevelure dorée – une qualité qu'elle avait transmise à sa fille –, elle avait l'apparence bien nourrie, docile et obéissante de la parfaite *Hausfrau*, la parfaite maîtresse de maison allemande.

Parfois, elle faisait preuve d'une soumission si instinctive et si énervante que Tretow ressentait le besoin immédiat de lui asséner une bonne gifle, histoire de la réveiller un peu. Dans ces moments-là, Mme Tretow pleurait et jurait de ne pas recommencer. Jamais elle ne s'était plainte, jamais elle n'avait menacé de quitter son mari. Cette attitude faisait partie des nombreux indices qui avaient mis la puce à l'oreille de Tretow : il était convaincu que sa femme était un agent de la Stasi et qu'on la lui avait collée pour s'assurer qu'il ne s'écarterait pas trop d'un mode de vie acceptable. L'autre élément qui confortait sa théorie était sa ressemblance frappante, tout autant d'un point de vue physique que par sa personnalité, avec Judith, la femme qu'il avait abandonnée à Francfort. La coïncidence était trop énorme : comment ce sosie de sa femme pouvait-il être employé précisément par l'entreprise de tapis dans laquelle Tretow, grâce à l'influence de la Stasi, assumait les fonctions de directeur des ventes depuis son arrivée de l'Ouest ? Bien entendu, elle s'était vite montrée disponible et très désireuse de le satisfaire d'une manière qui démentait radicalement ses airs d'innocence domestique. C'était trop beau pour être un hasard.

Parfois, il lui arrivait d'imaginer qu'il se retrouvait en face de son épouse dans un interrogatoire de la Stasi. Il découvrait alors enfin son vrai visage, son regard dur et coupant d'agent de la police secrète. Sa servilité agaçante se muait en une froide cruauté professionnelle et elle n'hésitait pas à user de tous les moyens pour lui soutirer des informations. Elle devait sûrement crever d'envie de se venger des gifles, des trahisons, des petites humiliations mesquines et quotidiennes qu'il lui faisait subir. Il n'y avait pas si longtemps de cela, il avait été à deux doigts de la défier : il voulait qu'elle sorte enfin du rôle qui lui avait été assigné, il voulait voir les véritables sentiments qu'elle nourrissait à son égard. Voir de près toute cette haine et toute cette colère accumulées.

En attendant, leurs vies se déroulaient invariablement selon la bonne vieille routine qu'ils avaient instaurée. Après tout, peut-être qu'il se trompait, peut-être qu'il avait inventé toute cette histoire.

C'est à tout cela qu'il réfléchissait en s'éloignant de son immeuble, l'un de ces *Plattenbau*, ces bâtiments préfabriqués qui avaient éclos un peu partout dans Berlin. Tretow et sa famille avaient été installés dans l'un des modèles haut de gamme, flambant neufs et d'inspiration suédoise, situés tout au plus à deux cents mètres du Mur. Ils en étaient tellement près qu'il pouvait regarder Berlin-Ouest depuis leur balcon du quatrième étage : un rappel permanent de ce qu'il avait quitté. La rumeur disait que cette bâtisse avait été érigée à l'emplacement exact du bunker de Hitler, celui où il avait passé les dernières années de sa vie, alors que le Troisième Reich se désintégrait autour de lui. Cela attristait Tretow de ne pouvoir dire à son père de venir lui rendre visite. Il aurait adoré voir le visage de ce vieux salopard au moment où il lui révélerait qu'il se trouvait précisément à l'endroit où son cher Führer avait mis fin à ses jours.

Une Trabant d'une teinte marron excrément attendait Tretow au bord du trottoir. L'époque où il conduisait une Mercedes rapide, incassable et d'une fiabilité défiant toutes les lois de la temporalité était révolue depuis longtemps. Il lui fallait désormais se contenter de cette parodie de voiture poussive et crachotante dont l'habitacle était fait d'une mixture de fibre de verre et de résine comestible : on affirmait qu'une Trabant laissée à l'abandon dans la cour d'une ferme était susceptible d'être consommée par les bovins de passage en l'espace de quelques jours seulement. Telles étaient les joies de la vie en République démocratique allemande.

Une fois arrivé à son bureau, Tretow allait se démener pour vendre le plus long métrage possible de ces abominables tapis que commercialisait son entreprise. Leurs coloris semblaient tout spécialement choisis pour déprimer ou dégoûter les acheteurs : gris terne, vert éteint, jaune moutarde criard, brun-rouge sang de bœuf et, sans doute le plus réussi de tous, une nuance de turquoise apte à donner la nausée à n'importe qui. La tâche quotidienne de Tretow consistait à déballer ses échantillons devant des clients venus des quatre coins du bloc soviétique et qui ne connaissaient sans doute rien d'autre, et dans des magasins de meubles bon marché de l'Ouest dont les clients étaient trop fauchés pour s'offrir la gamme supérieure. Mais c'était toujours mieux que d'être mort, la seule option possible s'il était resté à Francfort.

Une fois passée la porte de son bureau, Tretow avait allègrement traversé le hall d'entrée, adressant au passage son habituel salut charmeur à la réceptionniste, une femme particulièrement terne et famélique qui entrait dans l'âge mûr :

— Bonjour, mademoiselle Schinkel ! Vous êtes vraiment très en beauté ce matin, si je peux me permettre.

Fräulein Schinkel n'avait pas minaudé, ni feint d'être outrée, comme elle le faisait d'habitude devant les avances bidon de Tretow. Au lieu de cela, elle avait tourné la tête, évitant soigneusement son regard, et était restée muette comme une carpe. Ce n'était pas bon signe.

L'estomac de Tretow avait commencé à se serrer pendant qu'il parcourait le corridor – des panneaux de faux bois d'un côté, les cloisons vitrées des clapiers qui leur tenaient lieu de bureaux de l'autre – en direction de son poste de travail. Il avait fait une courte pause avant d'appuyer sur la poignée de la porte, puis il avait pénétré dans la pièce, où ses pires pressentiments s'étaient trouvés aussitôt confirmés.

Deux hommes l'attendaient. S'ils portaient des vêtements civils ordinaires au lieu d'uniformes, ils étaient néanmoins indubitablement des officiers de la Stasi : Tretow ne savait que trop bien les reconnaître, maintenant.

— Vous allez nous accompagner, lui avait aussitôt annoncé l'un des deux hommes.

Ce n'était ni un ordre ni une invitation, tout au plus le simple énoncé d'un fait incontournable.

Tretow n'avait pas même songé à le remettre en question. Au cours des six années passées, il avait régulièrement été convoqué à des réunions ou des entretiens avec des officiers de la Stasi désireux de lui soutirer des informations utiles à leur gouvernement ou nuisibles à leurs ennemis occidentaux. Cette fois cependant, le schéma était différent. Cela sentait la discipline, la punition. En reprenant le couloir en sens inverse, escorté des deux hommes, Hans-Peter Tretow transpirait de peur et se sentait nauséeux.

Ce qui l'attendait n'allait pas être agréable, il en avait la certitude. En montant dans la voiture des hommes de la Stasi – une Trabant, bien entendu –, il se demanda une nouvelle fois s'il allait retrouver sa femme dans la salle d'interrogatoire.

18

De nos jours

York, Angleterre

Vendredi

Nick avait dit que je n'avais pas la moindre idée de ce qu'était le métier de détective et il n'avait pas tort. Mais j'avais des notions de management des projets. Je savais comment partir d'un site désaffecté et d'une feuille blanche et me retrouver avec une maison en fin de course. Je savais planifier le travail, rassembler des informations et du matériel, procéder de manière logique jusqu'à un objectif final, faire appel aux professionnels adéquats pour me faire aider. Pourquoi n'appliquerais-je pas cette capacité aux nouvelles questions auxquelles j'étais désormais confronté ?

Après tout, Samira Khan et Tony Wray s'étaient déjà chargés de définir ma tâche : sauver Mariana en découvrant la vérité qui se cachait dans son passé. Bien entendu, Yeats, le policier, avait également mis le doigt sur la difficulté majeure que j'allais rencontrer : nul ne savait rien sur ce passé. La seule personne susceptible de me mettre sur une piste plus sûre, Mariana, ne se sentait pas prête à me voir, et quand bien même elle l'aurait été, elle n'était certainement pas en état de parler de ce qui s'était passé. Mais les architectes passent leur vie à trouver des moyens pour contourner des limites financières, techniques et bureaucratiques. J'allais certainement trouver un moyen de contourner celle-ci.

J'allais commencer au même point que Yeats : l'ordinateur d'Andy. Il fallait juste que je mette la main dessus.

Les différents éléments de l'affaire ayant été validés à la satisfaction de tous, la police n'avait aucune raison de garder plus longtemps le corps et les effets personnels d'Andy. J'avais déjà chargé une entreprise de pompes funèbres de s'occuper du corps. Quant à ses biens personnels, ils étaient désormais sous ma responsabilité.

Il n'y avait pas grand-chose, hormis la pochette de nylon noir contenant l'ordinateur portable d'Andy et un petit sac de voyage. Une liste, qui m'avait été remise en même temps que ses affaires, m'informait de son contenu. Le sac en lui-même répandait une puanteur indéniable, qui n'était pas sans me rappeler l'odeur des lendemains de fête, quand les mégots flottaient dans la bière éventée. Je n'ai même pas pris la peine de l'ouvrir avant de le jeter dans un sac-poubelle noir, de faire un nœud le plus serré possible et de le jeter dans le coffre du Range Rover.

C'était l'ordinateur qui m'intéressait. Je l'ai ramené à la chambre d'hôtel où j'avais pris mes quartiers pendant les dernières nuits, j'ai branché la prise et je me suis alors demandé où Andy aurait pu enregistrer ses recherches.

Tout comme un grand nombre de personnes d'apparence bordélique, Andy pouvait être très organisé quand il le voulait. Les assiettes sales s'empilaient dans son évier pendant des jours, ses tapis disparaissaient sous la poussière et les saletés, et son bureau était invisible tant il y avait de désordre étalé sur sa surface. Mais les choses auxquelles il tenait vraiment – ses livres, ses magazines, ses CD et DVD – étaient toujours parfaitement classées, par ordre chronologique ou alphabétique, de manière à ce qu'il puisse retrouver ce qu'il cherchait en l'espace de quelques instants seulement. Son ordinateur, qui était en substance son cerveau sous forme micro-pucée, répondait à la même logique : tout était classé en catégories transparentes, clairement définies. Son travail de journaliste, par exemple, était rangé dans des fichiers nommés d'après les supports pour lesquels il écrivait. Au sein de ces fichiers, chaque papier comportait son propre dossier, dans lequel il gardait tous ses brouillons, toutes les copies qu'il avait faites de l'article publié, toutes ses notes, jusqu'au plus petit élément le concernant.

Quoi que mon frère ait prévu de faire avec l'histoire de Mariana, il ne semblait pas près de conclure. Il y travaillait encore dans Scrivener, un programme qui permettait de rassembler des documents écrits, des notes, des photographies, des pages web et tous les autres médias relatifs à un sujet particulier dans un seul dossier. Tout ce matériel de recherche, indépendamment de son format, était réparti sous forme de fiches épinglées à un tableau de liège virtuel. Cette présentation permettait à toute personne travaillant sur un projet de voir en un seul coup d'œil tous les éléments qu'elle avait rassemblés... Cela m'a été très utile, aussi, pour comprendre très rapidement quel avait été l'objectif d'Andy.

J'ai parcouru la liste de ses projets récents dans le menu et je suis tout de suite tombé dessus : un classeur intitulé « MC », pour Mariana Crookham. Je l'ai ouvert, j'ai cliqué sur l'icône de recherche et un tableau de liège est apparu, sur lequel étaient épinglées une douzaine de fiches et une photo. Cette dernière était le plus gros élément isolé du tableau, tout en haut, à gauche – le début de la page –, à l'endroit où le regard se posait naturellement.

Le cliché montrait le portrait agrandi et légèrement flou d'une petite fille de six ou sept ans. Elle portait une robe à petits carreaux bleu pâle, avec de courtes manches ballons, un petit col blanc et un nœud de satin bleu. Sa chevelure dorée était divisée en deux longues couettes retenues par des élastiques au-dessus desquels quelqu'un avait noué de gros nœuds d'un bleu plus sombre que la robe. Elle avait des yeux clairs, d'une nuance fauve, qui regardaient droit dans l'objectif, et sa bouche avait été immortalisée dans une expression légèrement hésitante, comme si elle ne savait pas si elle devait sourire.

Enfant, Mariana était déjà d'une beauté renversante.

19

Les minutes ont passé. Je contemplais son visage, j'en absorbais chaque détail, espérant peut-être que si je me concentrais suffisamment j'entendrais ce que cette petite fille qui, adulte, était devenue ma femme avait à dire entre ses lèvres à demi ouvertes.

— Dis-moi qui tu es, ai-je murmuré à l'écran. Qu'est-ce qui t'est arrivé ? Qu'est-ce qu'ils t'ont fait ? Raconte-moi...

J'ai eu envie d'expédier le cliché sur mon adresse mail personnelle, pour l'imprimer dans l'Internet café de l'hôtel. Je voulais avoir cette photo de Mariana sur moi en permanence, comme une icône, un symbole de ma confiance. Pour ce faire, j'ai simplement ouvert l'application Microsoft Entourage d'Andy, j'ai créé un nouveau message, j'y ai attaché la photo et je me suis envoyé le mail comme si j'étais mon frère. Mais, une fois que j'ai ouvert l'application, celle-ci s'est automatiquement mise à télécharger les nouveaux mails. J'ai parcouru avec une fascination coupable la liste de messages posthumes qui arrivaient sur son paillasson virtuel. Ce n'étaient presque que des spams, hormis un salut d'un ami, manifestement en vacances aux antipodes, et qui avait attaché à ses nouvelles le portrait de sa dernière conquête blonde. Puis le dernier message non lu est arrivé.

Il avait été envoyé à 9 h 36 le jeudi matin, c'est-à-dire au moment où le cas de Mariana était débattu au tribunal. L'intitulé du message était « Un bon conseil pour Andrew Crookham », et il avait été envoyé depuis une adresse répondant au nom de « misengardexxx@yahoo.com ». J'ai ouvert ce message : « Vous vous mêlez d'affaires qui ne vous regardent pas. Interrompez immédiatement vos recherches. Ne retournez pas à Berlin. Veillez à votre propre sécurité et à celle de vos proches. Restez chez vous en Angleterre. Si vous négligez cette mise en garde, il ne vous arrivera que des malheurs. »

Le message n'était pas signé. J'aurais voulu être en mesure de l'ignorer, comme une mauvaise plaisanterie, comme une de ces circulaires qu'on doit envoyer à un certain nombre de destinataires avec des instructions précises sous peine de s'attirer les pires déboires, quelque chose de ce goût-là. Mais le frisson massif et nauséeux qui a secoué mes entrailles semblait vouloir me dire tout autre chose. Il s'agissait là d'une véritable menace. Andy était tombé sur quelque chose, à Berlin : quelque chose que quelqu'un d'autre voulait à tout prix garder secret. Peu importait ce que c'était, cela avait très certainement un rapport avec Mariana : un événement de son passé, ou peut-être un lien familial qui ne devait pas être exposé au grand jour. Ma foi en Mariana, qui avait pris un sacré coup au cours de l'audience où elle avait clamé sa propre culpabilité, a commencé à s'éveiller de nouveau. Ce message suggérait clairement qu'il existait des personnes, là-dehors, susceptibles d'user de violence pour empêcher Andy de révéler leurs activités. Est-ce que cela ne fournissait pas, tout au moins, un véritable doute sur le fait que Mariana était la seule personne susceptible de l'avoir tué ? J'ai attrapé mon téléphone portable et j'ai appelé Yeats.

— Voilà qui est très intéressant, en effet, m'a-t-il dit une fois que je lui eus lu le message. Cependant, je ne vois pas le rapport avec mon enquête...

— Comment cela ? C'est une menace. Andy est mort. N'est-ce pas sur cela que vous êtes censés faire une enquête ?

— Si, vous avez raison. Je m'intéresse à un meurtre perpétré plus de trente-six heures avant que ce message ait été envoyé. La personne qui a envoyé ce mail ne savait apparemment pas que votre frère était déjà mort. Elle ne peut donc l'avoir tué, si ?

— Non, et j'en suis bien conscient... mais ce message indique quand même qu'Andy s'était fait des ennemis à Berlin, non ? Celui qui a envoyé ce mail en fait indéniablement partie. Et si ce type n'agissait pas seul ? S'il y avait d'autres personnes impliquées dans le meurtre ?

— Sauf qu'il n'y avait personne d'autre, et vous le savez aussi bien que moi. Cependant, je vous accorde une chose...

L'espace d'un instant j'ai été pris d'un fol espoir, aussitôt et d'autant plus brutalement anéanti par Yeats :

— Il semblerait en effet qu'une personne, à Berlin, tienne absolument à éviter que son passé soit mis au jour. Cette personne tient tellement à son secret qu'elle est allée jusqu'à faire parvenir à votre frère une menace anonyme et de nature violente. En tant qu'officier de police, je vous conseille donc vivement de prendre cette menace au sérieux. Il est bien normal que vous soyez curieux de savoir ce que votre frère a découvert, mais contentez-vous de limiter vos recherches à son ordinateur. N'entreprenez rien d'autre. N'allez nulle part...

— Et pourquoi, parce que cela risque de nuire à ma sécurité, c'est bien cela ? Vous me menacez de la même manière que la personne qui a écrit ce mail...

— Non, pas du tout. Je n'ai aucune intention de vous faire du mal. Mais je suis bien placé pour penser que quelqu'un d'autre pourrait le faire. Votre frère s'est aventuré dans des eaux particulièrement troubles, monsieur Crookham. Ne suivez pas sa trace.

Après avoir reposé le combiné, j'ai fixé le vide pendant un moment. Une autre porte avait semblé s'entrouvrir... et s'était tout de suite refermée devant mon nez en claquant. A moins que... Indépendamment de ce qui venait de se passer, il était évident, en tout cas, qu'Andy s'était trouvé sur la bonne piste, même s'il l'ignorait. Il y avait donc quelque chose de bien réel, quelque part, susceptible d'expliquer pourquoi Mariana avait perdu le contrôle de ses actes : quelque chose de tangible et que je pouvais très bien rechercher, moi aussi. Yeats lui-même avait dit que je pouvais effectuer des recherches dans l'ordinateur d'Andy. C'est donc ce que j'allais m'employer à faire.

A côté de la photo de Mariana petite fille, sur le panneau de liège de Scrivener d'Andy, il y avait un grand nombre de fiches dont un certain nombre contenaient des liens vers des sites Internet. Le premier m'a guidé vers une page intitulée StayFriends, dont le logo clamait « *Schulfreunde wiederfinden* », que j'ai pu traduire par « Retrouver ses anciens camarades d'école ». C'était donc la version allemande de « Copains d'avant », et le lien menait plus précisément à une page dédiée à une école primaire berlinoise, la Rudower Grundschule.

Si l'on en croyait les informations listées sur la page, cette école comptait neuf cent quatre-vingt-sept anciens élèves inscrits sur StayFriends, issus de cinquante-neuf promotions différentes et ayant publié sept cent quarante photos individuelles et cent soixante et une photos de groupe. L'une de ces dernières avait également été épinglée sur le tableau de liège. Sur celle-ci, j'ai rapidement repéré Mariana, en bout de deuxième rangée, entre un garçon doté d'une affreuse coupe en brosse et une petite fille aux cheveux brun foncé d'apparence sérieuse, et dont l'expression pincée laissait augurer de manière troublante une vie d'adulte dominée par la colère et le ressentiment.

La fille aux cheveux bruns, qui s'appelait apparemment Heike Schmidt, était enregistrée en tant que membre de StayFriends, tout comme le garçon à la coupe en brosse répondant au nom de Karl Braun : un Charlie Brown allemand... J'ai oublié de préciser que la fille blonde du milieu, celle qui deviendrait ma femme, Mariana Slavik, n'était pas listée en tant que membre de StayFriends.

Où que j'aille, j'ai toujours sur moi un carnet ainsi que quelques crayons bien taillés et munis de gommes. J'aime prendre des notes rapides sur ce qui a été convenu avec des clients et des entrepreneurs, ou faire des croquis d'éventuels changements dans les plans. Sur un site en construction, une esquisse rapide vaut cent fois mieux que cent mots susceptibles d'être mal interprétés. Mû par un réflexe, j'ai commencé à reproduire quelques-uns des noms mentionnés et des lieux qu'Andy avait visités, prenant ainsi des notes à partir de ses propres notes. Quel qu'ait été l'objet de ses recherches, c'était désormais devenu l'objet des miennes. Le fait de coucher noir sur blanc toutes ces informations dans mon écriture propre me donnait l'impression d'en prendre possession, d'attraper le flambeau qu'il me tendait depuis le néant afin de prendre le relais et de poursuivre sa mission.

J'ai reporté mon regard sur le tableau de liège et j'ai commencé à suivre la piste que dessinaient les recherches méticuleuses d'Andy. L'une des fiches comprenait un lien menant à la liste complète des écoles primaires de Berlin, réparties selon les différents quartiers de la ville. Dans cette liste, Andy avait copié le lien menant à la page consacrée au quartier de Köpenick, dans lequel se trouvait l'école élémentaire de Rudow, la Rudower Grundschule. Une autre fiche m'a dirigé vers un site de généalogistes amateurs qui se targuaient d'être en mesure de fournir des informations sur tous les quartiers administratifs de Berlin et de remonter à plus d'un siècle en arrière. Entre autres, ce site spécifiait quels quartiers s'étaient retrouvés à l'est de Berlin et lesquels à l'ouest.

Andy avait pris la liste des quartiers de l'Est et l'avait confrontée à celle des écoles primaires. Il était ensuite allé sur StayFriends et avait vérifié, école après école, toutes les années pendant lesquelles Mariana avait probablement été scolarisée. Il avait dû passer à la loupe chaque photo de classe pour trouver un visage à même de lui rappeler celui de sa belle-sœur.

J'étais bluffé par l'effort considérable que cela avait dû représenter. Mais, comme Andy avait coutume de le dire lui-même, la frontière séparant un journaliste d'investigation d'un voyeur était ténue. Combien de petites amies avaient quitté Andy quand elles avaient réalisé qu'aucun rendez-vous n'avait suffisamment d'importance à ses yeux pour être honoré s'il dénichait une nouvelle piste intéressante ? Ce n'était pas plus facile qu'accepter qu'Andy puisse se souvenir du moindre détail, si insignifiant soit-il, de l'histoire sur laquelle il travaillait et dans le même temps tout oublier de cellês qui voulaient partager sa vie.

La recherche de la photographie n'avait représenté qu'une part infime de l'effort que mon frère avait fourni. Une autre fiche listait toutes les dépenses engagées : le billet d'avion Easyjet de Londres-Gatwick jusqu'à Berlin-Schönefeld ; le séjour de deux nuits dans un hôtel dénommé Mercure an der Charité, dans ce qui avait été l'est de la ville ; toute une liste de paiements en liquide pour des repas, des trajets en taxi, des tickets de métro et autres. Il avait pris le premier avion du matin pour l'aller et un avion tardif pour le retour, ce qui lui avait laissé trois jours complets de travail. Mais je n'allais pas tarder à découvrir que cela n'avait pas suffi, loin s'en fallait.

Toutes les notes qu'Andy avait prises au cours de ses recherches étaient enregistrées sur une autre fiche : des annotations et des commentaires personnels concernant ce qu'il faisait ou ce qu'il avait découvert. J'avais l'impression que la voix sèche et sarcastique d'Andy, avec cette consonance si particulière, basse et un peu cassée, qui lui venait de sa consommation de cigarettes – il essayait toujours (mais avec peu de conviction) d'arrêter –, chuchotait à mon oreille comme un fantôme pendant que je lisais ses mots :

Piste 1 : l'école
Braun : deux mentions seulement dans l'annuaire téléphonique de Berlin.
Braun 1 : partie au Mali pour une mission humanitaire, la conne qui veut refaire le monde.
Braun 2 : n'avait pas la moindre idée de ce dont je parlais, connaissait à peine deux mots d'anglais mais a juré n'avoir jamais entendu parler de la Rudower Grundschule.
Huit personnes répondant au nom de Heike Schmidt, plus une demi-douzaine de Heike Schmidt-quelque chose... NB : pourrait être mariée aujourd'hui... peu probable, vu la gueule qu'elle a !
Schmidt NOUVEAU : troisième HS que j'ai appelée : très nerveuse. M'a répondu qu'elle avait effectivement fréquenté

131

l'école de Rudow mais a nié connaître une fille répondant au prénom Mariana. Quand j'ai décrit la petite fille sur la photo, HS a refusé de parler. Citation : « Il ne faut pas poser ces questions-là ! » Elle m'a raccroché au nez. DANS LE MILLE !

Schmidt NOUVEAU 2 : je suis allée à l'adresse listée pour HS dans l'annuaire. Immeuble. HS a répondu à l'interphone. M'a menacé d'appeler la police.

QUESTION : décidément, il se passe quelque chose... Mais quoi ?? Et pourquoi cette peur, vingt-cinq ans plus tard ?

Comme j'aurais aimé pouvoir parler à Andy... Je mourais d'envie de lui montrer ce mail et de réfléchir avec lui à cette question qui me démangeait : est-ce que Heike Schmidt avait été effrayée par la même personne qui l'avait menacé, lui ? Etait-ce une coïncidence qu'il soit la cible de menaces juste après qu'il eut pris contact avec elle ?

J'ai griffonné ces questions sur mon carnet et j'ai senti monter en moi l'excitation de la chasse intellectuelle. Pour la première fois de ma vie, je comprenais la fièvre qui saisissait Andy quand il était sur une histoire.

La seconde partie de ses notes était intitulée :

Piste 2 : certificats de naissance
Incroyable ! Il n'y a pas de registre global pour l'Allemagne. L'efficacité teutonne, mon œil ! Donc...

Les certificats de naissance sont délivrés sur le lieu de naissance.

Les adresses sont enregistrées dans un bureau appelé Einwohnermeldeamt.

Impossible suivre individus entre ces deux bureaux parce qu'il faut donner adresse précédente et adresse suivante.

A l'est, même bureau appelé ZMK = Zentrale Meldekartei.

Oh... génial... MAINTENANT, ils me disent... qu'il y a un bureau central berlinois pour les certificats de naissance.

QUESTION : qui pouvait falsifier des certificats de naissance en Allemagne de l'Est ?? Le crime organisé existait-il (cf. Mafia russe), ou/et des mouvements de résistance ? Ou alors ce devaient être des personnes en charge du système : Stasi.

QUESTION : à moins que le nom n'ait été changé en RFA ? Quand elle est passée à l'Ouest ? Demander à Pete... mais comment ? Trouver motif question.
NOUVEAU : voir tableau pour recherche certificat.

J'ai suivi la piste jusqu'à un document séparé et, une fois de plus, j'ai eu un aperçu du soin minutieux dont faisait preuve mon frère quand il s'agissait de son travail.

Il avait commencé par chercher la trace d'une Mariana Slavik née le 14 juin 1980, mais il n'avait pu trouver aucun certificat à ce nom.

Il s'était donc enquis de la naissance d'un bébé portant le nom de Mariana Slavik pendant les cinq années précédant et les cinq années suivant cette date. Là encore, il avait fait chou blanc. Une note figurant en marge de cette information disait : « PAS de Mariana Slavik, nulle part. Moins de cent cinquante Slavik dans tout l'annuaire allemand. Par ailleurs, orthographe étrange du prénom Mariana. "Marianne" plus courant. Où se cache cette satanée femme ??? »

Andy avait ensuite élargi ses recherches pour la retrouver. Il avait recensé toutes les filles nées le 14 juin 1980. Il y en avait vingt-huit en tout, qu'il avait classées par ordre alphabétique allant de Renate Alback jusqu'à Heike Zuckermann, et il avait complété ces notes avec toutes les informations qu'il avait pu trouver concernant leurs parents, leur lieu de naissance et tout ce qui était mentionné sur les certificats.

Aucune de ces filles ne s'appelait ni Mariana ni Slavik. Trois d'entre elles, cependant, étaient marquées d'un astérisque : Marinella Knopf, Marianne Schwartz et Maria-Angelika Wahrmann.

Visiblement, Andy les avait surlignées car les prénoms étaient proches de Mariana, mais il ne semblait pas convaincu par cette piste puisqu'il avait noté, juste au-dessous :

Vérifier ces noms... tous... Nouveau séjour à Berlin s'impose... ET MERDE !!!

QUESTION : et si la date de naissance était fausse, elle aussi ? Délicat pour un enfant de changer la date d'anniversaire : fêtes, cadeaux, etc. Plus facile de changer l'année : deux ans de plus ou deux ans de moins... vérifier aussi cela au cours du prochain voyage ?

QUESTION ESSENTIELLE : COMMENT PARLER DE TOUT CELA À PETE ???

Commencer par Mariana ? Si ça se trouve, elle a une explication valable...

MAIS SURTOUT : COMMENT PETE n'a-t-il jamais rien remarqué de tout cela ? Elle doit être le meilleur coup de tous les temps pour qu'il ne se pose aucune question !!

J'ai reposé mon crayon et j'ai fermé l'ordinateur. L'effervescence excitée que j'avais ressentie quelques minutes seulement auparavant était retombée comme un soufflé, remplacée par quelque chose qui ressemblait bien plus à de l'humiliation. Dans ma tête, j'entendais encore l'inspecteur en chef Yeats me demander :

« Est-ce que vous êtes sûr de bien connaître votre femme, monsieur Crookham ? »

J'ai repensé à la question qu'Andy s'était posée : « Parler d'abord à Mariana ? » et, d'un coup, mon ambition de prouver à Yeats qu'il avait tort m'a semblé aussi ridicule et pathétique qu'un rêve de gamin. Les mots de mon frère, inscrits noir sur blanc sur cet écran, confirmaient très exactement le scénario que Yeats avait imaginé : l'arrivée d'Andy dans notre maison, débordant d'idées, sa déception en découvrant que je n'étais pas encore rentré et son incapacité à patienter plus longuement. Quoi de plus logique, dans ce cas, que de bombarder Mariana de questions ? Peut-être même qu'il avait profité de mon absence pour la titiller un peu, inconscient du fait qu'il susciterait une avalanche d'émotions aux conséquences des plus terribles...

Non ! Ce ne pouvait être cela !

Bien entendu, Andy avait raison jusqu'à un certain point. J'avais accepté tout ce que Mariana m'avait dit sans rien remettre en question. Et il n'avait pas complètement tort non plus sur un autre point : le fait d'être celui qui la baisait entrait sans doute en compte. J'avais l'impression d'avoir gagné au loto à chaque fois que je la voyais nue. Mais ce n'était certainement pas là l'essentiel de notre relation. J'avais le sentiment d'avoir tissé avec Mariana quelque chose de magique, une vie enchantée, merveilleuse, et je craignais plus que tout de rompre le charme. C'est surtout pour cette raison que je ne lui avais pas posé davantage de questions sur sa famille, sur son passé. Je m'étais toujours efforcé, au contraire, de lui présenter ma famille sous un jour peu enviable : je voulais lui faire comprendre qu'il n'y avait pas une différence si énorme entre la distance qui séparait Andy, maman et moi et l'abîme qui avait coupé Mariana de son passé. Ainsi, nos familles dysfonctionnelles nous soudaient et renforçaient ce sentiment fantastique de former une petite équipe : nous contre le monde, sans distraction aucune. Je le croyais, en tout cas.

J'aimais passionnément cette femme. Parfois, l'amour se manifeste par une curiosité extrême envers la personne qu'on adore. Chaque détail, si infime soit-il, nous semble alors essentiel. Dans notre cas, en revanche, l'amour mutuel impliquait que nous gardions bien fermé le rideau qui nous séparait du monde extérieur. Il ne fallait pas que la lumière puisse briser la magie. Malheureusement – tout magicien digne de ce nom vous le confirmera –, ces trucs, ces astuces ne correspondent pas à la réalité. Ils ne sont que distraction, illusion. Une question essentielle s'imposait désormais : est-ce que notre mariage aussi avait été une illusion ? Qu'allais-je découvrir une fois la magie dissipée ?

20

Si j'avais bien compris le Dr Wray, Mariana n'avait aucune conscience de ce qui l'avait traumatisée. Mais qui sait ? Peut-être que son subconscient avait laissé échapper quelques indices que je n'aurais pas su déchiffrer ? Quelque chose, dans ses mots ou dans son comportement, indiquant que quelque chose clochait mais que je n'aurais pas remarqué à cette époque, voire même consciemment ignoré ?

Ce soir-là, en dînant au restaurant de l'hôtel, j'ai laissé mon esprit me ramener vers le passé et faire remonter en moi tous ces échos de temps plus heureux. Il fallait que je les considère d'un œil nouveau. Je me suis demandé ce que cela avait dû représenter pour Mariana de n'être pas le produit d'une seule dictature mais de deux. Elle avait grandi dans un pays qui était passé sans transition du nazisme au stalinisme et, bien qu'elle n'ait été âgée que de dix ans quand le Mur était tombé, il avait toujours été évident qu'elle avait gardé une sorte de mémoire inconsciente de l'oppression. Celle-ci s'exprimait parfois en une haine viscérale à l'encontre de tout ce qui pouvait y ressembler.

Elle se qualifiait elle-même de néolibérale, ce qui sous-entendait qu'elle abhorrait le communisme, le socialisme – toutes formes de politique, en fin de compte, qui prônaient de près ou de loin un contrôle de l'Etat ou le sacrifice de la liberté individuelle. Les histoires parlant de caméras de vidéosurveillance ou de micros placés dans des abat-jour provoquaient en elle une colère qui allait beaucoup plus loin que l'indignation mondaine. Elle n'évoquait absolument jamais les particularités de son enfance en Allemagne de l'Est, mais la Stasi restait pour elle l'incarnation même du père Fouettard.

« Ils rôdent encore autour de nous, tous, avait-elle coutume de dire. Les personnes qui étaient à la tête de ce régime sont toujours en liberté... Ils sont devenus officiers de police, avocats ou politiques, et ils se foutent bien de nous. Quelqu'un devrait les retrouver et leur tirer une balle dans la tête ! »

De tels moments étaient rares, comme des éclairs inattendus dans un ciel habituellement calme et ensoleillé. Aujourd'hui, cependant, la violence de ses mots revêtait un sens nouveau. Tout comme le mystérieux mail envoyé à Andy, ils évoquaient une culture de la violence profonde et sombre, inquiétante. Tout d'un coup, mon esprit, enhardi par une bouteille entière de lourd vin rouge, a fait surgir des méandres de mes souvenirs une autre scène porteuse d'un nouvel indice sur sa personnalité.

Cela s'était passé un après-midi, après le bureau, deux ou trois ans plus tôt. Mariana et moi étions en train de savourer une bière avec Nick et ce dernier nous avait épatés en nous annonçant qu'il avait décidé de suivre une psychothérapie.

« J'ai besoin de me faire aider, avait-il dit d'un ton trahissant une vulnérabilité que je ne lui avais jamais connue auparavant. Tu vois, courir les jupons, ne jamais me poser, collectionner les femmes, tout ça... Quand t'as vingt ans, voire même trente, ça peut passer. Mais je vais avoir quarante ans cette année et je risque vraiment de me transformer en vieux pervers pitoyable... Du coup, je me suis dit qu'il valait mieux que je me fasse aider.

— C'est super, avais-je dit. Je suis vraiment impressionné. »

Nick avait lâché un toussotement gêné, estimant sans doute que je me moquais de lui.

« Non, je le pense vraiment. Il faut avoir des couilles pour admettre que quelque chose ne va pas, et il en faut encore plus pour réagir. »

J'avais ensuite levé mon verre :

« A ta santé, vieux pervers ! »

Nick avait ri en trinquant avec moi, puis il s'était tourné vers Mariana, qui était restée silencieuse. Il lui avait demandé :

« Et toi, M ? Est-ce que tu t'es déjà fait tripatouiller le cerveau ? »

Il avait posé la question sur un ton parfaitement aimable, mais la réaction de Mariana avait été aussi violente que s'il avait marché sur la queue d'un cobra.

« Jamais ! avait lâché Mariana d'une voix coupante. Les psychiatres sont tous des menteurs, tous ! Ils prétendent savoir lire dans l'esprit des gens, mais c'est n'importe quoi. Comment pourraient-ils voir ce qui se passe dans ma tête ?

— Oh là ! » avait lâché Nick en me lançant un regard dérouté.

Nous nous étions alors concentrés sur les derniers résultats sportifs pour laisser Mariana se calmer tranquillement. Nous n'avions plus jamais mentionné la psychiatrie depuis ce jour. Tandis que je sirotais mon vin, cependant, ce souvenir en a rappelé un autre, plus flou, datant des premiers temps de notre relation.

J'ai déjà dit que nous nous étions mariés une année tout juste après cette première conversation un peu plus intime, dans la voiture, en face de la maison des Black. C'est la vérité. Mais ce n'est pas toute la vérité. Les choses ne se sont pas faites sans heurts ni rebondissements. De fait, ce n'est pas la première fois que je me retrouve dans l'incapacité de communiquer avec Mariana.

Après quelques semaines de stage dans notre cabinet, Mariana était d'abord partie en vacances puis elle avait réintégré l'université pour y valider son diplôme de troisième cycle. Mais il y avait un hic : non seulement elle ne m'avait pas laissé son adresse, mais elle avait également changé de numéro de téléphone. Le seul moyen de communication qui nous restait était donc le mail et le chat.

C'était une façon extrêmement manipulatrice de se faire rare, parce qu'elle maîtrisait complètement les termes de notre communication. Au début, j'étais bien trop surexcité pour m'en préoccuper. Les heures passées à chatter m'avaient révélé une femme intelligente, drôle, cultivée, pleine de curiosité et d'idées originales, et surtout totalement décomplexée en matière de sexe. Elle parlait ouvertement, de manière très imagée et très amusante, de ce qui l'excitait. Elle m'avait provoqué, m'interrogeant sur ma pornographie personnelle : avec elle comme avec aucune autre femme, je m'étais laissé aller à une certaine franchise salace. J'étais comme un junkie, un camé au substitut d'amour étrange et artificiel que me fournissait Mariana, et je lisais avec avidité ses messages apparaissant sur mon écran, comme les flèches d'un Cupidon un peu cochon.

Une nuit, alors que nous étions en train de chatter, elle avait choisi d'ajouter un nouvel élément, plus visuel, à notre échange. Elle venait de me raconter qu'elle était allée à un match de Sheffield United, au stade de Bramall Lane, avec des copains de fac. Pour illustrer son propos, elle m'avait envoyé une photo-souvenir de la journée : un groupe de personnes en plein fou rire, une de ces explosions hystériques qui vous donnent toujours l'impression d'être complètement hors du coup. Mariana jouait à cache-cache derrière les épaules d'un type, on ne voyait d'elle qu'un bonnet rayé rouge et blanc et une énorme paire de lunettes à la Jackie O. Le plus adorable « Où est Charlie ? » du monde.

L'image suivante était arrivée un peu plus tard dans la semaine, en guise de réponse à un de mes messages. Je m'étais plaint d'une journée particulièrement pénible, au bureau, et elle m'avait répondu :

AH, MON PAUVRE CHOU. ATTENDS, JE VAIS TE REMONTER LE MORAL !!!

Quelques instants plus tard, un mail chargé d'une pièce jointe était apparu dans ma messagerie. Quand je l'avais ouvert, j'avais découvert une photo de Mariana. Elle se trouvait à la plage, dans l'enceinte d'une de ces aires dédiées aux bodybuilders et aux fous de fitness, suspendue à une paire d'anneaux de gymnaste. Pris de côté, le cliché montrait de profil son corps exceptionnel, comme une splendide sculpture en suspension. Sa jambe gauche était à la verticale, les doigts de pied repliés en arc, comme une ballerine faisant ses pointes. Elle avait relevé sa jambe droite, le genou replié de manière à former un triangle parfait. Son dos et son ventre étaient minces, élancés, la clarté éblouissante de la plage scintillait sur sa peau bronzée recouverte de crème solaire. Ses seins, contenus dans un haut de bikini à pois, étaient gonflés sous les muscles tendus de ses bras, derrière lesquels je n'apercevais qu'un morceau de son front sous une cascade de cheveux dorés. Ma réponse avait été peu inspirée :

Waouh !

Et cela avait continué ainsi. Ne plaisantant qu'à moitié, Mariana se lamentait volontiers sur ce qu'elle appelait son « énorme derrière ». En réalité, elle possédait la plus parfaite combinaison de courbes qu'un homme ait jamais vue. Une nuit, elle m'avait écrit alors qu'elle rentrait tout juste d'une fête, un peu saoule à en juger par la manière dont elle chattait. Elle se plaignait de ce qu'un homme avait encore osé la tripoter :

Tiens ! Je vais te montrer où il m'a pincée !

Un clin d'œil plus tard, elle me faisait parvenir un cliché basse résolution, sans doute pris avec l'appareil photo de son ordinateur, et me montrant le cul dont il était question très partiellement recouvert d'un mini-short que Kylie Minogue elle-même aurait hésité à mettre. Il semblait peu probable qu'elle porte des sous-vêtements en dessous.

La nuit suivante, elle m'avait envoyé un cliché où elle figurait de face. Déhanchée, elle se tenait devant un miroir en pied ornant ce que je supposais être sa chambre à coucher. Je me souviens d'avoir espéré de tout mon cœur qu'il n'y ait personne d'autre dans la pièce. Elle portait de hauts talons noirs, des bas, une culotte minuscule et un soutien-gorge. Sa main gauche – que je reconnaissais à la montre qu'elle avait au bureau pendant son stage – était perchée sur sa hanche, dans une posture impertinente. Sa main droite maintenait l'appareil photo devant ses yeux, et son visage disparaissait malheureusement dans le halo du flash reflété par le miroir. Elle était décapitée.

Tout d'un coup, j'avais été frappé par le fait que sa tête n'était visible sur aucune des photos qu'elle m'avait envoyées. Je lui avais donc répondu... et la discussion s'était emballée :

Super sexy ! Mais où est ton joli visage ?
Pas ce soir. J'ai vraiment une sale tête.
Tu n'as jamais une sale tête !!!
Cheveux sales, boutons. Je suis vaniteuse, je sais !
Ton visage ! Ton visage ! Ton visage !
Non ! Je suis SCHRECKLICH !!! Demain matin, peut-être.

J'avais cherché *schrecklich* sur Babelfish : cela signifiait « affreux ». Je m'étais dit alors que c'était le manque d'assurance typique de la gent féminine, cette étrange combinaison de vanité et de haine de soi qui pousse même les femmes les plus belles à voir des défauts là où il n'y en a pas. Le lendemain matin, à ma grande surprise, elle m'avait effectivement envoyé le cliché promis. Elle était assise par terre, en jean, une jambe repliée par-dessus l'autre, regardant droit dans l'objectif. Mais il y avait un problème : la pénombre l'entourant était telle que Mariana était à peine reconnaissable. Même en l'ouvrant dans un programme de retouche et en l'éclairant au maximum, tout ce que j'obtenais était la vision pixellisée d'une crinière blonde, les contours de deux yeux immenses et une expression floue, indéchiffrable.

Aujourd'hui, l'entêtement farouche avec lequel Mariana avait alors caché son visage me semblait soudain faire étrangement écho à la violente méfiance qu'elle avait exprimée à l'évocation d'une psychothérapie. Pourquoi quelqu'un cacherait-il son visage ? Pour ne pas être

141

reconnu. Pourquoi quelqu'un aurait-il peur d'un psycho-thérapeute ? Soit par crainte d'être mal compris... soit par crainte d'être, justement, compris et donc démasqué par la même occasion. Qu'est-ce que Mariana voulait dissi-muler ? Y avait-il dans sa tête quelque chose d'affreux, de *schrecklich*, qu'elle tenait à tout prix à garder pour elle ? Etait-ce sur cela qu'Andy était tombé par hasard : un secret honteux que Mariana souhaitait cacher au point d'être capable de tout – même de tuer – pour le défendre ?

Pendant les jours suivant l'envoi de ce cliché, nous avions poursuivi nos échanges comme à l'accoutumée. Une nuit, nous avions même passé trois heures à nous écrire du tac au tac, papotant d'une manière tout à fait joyeuse et légère. Ou du moins c'était ce que je m'étais imaginé.

Le lendemain matin, je lui avais renvoyé un mail concer-nant quelque chose qu'elle avait dit la veille. Elle n'avait pas répondu. Cette nuit-là, elle n'avait pas même été en ligne. Pareil la nuit suivante.

Je m'étais dit qu'elle devait être occupée. Au bout d'une semaine sans un mot, j'avais commencé à m'inquiéter. Voyant le silence se prolonger, j'avais peu à peu senti poindre en moi un soupçon épouvantable : tout était fini, peu importe ce que « ça » avait été. J'avais alors traversé une sorte de phase de sevrage, souffrant physiquement de mon désir d'elle. J'avais passé des nuits entières allongé tout éveillé dans mon lit, à me demander ce que j'avais fait pour la faire fuir de la sorte. J'avais lu et relu chaque mot de nos échanges, décortiquant tout, essayant de repérer l'endroit où elle avait décidé de prendre le large. J'avais tellement envie de la voir que j'avais sérieusement envi-sagé de descendre à Sheffield et de me planter devant la fac d'architecture jusqu'à ce qu'elle apparaisse.

Je rendais Nick dingue :

« Tu ne vois pas qu'elle joue avec toi ? Elle doit bien se marrer, à tirer sur la laisse, comme ça, et à te regarder courir dans tous les sens. Ouvre les yeux, mec. Cette histoire ne mènera jamais à rien. »

J'avais essayé d'argumenter :

« Ecoute, je sais que ça peut sembler dingue, mais je t'assure qu'elle en vaut la peine. Il y a vraiment un truc entre nous, j'en suis sûr.

— Ah, tu crois ça, vraiment ? Eh bien, s'il y a un truc aussi génial entre vous, comment tu t'expliques que tu ne puisses même pas l'appeler ? Il n'y a rien de dingue là-dedans, mec : c'est juste une allumeuse de première, voilà tout... »

Deux mois s'étaient écoulés. Un beau jour Mariana était réapparue, aussi soudainement qu'elle avait disparu. Elle m'avait envoyé un mail truffé de ce qui ressemblait à des remords :

J'espère que tu pourras me pardonner un jour. Je ne m'attends pas à ce que tu me répondes, mais je veux au moins que tu saches ceci : je regrette amèrement ce que j'ai fait. Si tu me détestes, je l'ai mérité. Tu ne portes aucune faute, je suis la seule responsable. J'ai pensé à toi tout le temps. Je te souhaite tout le meilleur et plein d'amour,
M

Je lui avais répondu que je ne pourrais jamais la détester. Je voulais la revoir, avoir une conversation en tête à tête avec elle, comme des êtres humains normaux. Si nous pouvions un jour redevenir des amants, ce serait merveilleux, avais-je ajouté, mais je pouvais aussi me contenter d'être son ami.

Si tu veux une amitié simple et vraie, je suis d'accord, m'avait-elle répondu. Mais je te préviens : je suis une très mauvaise amie, rancunière et susceptible la plupart du temps. Alors si ça te dit vraiment d'être l'ami de la pétasse blonde que je suis, pas de problème.

Avant même que j'aie le temps de répondre, elle avait ajouté en post-scriptum :

Je t'en prie, aide-moi à avancer, à changer ma vision du monde. J'ai besoin de faire confiance à quelqu'un.

Rétrospectivement, bien entendu, je me suis retrouvé directement confronté à la question d'Andy : pourquoi n'avais-je pas vu à ce moment-là que Mariana avait un vrai problème ? A vrai dire, je crois que je m'en étais aperçu – en partie, en tout cas. Bien sûr, j'avais trouvé son comportement étrange. Sans parler de la frustration qu'elle m'avait infligée, la douleur, la colère et la perte de temps. Mais certains hommes s'attendent à une certaine dose de folie hormonale et manipulatrice de la part des femmes, tout comme les femmes – ou du moins c'est ce que je crois – s'attendent à ce que les hommes répètent désespérément les mêmes erreurs et les mêmes manquements dans leurs relations. Mais tous, nous nous arrangeons des supposés travers du sexe opposé quand nous pensons que l'autre en vaut la peine. Et Mariana en valait la peine. D'ailleurs, elle n'avait pas tardé à me prouver que j'avais eu raison de croire en elle et de supporter tout ce qu'elle m'avait fait endurer.

Elle avait mis un terme à ses jeux capricieux. Elle était revenue travailler avec nous. Au bout d'une semaine à peine, nous étions à nouveau amants et depuis cet instant jamais, jamais elle ne m'avait déçu, blessé ou frustré en aucune manière.

« Tu parles qu'elle a changé, m'avait dit Nick. Elle cherche un poste et tu es associé principal de la boîte, c'est tout. Tout ce qu'elle veut, c'est que tu lui passes la bague au doigt. Tu es son passeport pour la réussite, mec, il va falloir t'y faire. »

A cette époque, son explication m'avait paru très injuste et, malgré tout ce qui s'était passé depuis, je le pensais toujours aujourd'hui. S'il y avait eu un passeport pour la réussite, dans l'histoire, c'était bien elle et non moi. C'est elle qui nous avait introduits dans le monde du football. C'était elle qui nous avait enrichis. Mais, au-delà de cela, l'idée que Nick se faisait de Mariana et de notre relation n'était pas juste non plus. Il y avait toujours eu quelque chose de vrai et de pur entre nous, caché derrière tous ces jeux et toute cette manipulation, comme un diamant enfoui dans une couche épaisse de roche volcanique : j'en

étais absolument convaincu depuis cette première conversation que nous avions eue dans ma voiture. Et c'était
peut-être cela, me disais-je maintenant, qui avait fait fuir
Mariana dans un premier temps. Sans doute avait-elle
ressenti la même chose que moi. Elle partageait mon désir
de rapprochement mais, en même temps, quelque chose
l'effrayait très précisément sur ce point. Elle avait tout
tenté pour me faire fuir, mais j'étais resté fidèle à mon
poste, à l'attendre, et elle avait fini par baisser les armes.
Elle avait finalement décidé de me revenir.

A partir de ce moment, j'avais consciemment tiré un
trait sur tout ce qui s'était passé précédemment. Je n'avais
jamais vraiment connu l'amour auparavant : ni dans ma
famille, ni au cours de mon premier mariage. Mariana
m'avait fait la totale, douleur comprise. Et en retour je lui
avais tout pardonné.

Mais comment pourrais-lui pardonner d'avoir tué mon
frère ? J'avais dit à Vickie Price qu'il ne me resterait rien
si je perdais également Mariana. La vérité, c'était que
notre mariage n'avait aucune chance de survivre si je ne
surmontais pas ce qu'elle avait fait. La mission de détective dans laquelle je venais de m'engager n'était donc pas
seulement destinée à convaincre un juge : il s'agissait bien
davantage de me convaincre moi-même. J'ai terminé mon
verre sur ce constat, j'ai paraphé la facture d'un repas que
j'avais à peine vu passer et je suis remonté dans ma
chambre. J'avais besoin d'une bonne nuit de sommeil
avant de me remettre au travail le lendemain.

21

Samedi

Deux jours auparavant, j'avais découvert quelle quantité de sang un corps humain pouvait rejeter avant que le cœur ne flanche et ne s'arrête de battre définitivement. Pendant les heures qui avaient séparé l'audition de Mariana de ma visite à l'hôpital psychiatrique, j'en avais appris aussi pas mal sur la manière de nettoyer tout ce sang.

Yeats m'avait téléphoné pour me dire que la maison n'était plus considérée comme une scène de crime, à présent. J'allais donc pouvoir reprendre possession des lieux. Il m'avait également donné le numéro d'une entreprise de nettoyage spécialisée dans les scènes de crime. Je les avais appelés, j'avais fixé un rendez-vous et leur avais dit de récupérer les clés à la réception de mon hôtel, puis je leur avais demandé ce à quoi je pouvais raisonnablement m'attendre quand je reviendrais à la maison.

« Ce sera nickel, m'avait répondu le type. Personne ne pourra voir qu'il s'est passé quelque chose. Nous commençons le travail au centre de la scène de crime et nous progressons à partir de là : toutes les surfaces, tous les objets, tous les meubles, les draperies, absolument tout. La dernière chose dont nous nous occupons, c'est l'intérieur de la porte d'entrée, au moment où nous quittons les lieux. Nous vous débarrassons également de toutes les odeurs. La seule chose que vous remarquerez sans doute est un parfum léger et frais de citron. Une fragrance très agréable, d'après nos clients. »

La fraîcheur citronnée promise m'attendait en effet samedi matin. Avant de reprendre possession de mon domicile, j'ai cependant fait un crochet par le bureau. Je m'attendais à le trouver vide mais Nick était là, vêtu d'une chemise un peu trop froissée : il avait manifestement passé la nuit sur place. En me voyant arriver, mon associé a frotté ses yeux aussi cernés que ceux d'un panda.

— Je suppose que tu n'es pas là pour me donner un coup de main ?

— Je crains que non. Je suis venu chercher les dossiers personnels de Mariana. Je rassemble un maximum d'informations...

Tout d'un coup, une pensée m'a traversé l'esprit :

— Et merde ! Ne me dis pas que les flics ont tout pris...

— Ils en ont fait des copies, m'a dit Nick. Deux. Un jeu pour eux, un jeu pour la défense. Apparemment, la défense doit avoir un aperçu de tous les documents dont dispose la police.

— Bon, eh bien, je vais m'en faire une copie moi aussi, alors.

Nick m'a dévisagé.

— Honnêtement, Pete, t'es sûr de vouloir te lancer là-dedans ? Tu ne serais pas mieux ici ?

— Je sais que tu dis ça pour mon bien, mais je ne peux pas revenir maintenant. Je n'essaie pas de jouer les héros ou les caïds, je t'assure. Il faut que je découvre la vérité au sujet de Mariana, c'est tout. Je ne pourrai pas avancer tant que je n'aurai pas fait ça.

Nick a hoché la tête. Il avait visiblement du mal à comprendre mon entêtement. Puis il a jeté un coup d'œil aux dossiers de Mariana.

— Et tu dis que ces trucs-là vont te faire revenir au bureau plus rapidement ?

— J'espère bien, oui.

— Dans ce cas, laisse tomber la photocopie. Prends ces putains d'originaux et qu'on n'en parle plus.

147

Le type du nettoyage avait eu raison, concernant l'odeur : elle n'était pas totalement désagréable. En revanche, il avait eu tort de me promettre que je ne verrais plus aucune trace de ce qui s'était passé. Le sang avait entièrement disparu du sol. Le mur vitré du fond étincelait. La table de la salle à manger et la cuisine étaient immaculées. Mais on percevait encore des traces pâles et fantomatiques sur les murs – la surface d'un blanc crémeux était un peu plus fine par endroits –, indiquant que les produits chimiques qui avaient servi à faire disparaître le sang avaient également emporté une première couche de peinture. Sur les canapés, on reconnaissait les contours des éclaboussures de sang aux taches légèrement plus pâles qui s'étaient incrustées dans le cuir.

Au-delà de toute trace visible de ce qui était arrivé ici, mon esprit ne cessait de détecter – à moins qu'il ne se les figurât – d'autres signes, moins évidents, de la présence persistante d'Andy dans les lieux. Je ne voyais pas seulement son corps étendu au milieu d'un bain de sang en bas, dans le salon. Mon frère semblait me suivre partout. J'avais l'impression qu'il était mort dans chacune des pièces de notre maison.

J'avais néanmoins envie de rester là parce que c'était aussi l'endroit où je me sentais le plus proche de Mariana. Ses vêtements dans la penderie, son odeur, les photographies encadrées réparties au hasard entre les manteaux de cheminée, les étagères et les murs. Tous ces souvenirs d'elle me pinçaient douloureusement le cœur, où que j'aille, constamment, mais j'avais au moins la preuve tangible de son existence. Je ne possédais qu'une seule photographie d'Andy et encore, ce n'était pas un portrait. Elle le représentait au sein d'un groupe, à une fête qui s'était déroulée plusieurs années auparavant. Une charge supplémentaire contre moi, un nouvel exemple de la négligence avec laquelle j'avais entretenu nos relations.

J'étais revenu à la maison dans un but bien précis. Il fallait que je considère cet endroit comme une mine d'informations. C'était ici que Mariana avait vécu. C'était ici qu'étaient toutes ses affaires. C'était donc ici que j'allais trouver le plus de matière dans quoi fouiller pour reconstruire son passé.

A l'arrière de la maison, il y avait une dépendance que j'avais convertie en bureau-atelier personnel. J'y ai transporté tous les dossiers récupérés chez Crookham-Church puis j'ai parcouru la maison en attrapant au passage tout ce qui pouvait receler un quelconque indice au sujet de ma femme : une pile d'anciens agendas, des lettres, cartes postales, photographies, carnets d'adresses, ainsi que ses passeports allemand et britannique.

Je me suis d'abord attelé à son certificat de naissance. A en croire Andy, il n'en existait pas au nom de Mariana Slavik. Pourtant j'avais le souvenir d'avoir vu ce document et, d'ailleurs, la logique voulait qu'il ait existé à un moment donné. Après tout, Mariana Slavik était le nom sous lequel elle m'avait épousé ! Ce jour-là, elle avait bien dû présenter son passeport allemand, établi à son nom. Pour obtenir ce passeport original, elle (ou peut-être ses parents) avait forcément dû présenter un certificat de naissance. J'ai donc commencé mes recherches par là.

Il n'y avait rien dans les dossiers personnels de Mariana. Le passeport avait donc dû faire l'affaire. En cherchant dans une boîte de rangement remplie de vieilles bricoles que j'avais trouvée dans un coin de la maison, je suis tombé sur ledit certificat de naissance, ou plutôt sur une photocopie. D'accord, ce n'était pas l'original, mais c'était, ou tout au moins cela se voulait être, un document officiel stipulant clairement que Mariana était en effet née le 14 juin 1980 à Berlin, en tant que fille de Bettina Slavik. Le père était mentionné comme « inconnu ».

Si ce document était authentique, il expliquait beaucoup de choses. Ce n'était pas étonnant que Mariana n'évoque jamais son père : elle ne connaissait pas même son identité. Dans une société aussi organisée que celle de la RDA, avec l'Etat qui fouinait dans chaque recoin de la vie de ses citoyens, qui sait à quel point l'enfant illégitime d'une jeune femme aux mœurs légères avait pu être stigmatisée ?

Bien entendu, ce certificat de naissance pouvait être un faux. Etait-il facile de se procurer des papiers falsifiés en Allemagne de l'Est ? Andy semblait croire que les personnes susceptibles de s'être lancées dans ce genre de trafic étaient les membres mêmes de la Stasi : cette même police que Mariana haïssait si passionnément. En admettant la présence de gangs criminels en Allemagne de l'Est, la falsification de papiers était un jeu d'enfant. L'autre option était que ce certificat soit réel mais que quelqu'un se soit arrangé pour supprimer l'original des archives de Berlin. Et dans ce cas, qui pourrait y trouver un intérêt, et pourquoi ? En tout cas, c'était dans le domaine des possibles.

Subitement, j'ai été frappé par quelque chose d'autre. Après tout, peut-être que Mariana n'avait jamais su qu'elle vivait sous une fausse identité. Si cela – quoi que « cela » puisse être – s'était passé pendant sa petite enfance, elle n'en avait peut-être pas été avertie.

C'était en tout cas l'impression que donnait son CV original, que j'avais retrouvé dans le dossier de candidature qu'elle m'avait présenté lors du tout premier entretien d'embauche. Il stipulait que Mariana Slavik avait fréquenté un *Gymnasium* – l'équivalent d'un lycée – dans la ville bavaroise d'Augsbourg. Elle avait passé son *Abitur*, c'est-à-dire son baccalauréat, en 1998. Une photocopie dudit *Abitur* était jointe à son dossier à titre de preuve. Mariana avait passé son premier cycle à l'université technique de Munich, son diplôme datait de 2002. Ces informations étaient réelles, j'en étais sûr. Les compétences de Mariana en tant qu'architecte étaient indéniables. Je l'avais suivie pas à pas, tout au long des dernières années de son diplôme, et pendant toute cette période elle m'avait sans cesse prouvé qu'elle était une vraie architecte.

Pourtant, Andy n'en avait pas été convaincu et, au cours des dernières heures, j'avais commencé à développer un respect sérieux, bien que posthume, pour les compétences d'investigateur de mon jeune frère. Je lui devais tout au moins d'être à la hauteur du travail qu'il avait fourni. J'étais fermement décidé à compulser in extenso les documents de Mariana que j'avais rassemblés et de voir si quelque chose, un nom, une adresse, quoi que ce soit, avait un lien avec les éléments découverts par Andy. Peut-être que cela me mettrait sur la piste de ce qui avait poussé ma femme à le tuer.

22

Tout un tas de lettres adressées à Mariana au cours des derniers jours et que je n'avais pas eu le cœur d'ouvrir se trouvait maintenant sur l'un des plans de travail de la cuisine. Il y avait là les prospectus habituels envoyés à une femme d'un âge moyen relativement aisée : un formulaire d'abonnement à *Vogue*, quelques factures, des catalogues de mode et de lingerie haut de gamme, d'autres de meubles signés et de jardinage. Récemment, Mariana s'était mis en tête d'installer un potager dans un coin de notre jardin. Elle disait qu'elle avait hâte de plonger ses mains dans la terre, de faire pousser elle-même la nourriture que nous consommions. Elle aimait l'idée d'insuffler un peu de vie à notre jardin.

Je me souvenais très bien de l'endroit où se tenait Mariana quand elle m'avait parlé de ses projets, et aussi de l'éclat de ses yeux. Elle m'avait serré fort dans ses bras, toute à sa joie, et l'odeur de ses cheveux avait envahi mes sens. A cette évocation, la même émotion me saisissait à nouveau.

J'avais rapporté le courrier dans mon bureau et je l'avais déposé sur la table, juste à côté de ma chaise. C'est donc naturellement que mon regard est tombé sur celui-ci quand j'ai terminé de compulser les dossiers personnels de Mariana. Une fois toutes les publicités jetées à la poubelle, il ne restait plus qu'une lettre proprement dite : une enveloppe arborant sur son recto le logo d'une clinique privée de Leeds, et postée la veille du meurtre.

Elle avait été envoyée par un certain Timothy Reede. Son papier à en-tête le décrivait comme un gynécologue, membre du Collège royal des obstétriciens et gynécologues. Cela commençait ainsi :

« Chère Madame, je vous écris pour vous signaler que nous avons reçu les résultats de vos derniers tests, la semaine dernière, et je suis heureux de pouvoir vous confirmer par la présente mon diagnostic initial : la technique Essure, à laquelle vous vous êtes soumise il y a deux ans, est encore pleinement efficace et nous n'avons détecté aucun effet secondaire négatif sur votre santé. Des menstruations abondantes, des pertes et des écoulements sont inévitables lors d'une ligature des trompes telle qu'Essure. Il n'y a cependant aucune raison de s'alarmer. »

Suivaient les habituelles formules de politesse. Une facture d'un montant de deux cent quatre-vingt-sept livres, correspondant visiblement à la consultation et aux analyses, était jointe.

J'ai tout d'abord été stupéfait. Je savais que Mariana se rendait de temps en temps chez un gynécologue, comme toutes les femmes. Un jour, elle m'avait même décrit comment se déroulait un frottis vaginal : après cela, je n'avais plus manifesté le moindre intérêt concernant ce qui se passait après qu'elle avait placé ses pieds dans les étriers. Il me semblait cependant évident qu'elle m'aurait tenu au courant si elle s'était soumise à une quelconque intervention chirurgicale. Me trompais-je donc sur toute la ligne ?

Après avoir allumé mon propre ordinateur, j'ai tapé « Ligature des trompes avec Essure ». Dès que les dix premiers des six cent quarante mille résultats possibles se sont affichés, les mots m'ont frappé comme un coup de poing au ventre : « Contraception définitive »... « Procédure de stérilisation »... « Stérilisation par hystéroscopie »...

Les enfants n'avaient jamais constitué une priorité majeure dans nos vies. Mariana était encore jeune, son horloge biologique commençait à peine de tourner, en tout cas elle était loin de sonner l'alarme. Quant à moi, je n'étais pas vraiment pressé. Quand j'envisageais la paternité, ce qui m'arrivait rarement, je me disais que Mariana arrêterait la pilule quand elle se sentirait prête. Nous ne changerions rien à nos habitudes et les bébés arriveraient comme une conséquence logique.

Je comprenais maintenant à quel point j'avais eu tort.

Mariana s'était rendue dans un hôpital pour se faire implanter deux petits ressorts recouverts de nickel à l'entrée des trompes de Fallope. Ces ressorts provoquaient une inflammation qui à son tour bloquait l'accès de ses ovaires à mes spermatozoïdes. De cette manière, il était impossible de concevoir un enfant. Jamais. Sans me le dire, ma femme avait sournoisement entrepris les démarches nécessaires pour obtenir la plus rapide, la plus discrète et la moins invasive des formes de stérilisation définitive actuellement sur le marché. J'ai découvert par la même occasion qu'Essure était la seule forme de ligature des trompes – en gros : de fermeture des tubes – susceptible d'être réalisée en hôpital de jour, sous anesthésie légère et sans aucune incision. De toute évidence, elle ne voulait vraiment pas que j'en sois informé.

Au cours des instants suivants, j'ai commencé par ressentir comme une déchirure au creux de mon estomac, un écœurement qui s'est ensuite propagé vers le haut de mon corps jusqu'à envahir ma gorge et exploser en un souffle muet de frustration, d'humiliation et de colère. J'ai balancé ma tasse de café à travers la pièce et elle est allée se fracasser contre le mur du fond, éclaboussant les murs des restes de cappuccino, en une imitation aussi pathétique que grotesque des éclaboussures du sang d'Andy.

Je m'étais fait avoir. Sur toute la ligne. J'avais essayé de prétendre que Mariana n'avait pas pu tuer mon frère alors que tout prouvait le contraire, au point qu'elle clame elle-même sa culpabilité. J'avais essayé de trouver des excuses à son comportement, assumant qu'il devait exister une explication valable, une raison qui l'exonérerait, d'une certaine manière. Je réalisais maintenant que son entreprise de destruction n'était pas seulement un acte de violence unique, irréfléchi, psychotique et incontrôlable. Elle ne m'avait pas seulement enlevé mon frère. Elle m'avait également froidement, consciemment, privé de mes enfants à venir.

Il fallait que je regarde les choses en face : j'avais été marié pendant six ans à une femme capable de se faire stériliser, d'anéantir toute possibilité de procréation sans m'en souffler un seul mot avant, pendant ou après le traitement. La femme que j'avais adorée était un produit de mon imagination. La femme que j'avais épousée ressemblait de plus en plus à un monstre.

1984

Normannenstrasse [1], Berlin

Si l'on considérait que la Stasi aimait à prendre son temps quand il s'agissait d'interroger des suspects, l'entrevue de Hans-Peter Tretow avait été étonnamment rapide.

S'agissait-il d'une coïncidence ou d'un choix délibéré ? En entrant dans la salle d'interrogatoire, Tretow s'était retrouvé en face du même officier qui l'avait interrogé quelques années plus tôt, lors de son passage à l'Est. Entre-temps, il avait été promu au rang de commandant. Sa chevelure s'était raréfiée mais elle semblait mieux coupée et sa peau était plus ridée, mais ses yeux humides, d'un bleu pâle, n'avaient pas changé : c'était bien le même homme. Apparemment, le commandant souhaitait l'entretenir au sujet de photographies : des clichés de surveillance que la Stasi avait rassemblés à l'aide de caméras cachées. L'une après l'autre, il les avait déposées sur la table qui le séparait de son suspect.

— Nous possédons également un film, avait-il annoncé. L'image et le son, du vrai cinéma. Vous êtes un porc, Tretow, j'espère que vous le savez.

— Je sais que c'est illégal, oui.

Le commandant avait froncé les sourcils à cette réponse.

---

1. Rue connue de tous les Allemands pour avoir abrité le siège de la Stasi.

— Illégal ?! A vous entendre, on pourrait croire qu'il s'agit d'une infraction mineure à la circulation routière. Il ne s'agit pas d'une bagatelle, monsieur, mais d'un crime déshonorant pour notre République démocratique d'Allemagne. Notre société n'a pas de place pour ce type de décadence. Vous auriez mieux fait d'abandonner ces petites habitudes quand vous avez quitté l'Ouest. D'ailleurs, vous nous aviez promis de le faire.

Tretow avait eu l'air stupéfait :

— Pardon ?

Plusieurs porte-documents cartonnés étaient empilés à côté de la main gauche du commandant. Il en attrapa un, en feuilleta le contenu et en sortit enfin un certain nombre de pages dactylographiées.

— Laissez-moi vous rafraîchir la mémoire... avait-il murmuré en laissant courir un doigt sur le texte. Ah, nous y voilà... C'est tiré d'un entretien entre vous-même et le directeur Wolf, datant du 19 avril 1978. Wolf : « Si vous fournissez des informations susceptibles de soutenir la défense du socialisme démocratique face à ses ennemis capitalistes, vous serez dûment récompensé. En revanche, si vous me décevez, de quelque manière que ce soit, je veillerai personnellement à vous voir administrer la punition maximale que méritent vos crimes. Est-ce que nous sommes bien d'accord ? »... Et votre réponse... Tretow : « Absolument. »

Le commandant avait levé le regard de sa feuille pour fixer Tretow droit dans les yeux.

— Eh bien, avez-vous le sentiment de nous avoir fourni les informations promises ?

— Euh... oui, je crois que je l'ai fait. Enfin, je l'espère, en tout cas.

— En effet, avait concédé le commandant avec affabilité. Vous nous avez fourni les moyens d'exercer une influence considérable sur des personnes haut placées dans certains gouvernements des nations occidentales, en particulier la République fédérale. Ces informations nous sont encore utiles aujourd'hui d'ailleurs, et vous vous tenez toujours à notre disposition pour nous assister en cas de besoin dans le cadre de cette opération. Nous sommes bien d'accord ?

— Absolument.

— Récapitulons : nous sommes d'accord sur le fait que vous avez rempli votre part du marché, tout au moins en ce qui concerne ce dernier point. Qu'en est-il, en revanche, du directeur Wolf ? Diriez-vous qu'il a rempli sa promesse ?

— Bien entendu !

Tretow avait espéré que sa réponse, bien que brève, exprimerait néanmoins une gratitude enthousiaste et infinie.

Le commandant avait ébauché un sourire.

— Une fois de plus, je ne peux que vous approuver. Vous disposez d'un emploi respectable, vous jouissez d'un appartement magnifique et vous avez une charmante famille. Votre épouse et vous-même avez bénéficié de nombreuses occasions d'acquérir des biens : des fruits frais, de la viande de premier choix, des vêtements du dernier cri à l'Ouest, un équipement électrique provenant de la grande surface réservée aux officiers supérieurs du quartier général de nos ministères, et j'en passe. Vous menez une vie plutôt confortable, n'est-ce pas ?

— Oh oui, très confortable, très confortable, assurément !

— Ainsi, l'un des hommes les plus importants, les plus respectés de notre nation a fait preuve d'une générosité extraordinaire envers vous. Il vous a garanti des privilèges dont de nombreux citoyens honnêtes, travaillant dur, ne peuvent que rêver, et ceci...

A ces mots, le commandant avait frappé les clichés du plat de la main, provoquant un claquement aussi violent aux oreilles de Tretow qu'un coup de fusil. Terrifié, il s'était recroquevillé sur sa chaise.

— ... et ceci serait donc votre façon de nous remercier pour tous ces bienfaits ? Dites-moi : avez-vous donc... perdu... la... RAISON ?

Le commandant s'était penché en travers de la table, pesant de tout son poids sur sa main gauche en examinant le visage de Tretow comme un chercheur aurait étudié un virus particulièrement repoussant. Puis, sans la moindre transition, il l'avait violemment giflé. Sous l'impact, la tête de Tretow avait brutalement basculé sur le côté. La douleur cuisante avait fait monter les larmes à ses yeux.

Le commandant l'avait frappé une deuxième fois.

— Je vous ai posé une question. Répondez !

Tretow l'avait regardé, abasourdi.

— Quelle question ?

Une troisième gifle, puis, à peine une seconde plus tard, une quatrième, cette fois sur l'autre joue, du revers de la main, l'avaient fait chanceler.

— Répondez à ma question ! Etes-vous fou ?

— Non ! s'était écrié Tretow avant de lâcher un hurlement terrorisé en voyant le commandant lever la main une nouvelle fois.

Il s'était fait aussi petit que possible, impuissant, la tête baissée, les épaules rentrées, tremblant de tout son corps. Une tache sombre était apparue sur le devant de son pantalon. Revenu à l'état d'enfant désarmé reculant devant une figure paternelle violente, il avait mouillé son pantalon.

Le commandant avait reniflé avec mépris en percevant l'odeur âcre de son urine, puis il avait repris son interrogatoire :

— C'est donc pleinement conscient que vous exercez vos crimes au vu et au su du directeur Wolf. C'est le comportement d'un homme en pleine maîtrise de son esprit, parfaitement au fait des conséquences de son inconduite, mais qui s'entête délibérément à faire étalage de son mépris et de son ingratitude... Est-ce bien cela que vous êtes en train de me dire ?

— Non, non... enfin je veux dire, oui, je... je ne sais pas.

— Vous êtes pitoyable, avait soupiré le commandant.

Puis, comme si la pensée venait de lui traverser l'esprit, il avait ajouté :

— Oh, au fait, nous savons que vous battez votre épouse. Une femme innocente, sans défense, et qui vous a donné de beaux enfants… Quel homme croyez-vous être pour abuser ainsi de votre propre épouse ?

Tretow avait commencé à balbutier sans réussir à articuler un seul mot compréhensible, mais le commandant l'avait aussitôt interrompu :

— Vous n'avez pas besoin de répondre. Nous avons pu nous rendre compte par nous-mêmes du fait que vous êtes un lâche, un pleurnicheur, un mouilleur de culotte, un pervers antisocial. Selon vous, que sommes-nous censés faire d'un homme comme vous ?

— Je… je ne sais pas…

— Que diriez-vous de… cela ?

Le commandant avait sorti son pistolet de son étui de cuir puis il avait contourné la table pour poser le canon de l'arme contre la tempe de Tretow.

— Est-ce que vous souhaitez que je vous montre comment nous nous débarrassons de la vermine, ici ? D'un seul coup dans la nuque, sans crier gare. Etes-vous une vermine, Hans-Peter Tretow ?

Incapable de parler, Tretow s'était contenté d'un faible et unique hochement de tête. Il avait abandonné tout espoir.

— Oui, ce serait un traitement raisonnable, conforme à votre arrangement avec le directeur Wolf. C'est très certainement ce qu'il avait imaginé. Sa première réaction, lorsqu'il a vu ces clichés, a été d'ordonner votre jugement immédiat et votre exécution dans la foulée. C'est, d'ailleurs, l'option qu'il privilégie encore. Mais un homme aussi puissant que le directeur de toutes les opérations des services secrets de notre nation ne peut se permettre de laisser son bon plaisir brouiller son jugement. Il y a des moments où même un homme de son envergure doit se contraindre à se boucher le nez et, si désagréable cela puisse être, continuer de tirer profit de la vermine et de la racaille. Vous me suivez ?

— Je… je crois, oui, avait répondu Tretow, sa voix trahissant une faible étincelle d'espoir.

— Le ministère peut encore avoir besoin de vous, c'est la raison pour laquelle vous n'allez pas recevoir la balle que vous méritez tant. Enfin, pas aujourd'hui, en tout cas. Bien entendu, vous allez perdre votre emploi, tout comme votre confortable appartement. Vous allez devoir expliquer à votre pauvre épouse qu'elle ne pourra plus aller faire ses courses dans notre boutique spéciale, à l'avenir. Je dois dire qu'elle me fait de la peine, réduite ainsi à vivre dans les deux pièces allouées au gardien d'une institution de l'Etat, un simple larbin, un homme à tout faire. Car c'est ainsi que vous allez servir notre nation, à l'avenir. Je serais le dernier, au demeurant, à lui jeter la pierre si elle vous quittait en emmenant les enfants. Elle serait relogée de manière bien plus confortable par un Etat compréhensif si elle choisissait cette option – une opportunité dont elle sera avertie en temps voulu. Quant à vous, vous demeurerez très précisément là où nous vous avons placé et vous nous en serez reconnaissant, pathétiquement reconnaissant. Nous vous offrons la vie, Tretow. D'ailleurs, quand vous prendrez possession de votre nouveau logement et quand vous endosserez vos nouvelles fonctions, vous ne tarderez pas à constater que nous avons même pensé à vous procurer des activités amusantes. Permettez-moi cependant d'exprimer une mise en garde : vous allez pouvoir faire ce que bon vous semblera au sein de limites très contrôlées. Mais si vous dépassez ces limites ne serait-ce que d'un iota, vous mourrez. Et soyez assuré de cela : votre mort ne sera pas aussi miséricordieuse qu'une simple balle dans le crâne.

Le commandant s'était alors penché et avait attrapé le visage tuméfié de Tretow. Il avait examiné le nez sanguinolent de l'homme, son œil droit à moitié fermé et un hématome qui s'était formé sur sa joue et prenait déjà une coloration aubergine, un mélange de pourpre et de noir. Il avait ensuite baissé la tête jusqu'à se trouver à hauteur du visage de Tretow.

— Est-ce que nous nous sommes bien compris ?

Tretow avait hoché la tête, conscient du frottement de son menton sur la paume de la main du commandant.

— Parfait.

Le commandant était retourné de son côté de la table et avait pressé un bouton sur l'interphone de son bureau.

— Débarrassez-moi de cet homme et emmenez-le à son nouveau poste. Moi, je m'en vais. J'ai besoin de prendre une douche.

Ainsi un chapitre de la vie de Hans-Peter Tretow se fermait-il dans un accès de violence semblable à ceux qu'il avait connus enfant. Une autre période, très différente de la précédente, s'ouvrait devant lui...

23

De nos jours

York, Angleterre

Dimanche

Ce soir-là comme tous les soirs depuis le meurtre, mes pensées m'ont ramené dans mes souvenirs, à peine m'étais-je couché. Mais cette fois il ne s'agissait plus de trouver des indices me permettant de comprendre la psychose de Mariana. Au contraire, j'essayais de trouver quelque chose, n'importe quoi, à quoi me raccrocher pour m'apporter un peu de réconfort. Après avoir monté l'ordinateur d'Andy dans ma chambre, j'avais cliqué sur la photographie d'école de Mariana, qui occupait maintenant toute la largeur de l'écran. Comme si cette vision d'elle à l'époque de l'innocence pouvait, d'une certaine manière, la laver de sa culpabilité ou plutôt me rendre la naïveté avec laquelle je l'avais considérée auparavant. Mais même les souvenirs les plus heureux étaient désormais assombris d'un doute affreux. Je me demandais si elle avait croisé les doigts en prêtant serment devant l'autel, en s'engageant vis-à-vis de moi. J'ai repensé à elle, une nuit de notre lune de miel, allongée complètement nue au bord de la piscine de l'hôtel désertée à cette heure, me défiant de me déshabiller à mon tour et de la rejoindre. Je me souvenais de chaque courbe fluide de son corps, de chaque jeu de lumière sur ses hanches... et tout d'un coup j'avais l'impression qu'un démon pernicieux couvait déjà sous sa peau magnifique.

A vrai dire, l'amertume et le ressentiment que j'éprouvais maintenant n'étaient pas moins toxiques. Au fond de moi, je gardais encore un faible espoir que nous serions tout de même en mesure de trouver des explications susceptibles d'expliquer tout cela, de me rassurer sur le fait que mon amour n'avait pas été vain.

Le sommeil a dû avoir raison de mes sombres pensées vers 2 heures du matin.

Je me suis réveillé en sursaut. Les chiffres de mon réveil à affichage numérique indiquaient 3 h 27. Je me suis appuyé sur un coude et j'ai cligné des yeux en essayant de retrouver mes esprits. Qu'est-ce qui m'avait réveillé ? J'ai tendu l'oreille mais je n'ai perçu aucun son venant de l'intérieur de la maison. Ma réaction immédiate a été de me rallonger et d'essayer de me rendormir mais il n'y avait rien à faire, j'étais éveillé, les nerfs en alerte rouge, cherchant à nouveau des réponses. Jurant dans ma barbe, je suis sorti de mon lit pour regarder par la fenêtre.

J'ai parcouru des yeux le jardin éclairé par une lune suffisamment pleine pour projeter des ombres sur la pelouse gelée. Personne. Sur la gauche se trouvaient les dépendances dans lesquelles j'avais installé mon studio. Mon regard a été attiré par une brève lueur vacillante, contre la fenêtre du studio. Est-ce qu'elle venait de l'intérieur ? A moins que ce ne fût le scintillement du reflet de la lune ? La lueur s'est évanouie, j'ai continué à fixer la fenêtre pendant un moment, mais elle n'est pas réapparue. Je me suis dit que la lune me jouait des tours et je suis retourné me coucher en me roulant du côté droit du lit, le mien, en relevant les couvertures jusqu'à mes oreilles et en espérant que l'inconscience viendrait me sauver une nouvelle fois.

Peine perdue. Mon esprit refusait obstinément de se mettre en veille. Les mots du mail anonyme tournaient en boucle dans mon cerveau : « Veillez à votre propre sécurité... il ne vous arrivera que des malheurs... » Ma peau fourmillait encore à cause de la charge d'adrénaline.

C'est là que j'ai entendu un très léger *clac* étouffé, depuis le rez-de-chaussée. Un seul, puis le silence s'est réinstallé. Cela ressemblait fort au bruit de la porte d'entrée qu'on aurait déverrouillée puis ouverte. Je suis resté allongé à essayer de trouver de bonnes raisons de ne pas rassembler mon courage pour aller voir ce qu'il en était, ma tension nerveuse de tout à l'heure s'étant désormais muée en pure terreur. Il y avait quelqu'un dans la maison. J'en étais certain, maintenant. Qu'est-ce que j'étais censé faire ?

Je suis sorti de mon lit pour la seconde fois. S'il me fallait affronter un intrus, je voulais tout au moins être vêtu, ne serait-ce que partiellement, et aussi bien armé que possible. Mais avec quoi pouvais-je me défendre ? Je n'étais pas un Américain. Il n'y avait pas de pistolet chargé dans le tiroir de ma table de chevet. J'allais devoir me contenter de quelque chose de typiquement anglais...

J'ai enfilé le jean que j'avais laissé par terre et je me suis approché du placard à pas de loup, l'oreille aux aguets pour entendre si quelqu'un montait à l'étage. Sur le rayonnage le plus haut du placard, tout au fond, se trouvait un vieux sac de criquet rempli de matériel, auquel j'avais à peine touché depuis que j'avais quitté l'école. Je me suis hissé sur la pointe des pieds et j'ai tendu le bras, le dos entièrement offert à un potentiel assaillant.

Mes doigts ont tâtonné dans l'obscurité quasi totale, se frayant un chemin entre les vieilles boîtes de chapeaux de Mariana et mes santiags jusqu'à toucher enfin, au prix d'un gros effort, le cuir souple et craquelé de la sacoche. Je me suis interrompu un instant pour jeter un coup d'œil derrière moi. Personne.

J'ai tendu de nouveau la main, j'ai attrapé le sac de cricket et j'ai tiré dessus avec mille précautions, attentif à ne pas entraîner à sa suite une avalanche de boîtes et de chaussures. La batte était bien à l'intérieur. Cela me semblait parfaitement ridicule de me préparer à affronter un cambrioleur sans doute armé d'un couteau, voire même d'une arme à feu, avec ma vieille Gray-Nicholls, mais c'était tout de même cent fois mieux que rien, d'autant qu'un coup de batte asséné à la volée était capable de faire de sérieux dégâts. Je connaissais la maison mieux que n'importe quel intrus et il y avait une forte probabilité pour que je sois plus grand que lui. Allez, me suis-je dit, tu vas y arriver.

J'ai placé la batte sur mon épaule droite, prête à l'emploi, et je me suis glissé hors de la chambre. Une fois arrivé sur le palier qui traversait toute la longueur de la maison à la manière d'une mezzanine, les chambres en enfilade sur l'un de ses côtés et une rambarde donnant sur le salon sur l'autre, je me suis arrêté. La visibilité était un peu meilleure, maintenant. La lune filtrant à travers le mur vitré teintait l'intérieur de la maison d'une palette de gris, de bleus et de noirs. Un seul coup d'œil a suffi pour m'assurer que j'étais seul sur le palier et que toutes les portes des autres chambres étaient fermées. Très lentement, très précautionneusement, je me suis avancé, me faisant violence pour progresser à découvert jusqu'à ce que je sois suffisamment proche de la balustrade pour jeter un œil au salon.

Je ne percevais toujours aucun autre son dans la maison ; aucun bruit de pas, pas de mouvement brusque, rien qui puisse me dissuader de m'approcher de la rambarde et de regarder en bas.

C'est là que j'ai découvert que je me trompais. Il n'y avait pas qu'un intrus dans la maison. Il y avait deux silhouettes, deux ombres vêtues de noir de la tête aux pieds, le bas de leurs pantalons enserré dans des bottes, les visages masqués, et leurs formes rappelant étrangement celles de robots du fait des lampes qui brillaient au centre de leur front.

L'un d'eux était assis sur le canapé de cuir, exactement comme Andy avait dû l'être la nuit de sa mort.

L'autre, penché sur lui, tenait un objet dans la main droite, une sorte de tube d'une trentaine de centimètres de longueur : à peu près la taille d'un couteau de cuisine. En une suite de mouvements calmes et étudiés, la seconde silhouette s'ingéniait à lever la main et à la laisser retomber successivement sur les cuisses et le torse de son acolyte.

Ces deux silhouettes fantomatiques étaient en train de rejouer le meurtre de mon frère.

J'ai ouvert la bouche pour crier, mais aucun son n'est sorti de ma gorge. Mes jambes tremblaient tellement que j'ai dû détacher une de mes mains de la batte de cricket pour me tenir à la rambarde.

Le calme dans lequel se déroulait cette scène était à la fois étrange, inquiétant et hypnotisant. Après une première série de coups, l'homme assis sur le canapé a levé une main pour interrompre l'exercice, puis il a légèrement changé de posture. L'autre a alors repris son assaut au ralenti, mais cette fois l'homme sur le canapé s'est levé et s'est avancé en titubant vers son assaillant fictif.

Cette reconstitution calme et calculée de la mort de mon frère m'a inspiré la colère nécessaire pour surmonter ma peur et mon inhibition. Quand le cri est enfin sorti de ma gorge, il n'était guère plus menaçant qu'un pauvre « Hé ! » étranglé, mais cela a suffi pour attirer leur attention. D'un seul mouvement, les deux petites lampes se sont tournées vers moi. Elles sont restées immobiles pendant un moment, juste le temps nécessaire pour que je m'approche de l'escalier. Leur immobilité dégageait une impression de confiance absolue. Ils maîtrisaient parfaitement la situation et ils le savaient.

Tout d'un coup, celui qui interprétait le rôle de Mariana, le plus petit des deux, s'est tourné vers son complice comme pour lui donner des instructions. Sa lampe frontale a brièvement éclairé l'épaule de la veste de combat noire de style militaire de son compagnon, une cagoule noire et une minuscule parcelle du visage qui se cachait en dessous, comme sous une burka. Puis il s'est retourné et a tendu le bras en pointant le tube vers moi comme pour tirer.

J'ai reculé en trébuchant, essayant de me mettre à l'abri du coup de feu qui allait suivre. Ce n'est pas une balle qui m'a atteint en plein visage mais un rayon de lumière éblouissant, assez violent pour me forcer à fermer les yeux. Puis la torche s'est éteinte aussi vite qu'elle m'avait ébloui. J'ai ouvert les paupières mais je ne voyais rien : son éclat avait endommagé ma vision nocturne. Si les deux hommes décidaient de m'attaquer maintenant, je serais complètement sans défense. Je n'ai cependant perçu aucune cavalcade de semelles de crêpe sur les marches. Le seul son qui me soit parvenu était celui de la porte d'entrée qu'on ouvrait avant de la refermer.

Mes yeux s'étant réhabitués à l'obscurité, j'ai pu descendre l'escalier. Quelque part, dans le lointain, le moteur d'une voiture s'est mis en route. J'ai allumé les lumières. La maison était vide. Rien n'indiquait que quiconque s'y soit trouvé en dehors de moi.

Pour la seconde fois en moins d'une semaine, j'ai composé le 999. Non, ai-je dit, les intrus ne se trouvaient plus chez moi. Non, je n'avais pas été blessé. Non, ils ne semblaient pas armés. Apparemment, rien n'avait été endommagé, encore moins volé.

— Eh bien, dans ce cas, nous ne pouvons rien faire, m'a répondu l'opératrice. Si vous découvrez que votre logement a subi un dommage ou une perte, rappelez le poste de police lundi matin, faites une déposition réglementaire et on vous attribuera un numéro de dossier nécessaire pour votre assurance...

— Je crois cependant que cette effraction a un rapport avec une enquête sur un meurtre, menée par l'inspecteur en chef Yeats.

— Dans ce cas, monsieur, je vous suggère de l'appeler directement. Bonne nuit !

24

— Merci, a déclaré Yeats en décrochant, quelques heures plus tard. Vous venez de me faire gagner cent quarante balles.

— Pardon ?

— Le fait de prendre des appels en dehors de mes horaires de travail me fait automatiquement gagner quatre heures sup. Je viens donc de faire une bonne affaire. Alors, qu'est-ce que je peux pour vous ? Avez-vous reçu un nouveau message ?

— Non, ce n'est pas ça. C'est autre chose, quelque chose de réel, cette fois.

Je lui ai relaté les événements de la veille en ajoutant une découverte que j'avais faite après mon troisième réveil. Une fois que j'avais appelé la police, je m'étais en effet recouché pour quelques heures de sommeil qui ne m'avaient fourni aucun repos.

— Quelqu'un a fouillé dans mon ordinateur. Il était dans le studio où j'ai l'habitude de travailler. Je suis certain qu'ils y sont passés avant d'entrer dans la maison. J'avais laissé la porte fermée, j'en suis sûr, et elle était ouverte quand j'y suis allé, tout à l'heure.

— D'accord, mais le fait de regarder dans l'ordinateur de quelqu'un ne fait pas encore partie des crimes capitaux. Ces intrus ne semblent avoir commis aucun délit nécessitant une enquête, surtout avec le budget et l'effectif dont nous disposons en ce moment...

— Mais cela a forcément un lien avec la mort d'Andy ! Ils étaient en train de rejouer la scène, je l'ai vu de mes

169

propres yeux ! Et puis, ça arrive quelques jours seulement après qu'il a reçu un message de menace. Il y a forcément un lien...

— Sans doute, mais cela peut aussi être une simple coïncidence. Comprenez-moi bien : je suis conscient du fait que tout cela doit être très perturbant pour vous, d'autant plus que vous venez de subir une perte extrêmement traumatisante, mais je n'en reste pas moins convaincu que cela n'a rien à voir avec mon enquête. Rien de ce que vous m'avez décrit n'a d'incidence sur le cas de votre femme. Il n'y a pas de nouvelles preuves importantes. D'ailleurs, qui sait si ces intrus n'étaient pas des fanatiques du crime en train de s'offrir une petite dose de sensations fortes en rejouant la scène ?

— S'introduire dans la maison de quelqu'un pour y reconstituer un meurtre... c'est l'idée que vous vous faites d'un jeu ?!

— Eh bien, cela ne fait manifestement pas partie des jeux que vous ou moi pratiquons, mais il faut que vous sachiez, monsieur Crookham, qu'un grand nombre de personnes ont un rapport assez particulier au crime et aux assassins. Il y a par exemple des femmes qui envoient des lettres enflammées à des violeurs. Ou alors des tueurs sadiques en cavale qui trouvent de bonnes âmes prêtes à les protéger de la police. Dans ce contexte, vous me demandez si cela me surprend qu'un couple d'imbéciles décide d'entrer par effraction dans une maison pour y rejouer un meurtre dont ils ont pris connaissance par les journaux ? Non, pas du tout. Et s'ils vous ont fichu une peur bleue, il est probable qu'eux aussi ont eu la frousse de leur vie quand ils vous ont vu apparaître en haut des marches. Il est probable qu'ils ont cru la maison vide.

— Et qu'en est-il de mon ordinateur, dans ces conditions ?

— Je ne sais pas... peut-être qu'ils espéraient trouver quelques clichés de votre épouse qu'ils auraient pu refourguer à la presse. Si vous pouvez me prouver qu'un crime a été commis, bien entendu je prendrai les mesures nécessaires. En attendant, je suis désolé, mais il n'y a rien que je puisse faire.

Cet après-midi-là, je suis descendu dans le Kent, m'arrêtant pour boire un café toutes les centaines de kilomètres afin de rester éveillé tandis que l'autoroute interminable défilait devant mes yeux. Tout le long de la route, je me suis évertué à trouver une meilleure explication que Yeats concernant l'identité des deux intrus dans ma maison, mais sans succès. Pourquoi la personne qui avait menacé Andy, ayant appris qu'il avait été assassiné, aurait-elle reconstitué son meurtre ? C'était pure folie, mais après tout, cela ne l'était pas plus que les événements qui s'étaient succédé ces derniers jours. Aux yeux de la police et des avocats, ma femme avait tué Andy sur un coup de tête, sans motif apparent. Toutes les preuves allaient dans ce sens. Tout ceci dépassait largement les cadres rassurants de la raison, et j'avais toutes les peines du monde à garder la tête froide. J'avais déjà du mal à suivre la route sans me tromper, alors formuler des pensées claires relevait vraiment de l'exploit.

Il était prévu que je retrouve Vickie au pub-restaurant dans lequel j'avais réservé une chambre pour la nuit. Je devais lui remettre les affaires d'Andy et nous voulions passer en revue le déroulement et les détails de l'enterrement de mon frère, qui aurait lieu le lendemain matin.

Vickie était tout ce que Mariana n'était pas. Il n'y avait pas si longtemps encore, cela avait plutôt pesé en sa défaveur à mes yeux, mais aujourd'hui ses qualités me semblaient tout d'un coup évidentes et admirables. Elle était rouquine, plus petite et plus ronde que Mariana, avec des yeux bleu vif cachés derrière des lunettes – parce que, m'avait-elle expliqué à l'une des rares occasions où nous nous étions rencontrés, « les lentilles de contact sont bien trop fragiles pour mes doigts boudinés, et puis je n'ai pas spécialement envie qu'on tire dans mes yeux avec des pistolets à laser »...

C'était Vickie tout craché : pragmatique, énergique, les pieds sur terre et, dans des circonstances différentes, pleine de chaleur et de bonne humeur. Elle n'avait jamais fait un régime de sa vie, elle ne connaissait rien de rien à la mode et ne se laissait impressionner par aucun bien matériel ni aucune célébrité. Pour un homme comme Andy – capable de la plus grande maîtrise dans le cadre de son travail mais absolument désarmé en ce qui concernait la vie quotidienne –, elle avait sans doute été la partenaire idéale.

Il ne restait pas grand-chose de sa bonne humeur ce soir-là, en tout cas. Ses cheveux étaient relevés en une queue-de-cheval désordonnée et sale, et les yeux emplis de suspicion amère qu'elle a posés sur moi étaient rougis par les larmes et le manque de sommeil.

— Je suis désolé, ai-je dit, essayant de trouver des mots de réconfort. Tu sais bien, pour...

Pour quoi, exactement ? J'avais blessé Vickie tellement de fois que je ne savais plus par où commencer.

— ... pour tout, en fait.

Vickie n'a rien dit mais l'expression de son visage était claire : « Tu peux faire mieux que ça. » J'ai pris une profonde inspiration :

— Je sais que j'ai merdé. Pas seulement au cours des derniers jours, mais pendant toutes ces années...

— Oui, exactement, m'a-t-elle répliqué.

Puis son attention a semblé se reporter sur quelque chose d'autre. En suivant son regard, j'ai vu qu'il y avait un miroir derrière moi. Vickie était en train de regarder son propre reflet.

— J'ai une tête à faire peur, a-t-elle dit.

— Je ne suis pas au top de ma forme, moi non plus, ai-je répondu. Allez, laisse-moi t'offrir un verre...

— Non, merci.

Elle a passé une main sur ses yeux.

— Je ne suis pas vraiment d'humeur.

— Tu es sûre ? Bon, eh bien, on ferait mieux d'en finir rapidement, alors. Les affaires d'Andy sont dans le coffre de ma voiture.

Je l'ai accompagnée dehors. J'ai ouvert le coffre du Range Rover et, au moment où je me penchais pour attraper les deux sacs, je me suis immobilisé. Il me restait quelques questions ayant trait aux notes d'Andy sur son voyage à Berlin : des choses que je n'avais pas trouvé le temps de vérifier. J'ai tendu le sac-poubelle contenant le bagage à main de mon frère à Vickie puis je lui ai dit :

— J'ai aussi son ordinateur. Est-ce que tu serais d'accord pour me le laisser encore une nuit ? Il y a quelques éléments de son séjour à Berlin que je voudrais vérifier... Je te le rends juste après l'enterrement, promis.

Elle a haussé les épaules d'un air désemparé.

— Oui, je crois. Enfin... oui, bien sûr, comme tu veux.

— Je crains que ça ne sente pas très bon, là-dedans, ai-je ajouté en désignant le sac-poubelle qui reposait entre nous sur le trottoir. Tu veux l'ouvrir ?

— C'est peut-être mieux qu'on le fasse ensemble, oui. Dieu sait ce qu'il peut bien avoir fourré là-dedans.

Elle a défait le nœud avec précaution avant de reculer vivement, frappée par la puanteur âcre qui s'échappait du sac.

— Oh, mon Dieu, mais qu'est-ce que c'est que ça ?! a-t-elle lancé d'une voix aiguë. Cette odeur est dégoûtante, ça sent... beurk ! Ça sent l'antiseptique bon marché mélangé à l'un de ces arbres magiques pour désodoriser les voitures !

Sa description m'a arraché un rire nerveux que j'ai essayé de refouler. Je ne savais pas si elle tolérerait la moindre manifestation d'humour de ma part.

— Moi, ça me rappelle plutôt des mégots de cigarette mélangés à de la bière, mais tu as manifestement un meilleur odorat que moi.

Cette fois, Vickie m'a adressé un sourire hésitant, comme un souvenir fragile de sa vivacité coutumière. Elle a dilaté les narines, retroussant les lèvres en une moue de connaisseur en vin content de lui :

— Je détecte aussi un soupçon de... hmm... oui, c'est cela, d'urine masculine.

Cette fois nous avons ri tous les deux, brisant la tension qui s'était érigée entre nous comme un mur. Quand le bruit de nos rires s'est atténué, Vickie a fait la grimace.

— Oh, c'est affreux. Je ne devrais pas être en train de plaisanter dans une situation pareille...

— Bien sûr que si, l'ai-je rassurée. Andy aurait détesté que tu t'en empêches. Rappelle-toi à quel point il aimait rigoler.

Le coffre de la voiture était encore ouvert, alors j'ai soulevé le sac de voyage d'Andy et je l'ai déposé dedans.

— Alors, est-ce qu'on va avoir le courage de regarder ce qu'il y a là ? ai-je demandé. Ouais, bon. Allez, je me lance... Pouah, c'est vraiment terrible, cette odeur !

La puanteur âpre m'avait pris à la gorge et au nez. Vickie a fait la grimace.

— Mes yeux en pleurent !

— Oui, c'est fou, ai-je approuvé. Qu'est-ce qu'il a bien pu mettre là-dedans, du gaz moutarde ?

Je me suis détourné un instant, j'ai pris une profonde inspiration d'air pur et j'ai plongé ma main dans le sac. J'en ai ressorti une petite boîte en carton légèrement humide, décorée d'une image représentant des pions d'échecs chinois sur un fond brun. Sur le devant de la boîte, on pouvait lire l'inscription « PRIVILEG Lotion après-rasage ». Sur le côté, il y avait des inscriptions en allemand et en ce qui me semblait être du russe puis, en dessous, les mots « Fabriqué en République démocratique d'Allemagne ».

A l'intérieur, une bouteille de parfum marron, d'une laideur remarquable, surmontée d'un bouchon en imitation ivoire suffisamment mal refermé pour avoir laissé s'échapper une partie de son contenu.

— Ça, ai-je dit en tendant la bouteille pour que Vickie puisse la regarder, c'est de la véritable lotion après-rasage façon régime communiste.

— Pouah ! Je plains les femmes qui devaient galocher des types qui puaient comme ça !

— Tu sais quoi ? Je ne suis pas sûr que les filles sentaient meilleur, en RDA...

Vickie a esquissé un sourire énigmatique.

— Andy m'avait dit qu'il avait rapporté quelque chose de Berlin. Il voulait te faire une surprise, mais il ne m'a pas précisé ce que c'était. Il se doutait sans doute que je lui aurais conseillé de jeter ce truc infâme à la poubelle !

— Ça, c'est du Andy tout craché, tu ne trouves pas ? Il fait tout ce chemin jusqu'à Berlin et voilà ce qu'il ramène... Je suis sûr qu'il a oublié de te ramener un cadeau, à toi !

Elle a secoué la tête en recommençant à rire.

— Oui.

— Pas même un truc du duty free ?

— Rien du tout !

— Et voilà... Mais il pense à ramener à son frère préféré l'after-shave le plus dégueulasse de toute l'histoire de l'humanité !

— Heureusement qu'il n'est jamais allé en Corée du Nord, ajouta Vickie en hoquetant, Dieu sait... ce qu'il aurait pu dénicher là-bas !

Ce n'était peut-être pas les répliques les plus drôles prononcées sur ce parking froid, humide et sinistre, mais cela ne nous a pas dérangés. Nous nous sommes pliés en deux comme des ivrognes, incapables d'arrêter de ricaner, évacuant avec soulagement toute la tension accumulée et toute la douleur pour laisser un infime iota de joie reprendre ses droits dans nos vies brisées.

— Allez, viens, ai-je dit en reprenant mon souffle, après m'être essuyé les yeux. On va le boire, ce fichu verre.

En fin de compte, nous avons dîné ensemble, échangeant des histoires sur Andy autour d'une puis deux bouteilles de vin. A la fin du repas, après que j'eus demandé l'addition et commandé un taxi pour ramener Vickie chez elle, elle m'a soudain semblé vidée de toute son énergie. Elle est devenue plus silencieuse, pensive, nourrissant visiblement des pensées sombres.

— Ça va aller, Vickie ? ai-je demandé. Est-ce que je peux faire quelque chose pour toi ?

— Je ne savais pas s'il fallait que je te le dise, m'a répondu Vickie, mais... C'est que... Enfin en tout cas, Andy voulait te demander d'être son témoin.

— Son témoin ?! Moi ?!

Cette possibilité ne m'avait jamais effleuré. Si je m'étais posé la question, je serais sans doute parti du principe qu'Andy aurait choisi un de ses confrères journalistes ou alors un de ses potes du Kent.

— Oui, Andy était vraiment fier de toi, son grand frère. Il n'a pas formulé ça comme ça, mais je crois qu'il espérait que tu serais fier de lui, toi aussi, si tu apprenais à le connaître un peu mieux.

— Je n'en avais pas la moindre idée, ai-je répondu. J'aurais tellement voulu qu'il ait le temps de me poser la question, tellement voulu avoir eu une chance de lui dire oui... Il ne m'avait jamais dit... Enfin, je ne savais rien de tout ça.

25

Lundi

Une pie solitaire s'est envolée au-dessus de l'assemblée réunie pour l'enterrement, abandonnant là son fardeau de chagrin. L'oiseau était aussi monochrome que son environnement : un ciel gris, des arbres noirs, de la neige blanche, un groupe endeuillé, vêtu de noir. Le sol était durci par le gel et les seuls sons exprimant un peu de vie venaient du croassement des corbeaux. Tout d'un coup, le titre *Murder of Crows*[1] m'est revenu à l'esprit : il décrivait parfaitement cette matinée.

Après la mise en terre d'Andy, les gens se sont rassemblés un moment autour de la tombe, tapant des pieds pour se réchauffer. Certains plaisantaient à propos des températures glaciales, impatients de se rendre à la réception que Vickie avait organisée non loin de là, dans le pavillon d'un club de cricket où Andy avait coutume de jouer. Il était tout juste 9 h 30. Un grand nombre de proches avaient fait l'impasse sur leur petit déjeuner pour se rendre à la cérémonie et semblaient avoir sérieusement besoin d'un café. Parmi la foule étonnamment dense, j'ai reconnu l'agent d'Andy, Maurice Denholm. Cet homme avait obtenu plusieurs contrats d'auteur pour Andy. Aucun n'avait fait exploser les ventes en librairie, mais c'étaient tout de même de vrais livres, publiés par une maison de renom et chroniqués, fût-ce brièvement, dans les journaux

---

1. Film américain (1999) réalisé par *Rowdy Herrington*.

du dimanche. Nous nous étions rencontrés à une fête de lancement d'un de ces ouvrages, il y avait sept ou huit ans de cela.

— Peter, a commencé Denholm en affichant la mine sombre de circonstance, serrant ma main dans l'une des siennes tandis que l'autre pressait mon bras. Je suis tellement, tellement désolé... Cela doit être affreux, pour vous. Si je peux vous être utile, de quelque manière que ce soit...

— Eh bien, puisque vous en parlez, il y a bien quelque chose que vous pourriez faire...

L'espace d'un bref instant, son visage a affiché une expression alarmée, comme s'il regrettait d'avoir bluffé, mais il a immédiatement retrouvé son air d'affabilité professionnelle coutumier.

— Ah, tant mieux ! Dites-moi ce qu'il vous faut, mon garçon, et c'est comme si c'était fait.

— Est-ce qu'Andrew vous a signalé quoi que ce soit concernant les recherches qu'il faisait au sujet de ma femme, Mariana ?

— De votre... Je ne suis pas sûr de vous comprendre...

— Andy s'était lancé dans une enquête ayant trait au passé de ma femme. Il s'était même rendu à Berlin pour essayer de trouver des informations supplémentaires. J'espérais qu'il vous en avait peut-être parlé... Peut-être qu'il prévoyait d'écrire un livre, par exemple.

Tandis que je parlais, sur le visage de Denholm s'étaient succédé une incompréhension totale, une surprise sincère puis une réelle excitation quand il avait enfin intégré les informations que je venais de lui livrer et les avait reliées à celles qui étaient en sa possession.

— Alors c'était donc ça ! Ma parole, il en a fait des mystères, hein ? Il semblait tellement surexcité !

— Qu'est-ce que vous entendez par là ?

— Eh bien, il m'avait dit qu'il était sur une histoire de fausse identité, de personnes qui avaient fondé toute leur vie sur un mensonge. Il m'avait confié qu'il ne savait pas quoi en faire, il hésitait à en parler directement, sous forme de non-fiction, ou à s'en servir de base pour un roman. J'ai essayé de lui arracher des détails, mais tout d'un coup il s'est montré très réservé. Je comprends pourquoi, maintenant. Il était en train de faire des recherches sur sa propre belle-sœur !

Denholm m'a regardé d'un œil inquisiteur.

— Il était donc sur une grosse histoire ?

Tout en réfléchissant à la meilleure réponse à lui apporter, j'ai laissé mon regard errer le long du cimetière. J'étais arrivé tôt et mon Range Rover était garé non loin de la grille de l'église. Un homme en manteau gris charbon se tenait debout à côté de celui-ci, étrangement immobile. J'ai froncé les sourcils et j'ai plissé les yeux pour essayer de reconnaître ses traits dans la grisaille hivernale.

— L'histoire d'Andy, a répété Denholm, c'était un gros coup ?

— Je n'en sais rien, ai-je répondu en reportant mon attention sur notre conversation. Pour l'instant, j'essaie surtout d'y voir clair...

Vickie, tout agitée, nous a alors interrompus :

— Ah, vous voilà ! s'est-elle exclamée en nous apercevant. Les deux hommes les plus importants dans la vie d'Andy. Nous partons tous pour la réception, maintenant. Il vous suffit de suivre la foule, elle vous mènera droit au club de cricket.

Denholm l'a prise à part pour lui dire deux mots en privé. J'ai cru comprendre qu'il s'excusait auprès d'elle : quelque impératif le rappelait à Londres. J'en ai profité pour jeter un nouveau coup d'œil à ma voiture : l'homme était toujours là et, cette fois, il me regardait droit dans les yeux.

J'ai traversé le chemin du cimetière pour aller le rejoindre. En me rapprochant, j'ai pu constater qu'il était mince, avec de hautes pommettes et des cheveux blond décoloré lissés en arrière : sans doute un peu plus âgé que moi, mais en meilleure forme physique. Sous son manteau à la coupe irréprochable, j'ai aperçu une cravate noire, sans doute par respect des convenances.

— Monsieur Crookham ?

Sa voix avait une intonation germanique.

— Oui.

Je n'aspirais qu'à m'installer au volant de ma voiture et à quitter cet endroit le plus rapidement possible, mais cet Allemand me bloquait ouvertement le passage.

— On m'a demandé de vous transmettre un conseil.

Un conseil... Le même mot que dans le mail adressé à Andy, sauf que cette fois j'en étais le destinataire. Je l'ai dévisagé, effaré :

— C'était vous ?

J'avais du mal à articuler. Mon cœur battait la chamade et mes genoux semblaient vouloir se dérober sous moi. La panique s'emparait de moi, pour la seconde fois en l'espace de quelques jours, et je ne m'y habituais toujours pas.

— Est-ce que c'est vous qui avez envoyé ce message ?

Si l'Allemand s'était attendu à une réponse, ce n'était manifestement pas celle-ci. J'ai vu passer dans ses yeux une expression d'étonnement sincère, voire même de stupéfaction, avant qu'il ne se recompose un visage impassible. Il m'a répondu très calmement :

— Je suis sûr que vous êtes curieux d'en savoir davantage au sujet de la mort de votre frère. Cette tragédie, c'est difficile à comprendre. C'est bien naturel que vous vouliez découvrir pourquoi votre femme – votre ravissante femme – a pu faire une chose pareille. Mais, en toute amitié, écoutez mon conseil : réfrénez votre curiosité. Ne cherchez pas plus avant. Cela ne pourrait vous apporter que des ennuis.

Le message était atrocement familier : ces mots étaient si proches de ceux du mail ! Toujours cette même mise en garde concernant le passé de Mariana. Je ressentais claire-ment, aussi, le même potentiel de violence obscure derrière l'apparence impeccable de cet homme et la politesse glaciale de ses propos. Quelle que soit son identité, il venait d'un monde dont je ne savais ni ne comprenais rien. Mais plus les jours passaient, plus j'étais convaincu que c'était le monde dans lequel Mariana avait grandi.

J'ai fini par réussir à lui demander :

— Etes-vous en train de me menacer ?

— Certainement pas. Je me contente seulement de vous mettre en garde. Restez à l'écart de tout cela. Protégez-vous de votre femme, de votre frère et de ses questions...

— Que savez-vous des questions de mon frère ?

Il a poursuivi, sans tenir compte de mon intervention :

— Oubliez tout cela.

— Qui êtes-vous ? Comment vous appelez-vous ?

L'homme a réfléchi quelques secondes.

— Appelez-moi Weiss, m'a-t-il répondu enfin.

L'espace d'un instant, j'ai cru qu'il disait « vice ».

— Pour qui travaillez-vous, monsieur Weiss ?

— Cela n'a aucune importance. La seule chose qui importe est que je vous ai transmis mon message. J'espère que vous le comprenez et que vous agirez en conséquence. Je vous exhorte à prendre ce que je vous ai dit au sérieux, monsieur Crookham. Maintenant, il faut que j'y aille. Acceptez mes sincères condoléances pour le décès de votre frère. Bonne journée.

Il est parti sans attendre ma réponse. Je l'ai regardé s'éloigner sur la route. Plus il mettait de distance entre nous, plus il ressemblait à une simple silhouette noire dessinée sur la toile de fond d'une allée de campagne en plein hiver. Tout d'un coup, j'ai eu un flash-back : la silhouette d'une autre figure noire, celle de l'homme assis sur le canapé, interprétant le rôle d'Andy. S'agissait-il d'un seul et même homme ? Je me suis senti emprisonné dans les mailles d'une conspiration dont je ne comprenais pas même les grandes lignes, coincé à la manière d'un plongeur pris dans les tentacules étouffants d'un poulpe géant. A chaque fois que j'arrivais à me dégager d'un tentacule, je m'empêtrais dans le suivant. Mais le pire de tout, c'est que j'étais le seul à voir ou à sentir la présence de cette créature. Tout le monde s'accordait à répéter qu'elle n'existait pas, que c'était tout simplement le fruit de mon imagination. Peut-être qu'ils avaient raison, après tout. Peut-être que tout cela n'était qu'une sorte d'affabulation paranoïaque. Cette pensée me paraissait encore plus effrayante que le reste.

Mon pouls galopait quand je me suis assis au volant de mon Range Rover. J'ai tendu la main, elle tremblait violemment. J'ai tenté quelques exercices respiratoires pour me calmer : de longues et profondes inspirations, très lentes, bombant mon ventre comme si celui-ci s'emplissait également d'air. Peu à peu, mes nerfs se sont calmés. C'est là qu'une autre pensée m'a traversé l'esprit.

J'ai bondi de la voiture et je l'ai contournée en courant. Après avoir ouvert le hayon, j'ai repoussé le cache-bagages et j'ai jeté un coup d'œil à l'intérieur. Ma valise était là. Mes bottes en caoutchouc étaient là. Tout le désordre qui s'accumule habituellement dans un coffre de voiture était là.

L'ordinateur d'Andy, lui, avait disparu.

26

J'ai perdu dix bonnes secondes à fixer l'emplacement où aurait dû se trouver l'ordinateur tout en m'apitoyant sur mon sort avant que mon cerveau ne se remette en route dans un sursaut. Ce n'était pas le fruit de mon imagination. Quelqu'un l'avait réellement pris, et il allait sans dire qu'une personne aussi motivée pour récupérer cet ordinateur n'allait pas s'arrêter là. S'il leur était si facile d'ouvrir ma voiture, ils n'auraient aucun mal à s'introduire dans l'appartement d'Andy. Cette pensée a suffi pour que je me précipite au volant et que je démarre en trombe pour rejoindre Vickie et ce qui restait du cortège funèbre.

Elle se tenait tout près de la porte, à l'intérieur du pavillon, et saluait une à une les personnes qui arrivaient pour la réception exactement comme ses parents l'auraient fait pour leur mariage. J'ai bousculé toute la queue, m'excusant désespérément, affichant des mimiques grotesques et gesticulant frénétiquement pour leur faire comprendre que je devais absolument passer pour prendre ma place à côté de Vickie. Celle-ci, au demeurant, s'acquittait là d'une tâche qui aurait dû être la mienne. J'étais le frère du défunt. C'était mon rôle de saluer et de remercier ceux qui étaient venus lui faire leurs adieux. A cet instant précis, cependant, c'était le cadet de mes soucis.

— Est-ce que tu as les clés de l'appartement d'Andy ? ai-je demandé une fois que j'eus enfin rejoint Vickie.

Elle a eu une expression alarmée.

— Eh bien... En fait, c'est notre appartement commun, tu sais. De quoi as-tu besoin ? Enfin, je veux dire : est-ce que tu en as vraiment besoin maintenant ?

Vickie avait froncé les sourcils.

— Ça va, Peter ?

J'ai hoché la tête, un peu trop vigoureusement.

— Oui, oui... mais il me faut ces clés... Je te les rapporte, promis...

— Et tu me diras ce qui se passe à ce moment-là ?

— Je te le promets !

Elle a enfoncé sa main dans son sac et en a sorti un jeu dont elle a détaché deux clés.

— Ça, c'est pour la serrure de sûreté et ça, c'est pour l'autre serrure, juste en dessous. Commence par l'autre.

— Merci.

Puis, comme si je venais tout juste d'y penser :

— Quel est le code postal d'Andy ?

— Tu ne le connais pas ?

— Heu... Eh bien, j'en ai besoin pour le GPS, en tout cas.

Elle a secoué la tête avec tristesse.

— Ah, vous faisiez vraiment la paire, vous deux... Vous étiez censés être frères, pourtant ! Dire que tu n'es jamais venu chez nous...

— Je suis désolé. J'aurais dû faire cet effort, je sais. Mais est-ce que tu peux me donner son code postal, s'il te plaît ?

Vickie me l'a dicté avec une certaine réticence.

— Merci. Bon, il faut que j'y aille. Je te retrouve tout à l'heure.

Je me suis frayé un chemin en sens inverse et j'ai parcouru d'une traite la distance qui me séparait de la voiture avant de m'affaler sur mon siège. Après avoir claqué la portière, j'ai posé un instant ma tête sur le volant.

Ressaisis-toi, me suis-je réprimandé en me redressant sur mon siège et en clignant des yeux. Je me suis éclairci la gorge et j'ai passé une main sur mon visage avant de taper le code postal d'Andy dans le navigateur.

« A la première opportunité, faites demi-tour », m'a annoncé la voix féminine un peu pincée de la machine.

— Malheureusement, c'est un peu trop tard, maintenant, ai-je marmonné sombrement avant de démarrer.

L'appréhension ne s'est fait sentir qu'à ce moment-là : et si Weiss se trouvait déjà sur les lieux ? Et s'il n'était pas seul ? Il devait avoir au moins un complice, sinon il aurait eu l'ordinateur dans les mains pendant notre rencontre. Et puis ils étaient bien deux dans la maison, l'autre nuit. J'avais le choix : soit je prenais au pied de la lettre le conseil de mon GPS, je faisais demi-tour, je retournais dans le Yorkshire et j'oubliais toute cette affaire, soit j'agissais en adulte et j'affrontais la situation comme un grand.

« Vous avez atteint votre destination », m'a annoncé la voix quelques minutes plus tard.

— Tu es sûre ? ai-je murmuré.

Je me souvenais d'un appartement délabré au premier ou au deuxième étage d'une maison mitoyenne, et voilà que la voix de mon navigateur m'arrêtait devant un cottage d'époque blanchi à la chaux, situé dans la rue principale d'un village de la périphérie d'Ashford. La bâtisse n'était pas grande, mais elle dégageait une sorte de solidité inébranlable : simple et sobre, sans chichis.

Quand je suis sorti de la voiture, mes nerfs ont soudain flanché et j'ai dû fournir un véritable effort pour remonter l'allée jusqu'à la porte d'entrée. Je n'arrêtais pas de me demander si quelqu'un était en train de m'observer. Une image, imprimée dans mon cerveau par d'innombrables films et émissions télévisées, m'est revenue à l'esprit : un homme avançant dans une pièce, le canon d'un pistolet braqué sur sa tête. J'avais l'impression de sentir la lumière rouge d'un viseur sur le haut de mon front, c'est tout juste si je ne sentais pas, déjà, l'impact de la balle sur ma paroi crânienne. J'ai dû prendre sur moi pour continuer à avancer.

Complètement dégagée, la maison était construite sur un petit terrain, nul obstacle ne se dressait entre nous, hormis mon cœur, battant contre ma cage thoracique comme si j'étais en plein marathon. Je n'ai aperçu ni fenêtre brisée ni porte forcée. Un tour complet des lieux plus tard, je me suis retrouvé devant la porte principale, que j'ai essayé d'ouvrir : elle était fermée, dûment verrouillée. Mon pouls a doucement repris son rythme de croisière. A moins qu'ils ne se soient téléportés à l'intérieur, je ne voyais pas comment mes ennemis supposés auraient pu se trouver dans la maison.

Une fois la porte déverrouillé, je suis entré et j'ai allumé les lumières. J'étais maintenant suffisamment détendu pour prendre conscience de ce qui m'entourait. Le cottage avait été soigneusement modernisé : de beaux planchers de chêne et des éclairages halogènes encastrés dans le plafond de l'entrée, mais Andy et Vickie avaient également conservé certains éléments plus rustiques d'origine : les poutres en bois, la cheminée de brique brute. Ils avaient fait preuve de beaucoup de goût pour leurs meubles, aussi. L'aménagement du salon, au rez-de-chaussée, n'était pas particulièrement à la mode mais il était bien choisi. Les étagères étaient remplies de livres, comme chez tout écrivain digne de ce nom, et quelques très belles photographies ornaient les murs : un assortiment de portraits et de paysages, tous très différents, mais qui semblaient néanmoins mystérieusement liés les uns aux autres, ainsi qu'à la pièce dans laquelle ils avaient été accrochés. Peut-être qu'elles avaient été prises pendant une mission d'Andy, peut-être aussi que chacune de ces images cachait une histoire dont je n'avais jamais entendu parler.

Manifestement, il n'y avait personne dans la maison. Tout était rangé, propre, sans aucune trace du désordre auquel je m'étais attendu. La cuisine et la salle à manger ne présentaient aucune trace d'intrusion. Une pile de courrier était posée sur la table, à côté d'une boîte de papier à en-tête avec des enveloppes assorties. Non loin du papier à lettres se trouvait une bouteille vide de chardonnay australien, accompagnée d'un bouchon à visser et d'un verre contenant encore quelques gorgées de vin. L'image de Vickie répondant consciencieusement aux lettres de condoléances et se donnant du courage en sirotant ce vin m'a traversé l'esprit. Je lui devais à tout le moins de découvrir pourquoi son homme était mort.

A l'étage, la chambre à coucher principale, tout comme la salle de bains, était impeccable. Il ne restait plus que la seconde chambre. J'ai supposé qu'elle devait servir de bureau à Andy. J'ai su tout de suite que j'avais eu raison : c'était ici que travaillait mon frère. Un ouragan semblait être passé avant moi, dévastant tout.

La personne qui était entrée ici avait littéralement démantelé la pièce. Chaque livre avait été secoué, chaque boîte retournée, chacune des vieilles cassettes d'interviews, qu'Andy gardait toujours dans des boîtes soigneusement libellées, examinée, chacun des objets qui ornaient les étagères sur toute la longueur du mur inspecté puis jeté par terre. Chaque tiroir de son meuble de classement avait été retourné. Le dessus de son bureau était vide, à l'exception d'un grand écran – j'entendais encore Andy m'expliquer qu'il se contentait de brancher son ordinateur portable dessus quand il travaillait chez lui –, et le fouillis qui le recouvrait habituellement était dispersé par terre, mélangé à tout le reste.

La méticulosité sauvage avec laquelle la pièce avait été dévastée contrastait violemment avec la retenue dont les intrus avaient fait preuve ailleurs et la prudence extrême avec laquelle ils étaient entrés et ressortis de la maison, sans laisser la moindre trace. Cette manière de faire concordait parfaitement avec l'impression que m'avait laissée l'homme rencontré à côté de la voiture : un cocktail étrange et terrifiant de maîtrise de soi et de brutalité crasse. La personne qui avait fouillé cette pièce avait tiré le maximum de bénéfice d'une durée de temps limitée et concentré toute son énergie sur la seule pièce supposée lui apporter un butin intéressant.

Et pourtant, quoi qu'ils soient venus chercher, j'avais la nette impression que les intrus étaient repartis bredouilles. L'écran de l'ordinateur, cassé, me regardait telle une orbite vide. C'était le seul indice de destruction gratuite dans toute la maison, et il suggérait presque ouvertement un accès de frustration : avant de partir, l'intrus n'avait pu s'empêcher de tirer cette dernière salve, comme pour se venger.

Etait-ce vraiment ce qui s'était passé ? J'imaginais Weiss et son complice, ou ses complices, quittant la maison en sachant qu'il leur restait encore un dernier espoir. L'enterrement était de notoriété publique, et j'y serais forcément... Je voyais d'ici leurs sourires triomphants en découvrant l'ordinateur portable dans le coffre de ma voiture.

Je ne suis pas un homme violent. Cette tension permanente, ajoutée à la colère que je ressentais depuis la mort d'Andy, ne m'était pas naturelle. Et je ne suis pas un héros, non plus. J'ai fait quelques semestres chez les cadets de mon école parce que mes copains le faisaient, mais je ne m'étais jamais battu dans ma vie d'adulte et je n'avais jamais tiré avec une arme à feu. Mais là, debout au milieu de ce qui avait été le bureau d'Andy, confronté à la profanation méprisante de ce qui représentait toute une vie de labeur, j'ai compris que j'avais terriblement envie de me venger de ce que ces salopards, quels qu'ils soient, avaient fait. J'avais envie de leur rendre la pareille.

27

Quand je suis arrivé au pavillon de cricket, la réception
tirait à sa fin. Il ne restait plus qu'une demi-douzaine de
personnes et Vickie était déjà en train de ranger, courant
dans tous les sens, attrapant des tasses et des assiettes au
passage, enlevant les miettes des tables. Au premier coup
d'œil, son énergie semblait intacte, mais sa tension était
palpable. Elle était en train de dépenser ses dernières
réserves et peinait à maintenir plus longuement la fragile
façade qui lui avait permis de surmonter cette journée. En
lui rendant les clés, j'ai eu le sentiment désagréable de lui
asséner le coup de grâce qui allait faire s'écrouler cette
façade et la laisserait entièrement exposée.

— J'ai bien peur de t'apporter de mauvaises nouvelles...
Un éclair de panique a traversé son regard.

— Quel genre de mauvaises nouvelles ?

— Ta maison... quelqu'un s'y est introduit.

Ses yeux se sont écarquillés et elle a mis une main sur sa
bouche.

J'ai posé la main sur son épaule.

— Ne t'inquiète pas. Je ne crois pas qu'ils aient pris
quelque chose. Malheureusement, ils ont mis le bureau
d'Andy sens dessus dessous. Mais je pense qu'ils n'ont
touché à rien d'autre.

— Mais pourquoi ?

J'ai deviné qu'elle faisait tout son possible pour préserver
le peu de maîtrise de soi qui lui restait.

— Qu'est-ce... qu'est-ce qu'ils cherchaient ?

— Je crois que c'est en rapport avec les recherches que faisait Andy sur le passé de Mariana. Il pourrait être tombé sur quelque chose qui était censé rester secret. A moins que ces gens ne craignent qu'il... Je ne sais pas...

— Oh, mon Dieu...

Vickie s'est mise à respirer de plus en plus vite.

— Et s'ils... reviennent ?

— Viens là, lui ai-je dit en l'attirant vers une chaise. Assieds-toi.

Elle s'est penchée en avant, enfouissant sa tête dans ses mains, et je me suis accroupi de sorte que nos têtes soient à peu près à la même hauteur.

— Ils ne vont pas revenir, je te le promets. Ils ont forcé ma voiture, aussi, et ils ont pris le portable d'Andy. Tout ce qu'il avait découvert s'y trouvait. Je te parie tout ce que tu veux qu'ils sont retournés d'où ils venaient, où que ce soit, et que tu es en sécurité maintenant. J'en suis sûr.

— Ça m'est égal, a-t-elle répondu d'une voix de plus en plus perçante, tandis que les larmes commençaient à couler. C'est trop tard. Ils ont tout saccagé, n'est-ce pas ? Cette maison était tout... tout ce qui me restait... le seul endroit où je pouvais encore sentir Andy... Et tu me dis que ces... ces salauds m'ont enlevé ça. Je ne peux plus y retourner, maintenant... Je ne peux pas. Pas s'ils sont rentrés chez nous. Oh, mon Dieu...

Elle a laissé échapper un gémissement de douleur pure, primaire, et s'est effondrée, secouée par de violents sanglots. Je suis resté près d'elle à lui murmurer des mots de réconfort, lui tendant des mouchoirs, l'obligeant à boire un peu d'eau, jusqu'à ce qu'elle ait plus ou moins recouvré son sang-froid.

— Est-ce que je peux faire quelque chose pour toi ? Quoi que ce soit ? ai-je alors demandé.

Vickie m'a regardé droit dans les yeux, puis elle a pris une profonde inspiration et m'a répondu :

— Oui, tu peux partir... Je suis désolée, Peter. J'ai fait de mon mieux pour comprendre ce que tu étais en train de traverser. J'ai essayé d'être raisonnable. Mais là, quand je te regarde, je vois toute la douleur que tu as fait entrer dans ma vie. Ta femme a tué l'homme que j'aimais. Je ne sais pas pourquoi. Ça m'est égal, d'ailleurs, maintenant. Qu'est-ce que cela changerait ? Andy ne reviendra jamais. Et voilà que j'ai aussi perdu ma maison. Pars... Pars tout de suite, s'il te plaît.

Il n'y avait rien à dire, rien qui puisse atténuer sa douleur ou ma honte cuisante. Je suis retourné à ma voiture. Je ne m'étais jamais senti aussi mal depuis la mort d'Andy, jamais aussi perdu.

Et pourtant, il se passait quelque chose qui ne concordait pas du tout avec les confortables conclusions sur lesquelles semblaient s'accorder la police et les avocats. J'ai appelé maître Iqbal et je lui ai dit que j'avais du nouveau.

— Vraiment ? m'a-t-il répondu en chargeant ce mot unique d'autant de scepticisme que possible. Dites-moi tout.

Je lui ai relaté les événements des derniers jours : le mail, mes visiteurs nocturnes, ma rencontre avec Weiss, le raid dans la maison d'Andy et le vol de son ordinateur.

— Je ne crois pas que nous puissions faire quelque chose, m'a répondu l'avocat à ma grande surprise.

— Comment ça ? Qu'est-ce que vous voulez dire ? La police va sûrement réagir, il y a tout de même eu deux incidents de plus, maintenant !

Maître Iqbal a lâché un long soupir, comme si sa patience était à bout.

— Monsieur Crookham, je vous en prie. Réfléchissez à ce que vous venez de me raconter. Vous me parlez d'un mail de menace, malheureusement envoyé après le décès tragique de la personne concernée. Vous me dites que vous avez rencontré un homme qui s'est présenté sous le nom de Weiss, mais vous n'avez aucune preuve de son identité, pas même un numéro de plaque d'immatriculation. Nous n'avons donc aucun moyen de le rechercher. Vous n'avez pas la moindre preuve du fait que c'est lui qui a volé l'ordinateur de votre frère, sans parler du fait qu'il se serait introduit chez ce dernier. Pour finir, nous ne savons absolument pas s'il était vraiment l'un des deux individus qui se sont introduits dans votre maison pour s'adonner à la reconstitution, certes de très mauvais goût mais qui ne tombe pas sous le coup de la loi, d'un crime tragique...

— Ecoutez, peut-être que je n'ai pas de preuves, en effet, mais je suis absolument certain que Weiss est mouillé dans cette histoire. La manière dont il s'est comporté ne prêtait pas à confusion. Vous auriez pensé la même chose si vous aviez été là...

— Mais je n'étais pas là. Et il n'y avait aucun officier de police, non plus. Ils n'ont donc aucun élément tangible sur quoi s'appuyer. Quant à l'effraction chez votre frère, je suis au regret de vous dire que c'est un phénomène très répandu. Il existe des criminels dénués de tout scrupule, monsieur Crookham, qui achètent leur journal local juste pour y lire les annonces de décès. Assurées que la maison sera vide au moment de l'enterrement, ces personnes en profitent pour commettre des actes très similaires à celui que vous venez de me décrire...

— Ah oui ? Et ces criminels dont vous parlez, ils entrent dans les maisons sans laisser la moindre trace d'effraction ?! Ignorent-ils toutes les pièces de la maison, négligent-ils les téléviseurs, le liquide, les bijoux, tout, pour seulement se concentrer sur le bureau du propriétaire des lieux ? C'est bien cette manière de faire que vous qualifieriez de comportement typique pour un criminel provincial de niveau lambda, maître Iqbal ?

— Inutile de me parler sur ce ton, monsieur Crookham. Je vous ai donné un avis de professionnel, basé sur de longues années d'expérience en droit pénal. Je peux vous assurer que la police d'ici partagera l'avis de ses collègues du Yorkshire. Maintenant, si cela ne vous ennuie pas, j'ai beaucoup de travail. S'il y a un quelconque changement concernant le procès de votre épouse, bien sûr, je vous en tiendrai immédiatement informé. Bonne journée, monsieur Crookham.

La ligne s'est éteinte, emportant avec elle mon dernier espoir de convaincre qui que ce soit de prendre mon point de vue au sérieux. Iqbal avait raison. La police promettait en effet d'être tout aussi irritée que mon avocat par mes

192

allégations sans preuves contre un inconnu. Qu'est-ce que je pouvais faire, dans ces conditions ?

Je ne pouvais me résoudre à rentrer à York pour y reprendre ma petite vie sans avoir rien tenté de plus. J'en avais ras le bol de m'entendre dire qu'il fallait être raisonnable, patienter, laisser le système faire son boulot. Assez, aussi, d'entendre les conseils de personnes qui semblaient se préoccuper davantage de leur petite vie paisible que de la vérité. Il n'y aurait pas de petite vie paisible pour moi tant que je n'aurais pas fait toute la lumière sur le passé et la personnalité de Mariana, sur ce qui l'avait rendue capable d'un crime aussi abominable. Or, la réponse ne pouvait se trouver qu'à un seul endroit.

J'ai appelé Janice, ma secrétaire.

— Pourriez-vous me rendre un service ? Est-ce que vous pourriez me réserver un vol pour Berlin, s'il vous plaît ?

— Bien sûr. Quand est-ce que vous voulez partir ?

— Tout de suite.

28

Quatre-vingt-dix minutes plus tard, j'étais en train de déjeuner, dans le hall des départs de l'aéroport de Gatwick, quand mon téléphone a sonné. Janice. Je me suis dit qu'elle voulait me fournir des informations sur la réservation d'hôtel dont je l'avais chargée, mais je me trompais.

— Je viens de recevoir un appel très étrange de la part d'une dame allemande. Elle s'est présentée en tant qu'allemande, et je suis sûre qu'elle était étrangère, elle avait du mal à s'exprimer en anglais. Elle m'a dit qu'elle s'appelait Bettina König et qu'elle était la mère de Mariana. Elle avait eu vent de ce qui s'était passé. Apparemment, certains magazines, là-bas, ont fait courir une rumeur sur... Eh bien, vous voyez ce que je veux dire...

— Oui oui, continuez, ai-je répondu en me rappelant que le nom sur son certificat de naissance était en effet Bettina.

— Enfin bref, cette Mme König a lu cette histoire et elle voulait savoir ce qu'il en était de Mariana. Je lui ai demandé pourquoi elle ne vous avait pas appelé directement et elle m'a dit qu'elle n'avait pas votre numéro, ce qui m'a paru un peu gros...

— Non, c'est la vérité. Ça fait des années que Mariana ne parle plus à sa mère. Elles ont eu une grosse dispute. Je ne l'ai jamais rencontrée, d'ailleurs.

— Oh... a fait Janice. En tout cas elle a laissé un numéro. Est-ce que vous le voulez?

— Oui, pourquoi pas, ai-je dit en essayant de cacher mon excitation.

Je ne voulais pas lui fournir davantage de matière à potins.

J'ai composé sans attendre le numéro qu'elle m'avait donné et une voix féminine a décroché avec un « *Hallo ?* » décidé.

— *Frau König*, euh... *Ich bin Peter Crookham, der*...

Meeeerde ! Comment dit-on « mari » ?... Ah oui...

— ... *der Ehemann von Mariana*...

J'ai entendu un « Ah ! » excité à l'autre bout du fil, suivi d'une salve de mots allemands qui m'a fait réaliser à quel point ma compréhension de cette langue était limitée.

— Est-ce que vous parlez anglais ? l'ai-je coupée.

— Un peu, *ja*...

J'ai essayé d'expliquer la situation de Mariana le plus lentement et le plus clairement possible : elle attendait son procès dans un hôpital sécurisé, elle ne voulait communiquer avec personne, pas même moi.

— Mais peut-être je peux lui écrire, non ?

— Oui, bien sûr.

Je lui ai dicté l'adresse avant d'ajouter :

— Mais ne vous attendez pas trop à une réponse... Madame König, est-ce que je peux vous poser une question, maintenant ?

— Pardon ? Je ne pas comprendre.

— Est-ce que je peux vous poser des questions ?

— Pourquoi des questions ?

Tout d'un coup, sa voix a pris une intonation suspicieuse... Peut-être n'était-ce qu'un réflexe conditionné. Pour toute personne ayant vécu dans cette RDA truffée de police secrète et d'indics, la simple perspective de devoir répondre à des questions devait être assez terrifiante.

— Oh, rien de particulier, vraiment... J'étais juste un peu curieux au sujet de Mariana...

— C'est quoi... « curieux » ?

— Euh...

J'ai fouillé dans ma mémoire pour trouver le bon mot :

— Hum... *neugierig* ?

— *Ach so, ja*. OK...

— Voilà, eh bien je me demandais si vous pouviez me dire quand et où Mariana était née et... Je sais que cela peut sembler fou... euh, *verrückt*... mais quel était son nom à sa naissance ? Parce que nous ne trouvons aucune trace de Mariana Slavik, nulle part...

L'angoisse que j'avais perçue dans sa voix a laissé la place à une colère mêlée d'effroi :

— Pourquoi vous me demandez ces questions ? Qu'est-ce que vous vouloir savoir ?

— J'essaie juste de comprendre un peu mieux la vie et la famille de Mariana... la vôtre, je veux dire. Par exemple, son père...

— Non ! Pas parler père de Mariana. Je ne dois dire rien. Vous ne doit dire rien... Rien !

— Mais, madame König, si seulement je pouvais savoir...

Peine perdue : Mme König venait de me raccrocher au nez. J'ai essayé de la rappeler à deux reprises, mais personne n'a décroché. J'ai attendu une heure et j'ai retenté ma chance alors que j'étais devant la porte d'embarquement : le numéro était maintenant inaccessible.

Mariana refusait de me parler. Sa mère ne répondait pas à mes questions. Cependant, la violence de sa réaction, à elle seule, m'en disait déjà beaucoup. Elle cachait quelque chose au sujet du père et plus j'y songeais, plus il me semblait que cet homme était la clé de tout. Je me suis imaginé un homme capable de donner à sa femme et à sa fille de nouvelles identités avant de disparaître. Etait-ce le même homme qui avait envoyé Weiss en Angleterre pour voler l'ordinateur d'Andy ? Je me suis demandé s'il était également responsable du traumatisme enfoui, telle une bombe à retardement, au plus profond du subconscient de Mariana.

Quelque chose s'était passé pendant son enfance à Berlin-Est, c'était certain. Cette chose avait par ailleurs gardé la même importance, vingt ans plus tard. Il n'y avait pas de réponse à toutes ces questions. Pas encore. Mais le seul fait de me les poser me donnait une base de travail, quelque chose à emporter à Berlin.

29

En traversant les couloirs de Berlin-Schönefeld, j'ai imaginé Mariana en train de m'attendre pour me souhaiter la bienvenue. Je savais pertinemment qu'elle était enfermée dans une unité sécurisée, à plusieurs centaines de kilomètres de là, mais son image continuait de me hanter et je n'ai pu m'empêcher de ressentir une fugace mais vive déception, une fois passées les portes battantes, en ne la voyant pas parmi le petit groupe d'individus en attente des passagers en provenance de Gatwick.

Un petit café se trouvait non loin de là et mon regard a soudain surpris un flash de cheveux blonds appartenant à une jeune femme penchée sur un ordinateur portable. Son visage était presque entièrement caché par son écran. Une fois de plus, ma raison m'a rappelé que ce ne pouvait en aucun cas être Mariana, et pourtant je n'ai pas pu m'empêcher de m'approcher de quelques pas pour en avoir le cœur net. Cette fois aussi, la déception m'a procuré un véritable choc et une douleur presque physique. J'ai réalisé que ce phénomène risquait de se reproduire sans arrêt à Berlin, cette ville où les blondes Aryennes semblaient surgir à tous les coins de rue, mais d'une certaine manière cette thérapie de choc involontaire pouvait aussi se révéler bénéfique. Elle canalisait mon attention et me procurait une motivation supplémentaire. Quel était le but de ma présence ici, après tout, sinon de faire disparaître la douleur une bonne fois pour toutes ?

Derrière la femme blonde, pile dans mon champ de vision quand je l'ai regardée, un homme était assis à une table. Il était relativement petit, plutôt chétif, et à en juger par sa chevelure argentée et son visage aux traits assez ordinaires, il approchait sans doute de la soixantaine. Il portait un costume marron à fines rayures, un peu désuet avec son double boutonnage, une chemise beige et une cravate indéfinissable. L'aspect très formel de sa tenue détonnait par rapport aux vêtements plus sportifs des voyageurs et de leurs familles qui s'agitaient tout autour de lui. Peut-être est-ce la raison pour laquelle il m'a tapé dans l'œil. Je suis sorti du terminal et j'ai commencé à parcourir l'interminable passage couvert menant aux quais de la gare ferroviaire, content d'être protégé de la neige qui tombait sur ce coin de l'Allemagne tout comme sur le nord du Yorkshire.

J'étais à mi-chemin de la gare quand il m'a semblé apercevoir le type en costume rayé derrière moi. J'ai tourné la tête pour vérifier que je ne me trompais pas et de fait il était là, couvert cette fois d'un Loden gris et marchant d'un pas tranquille, tirant une petite valisette à roulettes. L'idée que je pouvais être suivi m'a traversé l'esprit. C'était absurde, pourtant. Je n'en ai pas moins pressé le pas et j'ai ressenti un certain soulagement, au moment d'acheter mon ticket de train, en constatant qu'il n'était plus là.

Dix minutes plus tard, j'étais dans le train de banlieue à deux niveaux reliant l'aéroport au centre-ville. Un instant à peine après le départ de Schönefeld, j'ai aperçu l'homme une troisième fois. Il avançait vers moi, tirant avec difficulté sa valise le long de l'allée centrale. Quand il m'a dépassé, aussi maigre et ridé qu'un vieil arbre, tout mon corps s'est tendu et mes aisselles ont commencé à me démanger. Mais il n'a pas même jeté un coup d'œil dans ma direction avant de grimper à l'étage. J'ai marmonné dans ma barbe un « Calme-toi, bon Dieu » pour me redonner du courage. Si je sursautais à chaque fois que quelqu'un entrait dans mon champ de vision plus d'une fois, je serais une épave avant de quitter Berlin.

Je me suis installé dans ma chambre, anonyme et dépourvue de charme mais fonctionnelle, vers 5 heures de l'après-midi. Mon humeur s'était un peu améliorée depuis que j'avais commencé à ébaucher un plan d'action. Le point numéro un était : trouver quelqu'un pour me donner un coup de main.

Dieu merci, il y avait l'iPhone et Google. Quelques secondes m'ont suffi pour dénicher toute une liste de réponses à la question « Agence de détectives Berlin ». Les premières agences que j'ai appelées ne fournissaient pas le genre d'aide dont j'avais besoin, ou alors elles étaient surbookées ou trop chères. Une des suivantes affichait une page d'accueil résolument fringante, mais, au bout de quelques instants de conversation ampoulée avec la personne qui avait décroché, j'ai commencé à me demander si celle-ci ne constituait pas l'intégralité du personnel de la société. Ce n'était pas très encourageant, et la suite n'allait pas l'être davantage.

— Je crois que le père de ma femme a participé à quelque activité criminelle à Berlin-Est... ai-je commencé.

J'ai perçu une sorte de grognement désapprobateur mais je l'ai ignoré et j'ai poursuivi :

— Quelque chose l'a poussé à changer l'identité de sa fille. Peut-être qu'il a également changé la sienne pour échapper à la justice...

— Impossible, m'a-t-il coupé.

Il avait un fort accent et un anglais d'un niveau comparable à mon allemand.

— Très petit criminalité en DDR. Tout crime important – tout ! – terminés, finis.

Sa voix laissait transparaître une fierté non déguisée. Grands dieux, me suis-je dit, il semble tout droit sorti de la Stasi.

— Eh bien, j'ai dû me tromper, alors. Je suis... désolé de vous avoir dérangé, ai-je bredouillé avant de raccrocher.

Mes espoirs de trouver une agence appropriée commençaient sérieusement à faiblir quand j'ai composé le numéro suivant : un bureau qui répondait au nom de Xenon Detektivbüro.

— Il vous faudra vous adresser à notre directeur, M. Haller, m'a indiqué la jeune femme à l'autre bout du fil. Il parle parfaitement l'anglais, lui.

— Vous voulez dire mieux que vous ?!

Bon Dieu ! C'était bien la première remarque vaguement dragouilleuse que je me permettais depuis des années... Un signe de renouveau, peut-être ?

Elle a lâché un de ses gloussements qui illuminent la journée de tout homme d'âge mûr.

— Oh oui, beaucoup mieux ! Je vous le passe.

J'avais à peine commencé à expliquer la raison de ma venue à Berlin que ce M. Haller m'interrompait :

— Bien sûr, monsieur Crookham, bien sûr ! J'ai entendu parler des circonstances tragiques de la disparition de votre frère. Cela a eu quelques répercussions dans les médias, ici. Donc... qu'est-ce que vous me disiez, à propos de votre femme ?

Je lui ai fait un bref résumé des derniers événements et de ce qui m'amenait à Berlin.

— Vous pensez donc que son certificat de naissance est un faux ?

— Oui. J'en ai apporté une copie. Mon frère n'a trouvé aucun document correspondant dans les archives de Berlin.

— Et vous êtes bien sûr qu'elle est née et qu'elle a passé les premières années de sa vie à Berlin-Est, et non à Berlin-Ouest ?

— Oui... pourquoi ?

— Eh bien, il n'existait qu'un seul moyen pour des ressortissants de la RDA d'obtenir de faux papiers : par l'intermédiaire de la Stasi.

Andy avait donc raison.

— Vous voulez dire que son père faisait partie de la Stasi ?!

— Bien entendu, c'est tout à fait possible. Un nombre incalculable de personnes faisaient partie de la Stasi.

— Je crois que je viens de parler à l'un d'entre eux, ai-je répliqué avant de lui décrire la conversation que j'avais eue avec mon précédent interlocuteur.

Haller s'est mis à rire.

— Ah, oui, cela y ressemble fortement. Vous savez, un grand nombre de détectives, ici, à Berlin, ont appartenu à la Stasi. Presque tous, à vrai dire. Ce boulot est le seul qu'ils aient jamais appris, et il faut reconnaître qu'ils le maîtrisaient à la perfection. Cela dit, et j'en suis bien heureux puisque ce sont mes concurrents, ils sont également terriblement mauvais en affaires. C'est contre leur nature. Un grand nombre d'entre eux restent convaincus, aujourd'hui encore, que le communisme était la voie de la vérité. J'en ai un dans mon équipe, d'ailleurs. Je vais lui demander ce qu'il pense de votre beau-père...

— Vous acceptez donc cette mission ?

— Bien sûr ! Je serai ravi de m'en occuper. Vous êtes donc dans nos murs en ce moment, n'est-ce pas ?

— Oui.

— Formidable. Est-ce que je peux vous proposer d'aller boire un verre dès que j'en aurai terminé au bureau ? Mettons vers 18 h 30, par exemple ?

— Cela me semble très bien. Où voulez-vous que nous nous retrouvions ?

— A l'hôtel Adlon, le plus célèbre de la ville, juste à côté de la porte de Brandebourg et à quelques centaines de mètres seulement du Reichstag : il n'y a pas de meilleur endroit pour un premier rendez-vous à Berlin, vous ne trouvez pas ? Rendez-vous au bar, dans le lobby.

Une fois qu'il eut raccroché, j'ai été frappé par le fait qu'il avait désigné le père de Mariana comme mon beau-père. Aussi étrange que cela puisse paraître – sans doute parce que je ne l'avais jamais rencontré et n'avais jamais eu aucun contact avec lui –, cela ne m'était encore jamais venu à l'esprit. Cet homme dont j'étais en train d'essayer de découvrir l'histoire et dont les actes pouvaient peut-être expliquer la transformation de ma femme en criminelle était un de mes parents. Nous étions de la même famille.

30

Conformément aux dires de Haller, l'Adlon était un de ces grands hôtels de style classique, et il présentait l'avantage d'être placé au cœur même de la ville. Haller, quant à lui, était perché sur l'un des hauts tabourets de cuir rembourré alignés le long du bar. Quand il m'a vu arriver, il s'est levé pour me saluer. Il était au moins aussi grand que moi mais d'une stature plus forte, bien qu'il n'y ait aucune trace de bedaine sous sa chemise d'un bleu pâle, enfoncée dans la ceinture de son pantalon noir. Ses cheveux couleur sable commençaient tout juste à se clairsemer sur les tempes et il avait des yeux bleus, un menton volontaire et un rire jovial. Le stéréotype même de l'Allemand, à croire qu'il l'avait fait exprès.

— Est-ce que vous voulez une tasse de thé ? Ils ont du vrai earl grey, ici. A moins que vous ne préfériez une bière ?

— Une bière, c'est une bonne idée.

Haller a appelé le barman pour lui donner une série d'ordres rapides et incisifs, spécifiant exactement quelle bière il voulait et la manière dont elle devait être servie. Puis il a reporté son attention sur moi et m'a dit :

— Venez avec moi un instant. Il y a quelque chose que je voudrais vous montrer...

Il m'a guidé hors de l'hôtel jusqu'à la Pariser Platz, devant une façade de pierre calcaire couleur de sable qui semblait presque faite d'un bloc et était ponctuée de bandes vitrées verticales, très sobres, comme les rebords d'un vieux rouleau de pellicule photo. Ce bâtiment me rappelait quelque chose : j'étais sûr de l'avoir déjà vu quelque part, mais j'aurais été bien incapable de dire où et quand. Les manquements de ma mémoire étaient cependant excusables : cela ne ressemblait vraiment à rien.

Haller a dû lire le scepticisme sur mon visage car il a éclaté de rire.

— Ce n'est pas très impressionnant, hein ? Eh bien, allons voir ça de plus près. Peut-être que vous changerez d'avis...

Nous avons traversé une entrée tout aussi insignifiante menant à un hall anonyme, semblable à la réception d'un immeuble de bureaux. Soudain, ma mâchoire s'est décrochée et j'ai lâché un « Oh, putain ! » à la vue qui s'offrait à moi. Derrière la réception, le bâtiment s'ouvrait en un atrium central rectangulaire, couvert de verre et beaucoup plus profond que large. Le plafond vitré reposait sur un tourbillon vertigineux d'entretoises métalliques, qui allait en se réduisant et en se resserrant à mesure qu'il s'approchait du bout du bâtiment, créant une sorte de tunnel. De part et d'autre, les murs étaient revêtus de ce qui ressemblait à un bois très lisse, couleur caramel, rappelant du contreplaqué. Un réseau géométrique de fenêtres intérieures donnait sur l'atrium, comme pour rappeler la simplicité crue de la façade. Tout lien avec une quelconque norme architecturale s'arrêtait là.

— L'immeuble de la banque DZ, par Frank Gehry ! ai-je lâché, tout joyeux, comme si j'avais trouvé la bonne réponse à un quiz télévisé.

— Sachant que vous êtes architecte, je me suis dit que vous seriez content de le voir. Mais il y a une autre raison pour laquelle je vous ai emmené ici. En effet, ce bâtiment constitue pour moi une image de Berlin, une métaphore en quelque sorte. Vue de l'extérieur, la ville est comme cette bâtisse : très ordonnée, très allemande. Les touristes qui visitent Berlin ou se baladent dans le Tiergarten peuvent circuler en toute tranquillité, ils n'ont vraiment rien à craindre. Le gouvernement est réparti dans les beaux immeubles neufs, tous très légers et très ouverts, pour symboliser la nouvelle Allemagne, rassurante et paisible. Pourtant, il reste toujours, au cœur de cet endroit, quelque chose d'autre, quelque chose de sombre, d'étrange et de puissant. Cette ville en a trop vu, elle a trop souffert. Saviez-vous que pendant les deux dernières semaines de la vie de Hitler, alors que Berlin était attaquée par les Russes, au moins trois cent mille personnes sont mortes, civils et militaires confondus ? L'équivalent de cent attentats du 11 Septembre. Quand l'Armée rouge est arrivée, un peu plus tard, un nombre incalculable de femmes ont été violées : deux générations marquées pour la vie. Des centaines d'entre elles ont donné naissance aux rejetons de leurs violeurs russes. Puis la douleur des années de communisme, le mur coupant une partie de la ville du monde extérieur... Ce que je veux vous faire comprendre, mon ami, c'est que cette ville est comme une personne qui aurait été attaquée et violée et qui essaierait de continuer à vivre malgré toute la douleur qu'elle porte en elle. De l'extérieur, elle peut sembler normale. De l'intérieur, en revanche...

Haller a haussé les épaules puis il a souri.

— Allez, vous avez bien mérité votre bière, maintenant que vous vous êtes coltiné mon discours de dingue... Vous en avez sûrement besoin, même !

Nous sommes retournés au bar de l'hôtel. La bière était fraîche, délicieuse, le chauffage central dispensait une chaleur agréable et les autres clients au comptoir ou assis à des tables voisines étaient élégants et d'allure prospère. Cela semblait presque absurde de parler de meurtre et de souffrance dans un tel cadre, mais j'ai supposé que c'était exactement ce que voulait Haller.

— Ces choses que vous avez dites au sujet de Berlin...

Haller a fait la grimace, comme pour se moquer de lui-même :

— *Ach*, n'y prêtez pas trop d'attention. C'est, je crois, ce que vous appelez une théorie fétiche, un dada...

— En tout cas, elle ne m'a pas paru fausse. Au contraire, elle m'a vraiment fait penser à Mariana. Tout ce que vous avez dit sur cette normalité apparente cachant une douleur immense lui correspond pleinement, aussi. Je ne le savais pas jusqu'à il y a peu, mais plus le temps passe, plus cela me semble évident. Je crois qu'elle a souffert elle aussi, tout comme cette ville. Sans doute pourriez-vous dire qu'elle est une digne fille de Berlin.

— Alors que moi, je n'en suis qu'un fils adoptif...

Il a commencé à me raconter sa vie, son emploi de flic à Hambourg avant de quitter la police et de venir à Berlin, ville frontière de l'Allemagne, endroit de toutes les opportunités.

— Attendez un instant, l'ai-je interrompu.

Je me suis penché vers lui et je lui ai soufflé à voix basse :

— Il y a un homme, là-bas, à trois tables de nous. Il n'arrête pas de me regarder...

Cette fois, ce n'était pas l'homme en costume marron mais un tout autre type d'individu. Beaucoup plus jeune, il portait des lunettes de soleil de marque et une chemise blanche. L'homme s'est allumé une cigarette, exhibant par la même occasion une montre manifestement de prix et un lourd bracelet doré sur de puissants poignets bronzés.

Haller lui a jeté un coup d'œil et s'est mis à rire.

— Il semblerait que vous vous soyez fait un ami pour la nuit ! Bienvenu à Berlin, la ville de tous les possibles, mon ami !

Me renversant en arrière, j'ai éclaté de rire à mon tour pour dissimuler mon embarras.

— Ce n'est pas ce que je voulais dire. C'est juste que... j'ai le sentiment persistant d'être suivi. J'ai retrouvé un même type à l'aéroport et dans mon train... et maintenant, celui-ci. J'ai l'impression d'être filé par la Stasi, je ne sais pas...

— Il y a vingt-cinq ans, ç'aurait été fort possible, a concédé Haller. Mais pas aujourd'hui. Et puis dans tous les cas, si vous avez été suivi par une personne ayant été un officier de la Stasi, vous n'en sauriez rien. Ils étaient les champions du monde de la surveillance. Ils possédaient un système leur permettant de filer des gens même si ceux-ci changeaient absolument tout de leur apparence : les vêtements, les cheveux, les lunettes, la couleur de peau... peu importait le déguisement, si parfait fût-il. La Stasi voyait au travers des vêtements.

— Comment cela ?

— Ils réunissaient des scientifiques, des docteurs, des anthropologues, des zoologues, des experts de toutes catégories pour étudier les différents marqueurs qui font d'une personne un individu spécifique. La démarche, la posture du corps, la forme des yeux, des oreilles, du nez, des lèvres... tous ce qui est unique chez un individu. Les officiers de la Stasi étaient entraînés à appliquer trois de ces marqueurs à toute personne qu'ils devaient filer. Cela leur permettait de reconnaître leur cible quelle que soit la manière dont celle-ci était habillée, même dans la foule.

— Comme un système d'identification biométrique ?

— Oui, en quelque sorte, mais implanté dans la mémoire humaine plutôt que dans un ordinateur.

— C'est aussi impressionnant que terrifiant...

— Absolument. La Stasi était très forte dans son domaine. Vous savez, ils avaient pour la police de l'Ouest un mépris total. Ils nous trouvaient mous, décadents, incapables. Peut-être avaient-ils raison, après tout...

Un sourire a traversé son visage.

— En Allemagne, nous appelons notre service fédéral du renseignement le Bundesnachrichtendienst, le BND en abrégé. C'est l'équivalent de votre MI6. A l'époque, ils avaient un bureau à Munich, juste au-dessus de la boutique d'un fleuriste. L'exercice d'entraînement final des officiers de la Stasi consistait à regarder une photographie d'un agent du BND, à entrer en Allemagne de l'Ouest, à se rendre à Munich, à repérer l'agent sélectionné au moment où celui-ci quittait le magasin de fleurs et à le suivre sans se faire remarquer. La preuve de leur compétence, c'est que personne n'en a jamais rien su, à l'Ouest, jusqu'à ce que le mur de Berlin tombe et que d'anciens officiers de la Stasi leur expliquent leur petit jeu.

— Suivre un architecte anglais de grande taille serait donc un jeu d'enfant, pour eux.

— Absolument.

— Eh bien, il ne nous reste qu'à commander une autre bière, histoire de me détendre, et ensuite je vous expliquerai ce que j'attends exactement de vous...

31

Pendant la demi-heure suivante, nous avons repris une à une les grandes lignes que j'avais brossées au téléphone, cette fois sans négliger aucun détail de mes expériences de la semaine qui avait suivi le meurtre ni des recherches de mon frère concernant le passé de Mariana. J'ai confié mes documents à Haller et il a pris des notes de son côté, m'interrompant de temps à autre pour poser des questions précises et pertinentes. Il possédait une intelligence concrète et très professionnelle qui me rappelait celle de Yeats. La première fois qu'il s'est permis d'avancer une opinion personnelle, c'est quand je lui ai parlé de ma rencontre avec Weiss, devant le cimetière.

— Vous dites qu'il était particulièrement poli ?

— Oui. J'avais bien l'impression qu'il me menaçait, mais il le faisait de manière très civile, si vous voyez ce que je veux dire.

— Eh bien, si vous voulez mon avis, cela ne ressemble pas beaucoup aux façons de faire d'un officier de la Stasi. Tout comme les criminels, les hommes des services secrets ne s'encombrent pas de formules de politesse, qu'ils jugent généralement inutiles. Bien au contraire, si je puis dire. Leur plaisir réside justement dans le fait d'exprimer leur menace de la manière la plus ouverte et la plus violente possible. Ils savourent la peur et l'humiliation qu'ils voient dans vos yeux. Bon, peut-être que cela a changé, peut-être qu'ils se sont adaptés aux nouvelles réalités. Les plus intelligents en sont sûrement capables.

— En tout cas, maintenant, vous savez tout... Vous me prenez pour un fou ?

Haller m'a jeté un coup d'œil à la fois interrogateur et amusé.

— Pourquoi devrais-je vous prendre pour un fou ?

— Eh bien, toutes les personnes auxquelles j'ai exposé ma vision des faits jusque-là ont réagi comme si j'avais tout inventé, comme si je voyais des liens de cause à effet là où il n'y avait que des coïncidences et que mes conclusions étaient tirées par les cheveux, voire carrément rocambolesques.

Haller avait retrouvé son sérieux.

— Non, je ne vous prends pas pour un fou ni pour un affabulateur, soyez rassuré. Je ne suis pas sûr que vous ayez tiré les bonnes conclusions concernant ce que vous avez vécu, mais je ne doute pas du fait qu'il se passe quelque chose de sérieux.

— Qu'est-ce que nous allons faire, alors ?

— « Nous » ? Je ne crois pas que l'on puisse parler de « nous ». Si vous acceptez mes conditions, à commencer par une base de rémunération journalière de mille cinq cents euros, mon équipe et moi-même allons commencer par passer toutes les archives en revue, interroger des témoins et préparer notre rapport. Pendant ce temps, vous pouvez rentrer chez vous, si vous le souhaitez...

— Non, j'aimerais venir avec vous. Je suis sûr que je peux vous être utile.

— Avec tout le respect que je vous dois, monsieur Crookham, vous êtes architecte. Je ne me permettrais pas de vous donner des conseils en construction.

— J'entends bien, mais si vous étiez mon client et que vous payiez mes factures, vous seriez assurément le bienvenu si vous vouliez visiter le chantier. Je serais heureux de vous rencontrer à intervalles réguliers pour discuter de l'avancée des travaux et écarter quelques problèmes mineurs, quelques altérations et autres soucis. Bien entendu, j'insisterais pour que vous portiez un casque lorsque vous visiteriez le chantier, mais c'est parce que les chantiers sont des endroits dangereux et qu'ils coûtent la vie à beaucoup plus de monde, me semble-il, que les agences de détectives privés.

Haller m'a contemplé un moment avec une expression figée, impénétrable. L'espace d'un instant, je me suis demandé si j'étais allé trop loin. Je me préparais déjà à un au revoir bref et germanique, signant l'arrêt de notre collaboration, quand Haller a hoché la tête.

— Très bien. Je vous accorde que vous devez avoir une connaissance de spécialiste, si on peut l'exprimer ainsi, en ce qui regarde votre femme, et que celle-ci pourrait nous être d'une certaine utilité. Permettez-moi pourtant d'insister sur un point important : bien sûr, c'est vous qui payez la facture, c'est indéniable, et à ce titre vous êtes notre client. Sur le terrain cependant, c'est moi qui mène le jeu. Sauf cas de force majeure, vous n'intervenez pas. C'est moi qui parle. Est-ce que nous sommes bien d'accord ?

— Absolument.

Haller m'a reconsidéré un moment, comme pour m'évaluer.

— Encore une fois, monsieur Crookham, je préférerais largement que vous rentriez chez vous et que vous me laissiez faire mon boulot. Je dis cela pour votre propre bien.

— Merci. Je veux rester à Berlin.

— C'est la raison principale pour laquelle je suis prêt à vous laisser m'accompagner. Si vous tenez à rester ici, je veux savoir exactement quand vous vous déplacez et où vous vous trouvez.

Haller a soupiré, secouant la tête comme pour me faire comprendre qu'il agissait contre son jugement, puis il a conclu :

— Bon, eh bien... voilà une affaire qui roule, alors.

Nous nous sommes serré la main tout en convenant d'un rendez-vous à son bureau le lendemain matin. J'ai marché en direction de l'hôtel, savourant les lumières vives des rues, l'air glacé et le craquement de la neige sous mes pas, légèrement grisé par la bière. Je me suis arrêté en route pour dîner d'une assiette de pâtes et d'un verre de vin dans un petit restaurant non loin de l'hôtel. Quand j'ai fini par rejoindre ma chambre, je n'étais pas vraiment ivre mais je n'étais pas non plus complètement sobre.

Cela explique peut-être la raison pour laquelle j'ai fixé l'ouvrage posé à côté de mon lit avec une telle insistance, frémissant littéralement. N'importe qui aurait trouvé son emplacement parfaitement ordinaire : un livre sur une table de chevet, très légèrement en diagonale par rapport à l'angle de la table et du lit.

Sauf que je l'avais laissé droit, parallèle à cette ligne. Je fais toujours cela. C'est l'architecte en moi qui aligne tout. Peut-être aussi que c'était tout simplement l'effet de l'alcool sur ma mémoire. A moins que je ne l'aie déplacé moi-même sans le faire exprès pendant la journée.

C'était forcément ça. L'autre option était que quelqu'un était entré dans ma chambre, mais cet hôtel n'était pas de ceux où l'on refait votre lit chaque jour en déposant un chocolat sur votre oreiller.

J'avais passé toute la journée à sursauter dès que je voyais une ombre et à me figurer que j'étais suivi. Je n'allais certainement pas passer la nuit éveillé, à m'inquiéter au sujet d'éventuels intrus. Je me suis couché tout de suite après m'être brossé les dents, j'ai éteint la lumière et je me suis endormi avant 22 heures.

Cette nuit-là, j'ai rêvé que j'étais chez un fleuriste. J'essayais d'acheter un bouquet pour Mariana, mais à chaque fois que je voulais choisir les fleurs, je n'arrivais plus à les voir, ni à dire à la vendeuse ce que je désirais. Quand enfin j'ai cherché mon portefeuille, il avait disparu. J'ai commencé à paniquer, à vouloir sortir de cette boutique à tout prix, mais, une fois arrivé à la porte, je me suis arrêté net, frappé par une sensation de terreur abominable. Quelque chose était tapi juste devant la boutique du fleuriste, quelque chose d'extrêmement dangereux, et qui voulait ma peau, de toute évidence. J'étais incapable d'y changer quelque chose – pire : je n'avais pas la moindre idée de ce que cela pouvait être.

1988

Berlin-Est

Hans-Peter Tretow ne pouvait leur permettre de parler. C'était l'unique règle à ne jamais enfreindre. Pas d'échanges de notes, pas de plaintes et, surtout, pas un mot à quiconque, en dehors de leur groupe.

— Je n'ai pas été assez clair ? avait lancé Tretow, comme si leur désobéissance l'avait personnellement déçu, voire blessé.

Il avait dévisagé les deux larbins qui se tenaient devant lui dans la petite pièce en sous-sol.

— Si, monsieur, avaient répondu les deux silhouettes de concert.

— Ne vous ai-je pas prévenus à plusieurs reprises des mesures que je prendrais si vous me désobéissiez ?

— Si, monsieur.

— Mais cela ne vous a pas empêchés d'ignorer ce que je vous avais dit. Vous m'avez provoqué en bavardant à tort et à travers...

— Ce n'est pas sa faute, il n'a rien fait de mal, avait fait valoir le plus grand, le plus endurci, le plus sec du binôme.

Il s'appelait Friedrichs et, bien qu'il fût dépourvu d'éducation, ses yeux recélaient une intelligence perspicace et calculatrice qui forçait le respect.

— Est-ce que c'est vrai ? avait demandé Tretow en se tournant vers le compagnon de Friedrich, Müller.

— Non, monsieur... enfin si... je ne sais pas...

Müller était de toute évidence une mauviette, sur le plan autant physique qu'émotionnel. Tretow en avait conclu qu'il ne représentait aucune menace. C'était donc de Friedrich qu'il allait devoir s'occuper en premier. Tretow savait comment s'y prendre, mais il ne serait pas facile de trouver le moment opportun. D'autant qu'il était pressé par le temps.

— Décide-toi ! avait-il hurlé à l'adresse de Müller, espérant ainsi l'intimider. Dis-moi ce qui s'est passé !

Friedrich était intervenu, venant en aide à son ami incapable de parler.

— Il était contrarié par ce qui s'était passé pendant le week-end... vous savez, à Potsdam. Je m'en suis aperçu, alors je suis allé lui parler, lui dire que tout allait bien. C'est tout.

— C'est impossible ! Votre conversation m'a été rapportée, ce qui signifie que quelqu'un l'a entendue. Il y a deux possibilités : soit on vous a entendus, soit l'un de vous deux a parlé à quelqu'un d'autre, qui a en a parlé à son tour. Alors, c'est ça ? C'est ça, ce qui s'est passé ?

Müller l'avait regardé d'un air implorant.

— Non... je le jure... j'ai, j'ai...

Friedrich s'était retourné pour rassurer Müller, présentant son dos à Tretow l'espace d'un instant. C'était l'occasion qu'il attendait. Saisissant un vieux morceau de tuyau en acier qui dépassait d'un placard de rangement rempli de bric et de broc, il avait frappé Friedrich à la tête de toutes ses forces.

Lequel avait hurlé de douleur et de surprise, mais, bien que sa tête se fût mise à saigner abondamment, il n'était pas tombé. Tretow avait dû s'y reprendre à plusieurs fois avant que Friedrich daigne s'effondrer en tas sur le sol. La cave exiguë avait semblé répercuter à l'infini l'écho du tuyau métallique sur le crâne de Friedrich, ses efforts désespérés pour éviter les coups, les ahanements de Tretow et les cris de terreur de Müller, recroquevillé dans le coin le plus reculé de la pièce. Tretow n'avait jamais réalisé l'effort physique intense qu'il fallait fournir pour tuer quelqu'un à mains nues. Quand il s'était retourné vers

Müller, sa poitrine se soulevait, son bras et son poignet l'élançaient, et il avait tellement transpiré que le tuyau qu'il tenait dans la main était aussi glissant et fuyant qu'une anguille. Müller pourtant avait accepté son destin avec résignation et n'avait pas même protesté quand Tretow s'était mis à le tabasser avec le même acharnement que son compagnon.

Enfin, il en était venu à bout. Les deux corps gisaient à terre, immobiles. Mais Tretow ne voulait prendre aucun risque. Il avait plaqué un coussin sur les deux visages, l'un après l'autre, suffisamment longtemps pour être sûr que si le tuyau ne les avait pas tués l'asphyxie s'en chargerait à coup sûr. Puis il s'était effondré au sol, recru de fatigue. Assis sur le béton brut, le dos appuyé au mur, il avait médité sur ce qu'il venait de faire. Son nouveau statut de meurtrier ne lui inspirait ni sentiment de triomphe ni culpabilité. Il avait surtout l'impression d'avoir accompli aussi proprement que possible une tâche pénible mais nécessaire, sans se laisser dérouter par ses émotions.

Pour autant, ce n'était pas fini. Il fallait maintenant se débarrasser des corps. Et puis il lui faudrait tirer le bénéfice maximal de cette action. Il était important que plus personne ne se fourvoie comme l'avaient fait les défunts Friedrich et Müller.

32

De nos jours

York, Angleterre

Mardi

Je me suis réveillé tôt et j'ai trouvé un texto sur mon téléphone portable :
Mon bureau, 8 h 30, Haller.

Une douche chaude, terminée par un jet puissant d'eau froide, et quelques tasses de café bien tassé au petit déjeuner ont eu raison des derniers effets des boissons de la veille. En sortant de l'immeuble, je n'ai pas pu m'empêcher de balayer du regard le trottoir, des deux côtés de la rue, mais je n'ai vu personne qui semblât s'intéresser à moi dans la foule pressée des Berlinois vêtus de manteaux épais, certains se chauffant les mains autour de gobelets en carton de cappuccino à emporter.

Voilà pour mes délires paranoïdes.

J'ai pris un taxi pour me rendre au bureau de Haller. Il était situé au-dessus d'un café, en plein cœur de ce qui avait été Berlin-Est. L'immeuble qui flanquait le sien, à droite, était entièrement couvert d'échafaudages et de bâches en plastique, et toute la largeur du trottoir était envahie par des rouleaux d'isolant pour combles recouverts de neige. A gauche s'élevait un immeuble d'habitation dont la façade criblée de trous laissait apparaître la brique nue, comme de la peau sous un jean percé. Une merveilleuse odeur de café brûlant m'a chatouillé les narines quand je me suis avancé vers la porte principale. J'ai pressé le bouton indiquant «Xenon Detektivbüro» et aussitôt a retenti la même voix joviale qui m'avait accueilli au téléphone, à peine vingt-quatre heures auparavant :

— Montez, monsieur Crookham. Prenez l'ascenseur. Nous sommes au troisième.

Moins d'une minute plus tard, je me retrouvais en face de la propriétaire de cette voix, une jeune femme souriante aux yeux marron vifs et au physique moyen-oriental. J'étais en train de décliner mon identité quand Haller est apparu.

— Aha ! s'est-il exclamé en m'assénant une vigoureuse tape dans le dos. Vous n'avez pas perdu votre temps ! Vous avez déjà fait la connaissance de notre ravissante Kamile. Il faut cependant que je vous prévienne, monsieur Crookham : soyez très prudent. Kamile vient d'une famille turque très traditionnelle. Si vous lui manquez de respect, de quelque manière que ce soit, la vengeance familiale sera terrible. Ou pire encore ! Ils vous obligeront à l'épouser.

Kamile a lâché un petit rire poli d'employée consciencieuse qui a déjà entendu la blague un millier de fois, puis Haller a changé de ton :

— OK, nous devons partir pour notre premier rendez-vous. L'amie de classe de Mariana, Heike Schmidt, nous attend chez elle.

— Vous avez fait vite, dites donc !

— Je coûte cher, cependant j'essaie toujours d'être à la hauteur de mes tarifs.

Bien qu'il maîtrisât parfaitement l'anglais, Haller avait une drôle de manière de prononcer «cependant» en articulant chaque syllabe, là où un simple «mais» aurait très bien fait l'affaire. Nous avons quitté le bureau. Une fois arrivés dans la rue, Haller a jeté un regard désapprobateur à la ronde.

— Ce n'est pas l'endroit le plus salubre ici, cependant le loyer est vraiment bon marché et s'il y a une chose que j'ai apprise très vite, du fait de ma profession, c'est que ce n'est pas toujours rentable d'avoir un beau bureau. En général, les clients se disent qu'on dépense tout leur argent dans le loyer au lieu de résoudre leur affaire.

Il m'a guidé jusqu'à une BMW série 5 toute neuve : apparemment, les bolides faisaient partie des dépenses légitimées par la poursuite du crime.

— J'ai parlé de votre cas à un de mes collègues, hier soir... celui qui faisait partie de la Stasi, vous vous souvenez ?

— Et vous lui faites confiance ?

— Bien sûr.

J'ai ressenti toute la puissance du moteur quand il a déboîté pour s'insérer dans la circulation.

— Cela fait désormais cinq ans que nous travaillons ensemble, et il ne m'a jamais déçu. Il m'a fait remarquer que des agents entraînés par la Stasi aimaient bien se faire remarquer délibérément, parfois, pour communiquer à la personne filée une impression d'insécurité et de paranoïa.

J'ai frémi.

— Eh bien, si c'est ce qu'ils voulaient, ils ont réussi.

— Oui, je crains que la Stasi n'ait un certain talent pour ce genre de choses. Il y a un mot en allemand, *Zersetzung*, dont je ne trouve pas l'équivalent anglais mais qui décrit la totale, euh... l'anéantissement complet de l'être humain.

— Vous voulez dire quelque chose comme la destruction de son âme ?

— Oui, c'est à peu près cela. Cependant la Stasi prenait sa tâche très au sérieux. C'était d'ailleurs l'un des objectifs principaux de leur travail : la destruction complète de l'âme humaine, permettant au bout du compte un contrôle absolu des individus.

— Est-ce qu'ils essaieraient de faire cela avec moi, maintenant ?

J'ai laissé mon regard errer par la fenêtre en essayant d'imaginer les rues insignifiantes qui défilaient devant mes yeux un demi-siècle plus tôt, quand la Stasi épiait les moindres mouvements, surveillait chacun et faisait planer son ombre sur chaque aspect de l'Allemagne de l'Est à la manière d'un brouillard empoisonné.

217

— Nous n'avons pas la certitude que quelqu'un essaie de vous nuire, a avancé Haller. Cependant, si c'est le cas, je suppose qu'ils veulent avant tout vous faire peur et vous inciter à rentrer chez vous. D'ailleurs, je partage un peu leur avis...

J'ai détourné mon visage de la rue pour dévisager Haller.

— Je vous l'ai déjà dit, je ne vais pas rentrer. Je ne peux pas.

Il a soupiré.

— Votre présence complique les choses plutôt qu'elle ne les facilite, vous en êtes conscient ?

— Peut-être. Mais j'en ai assez de ces gens qui me disent de ne pas m'en mêler. Je n'ai pas le choix. Je suis dedans jusqu'au cou maintenant, et je ne m'arrêterai pas avant d'avoir découvert la vérité.

— Vous risquez d'attendre longtemps... Qui est jamais certain de détenir la vérité ?

Nous sommes restés silencieux pendant un moment. J'ai regardé par la fenêtre jusqu'à ce que je me sente en mesure de reprendre notre conversation.

— Il y a quelque chose qui m'échappe. Nous parlons de la Stasi comme si elle était toujours là, mais le Mur est tombé il y a plus de vingt ans. Qui sont ces gens ?

Haller a soupiré tout en rassemblant ses pensées.

— Ils sont... Bon, vous avez sûrement entendu parler d'Odessa, l'organisation des anciens membres de la SS ? Ce film, *Le Dossier Odessa*...

— Oui.

— Eh bien, il existe des organisations similaires pour les anciens membres de la Stasi. Elles s'appellent l'Insiderkomitee ou – cela ressemble à une plaisanterie de mauvais goût – la « Société pour la protection des droits civils et de la dignité de l'homme ». Ce sont pour certaines de véritables groupes sociaux : des hommes qui se réunissent pour parler de l'ancien temps. Ils tombent d'accord sur le fait que l'Allemagne part à vau-l'eau, des choses de cet ordre. Mais certains ont également une visée politique sérieuse. Ces hommes-là veulent faire comprendre au monde à quel point le vieil Etat communiste était extraordinaire. D'aucuns rêvent même de le ressusciter.

— Tout comme les néonazis espèrent faire renaître le Reich...

— Exactement. Et puis, pour être franc, certaines de ces organisations ne se différencient pas beaucoup de véritables organisations criminelles. Elles pratiquent les extorsions, les vols, les actes de violence, tout comme n'importe quel gang.

Il existait donc bien des gangs est-allemands. Cela m'expliquait l'air dur, voire criminel, qu'affichait Weiss.

— Et vous pensez donc que l'un de ces gangs est à mes trousses ?

— Non, je pense que *si* quelqu'un s'intéresse à vous, il est *possible* que ce soit l'un de ces gangs. On n'est jamais sûr de rien.

— Mais ces hommes devraient être d'un certain âge maintenant, non ? Même s'ils avaient à peine une vingtaine d'années au moment de la chute du Mur, ils devraient avoir au moins quarante ans désormais ! La plupart sont sans doute plus âgés que cela, d'ailleurs.

Arrivé à un carrefour, Haller a tourné la tête de gauche à droite pour vérifier que la voie était libre.

— Bien sûr. Cependant, il y a toujours de nouvelles recrues... des jeunes hommes qui ne trouvent pas de boulot stable ou qui veulent appartenir à quelque chose, se donner de l'importance. Il existe aussi un sentiment appelé l'Ostalgie, c'est-à-dire la nostalgie de l'Est. Les gens oublient tout ce qu'il y avait de négatif à l'Est : l'oppression, les délateurs, la police secrète, les restrictions. Tout ce dont ils se souviennent, c'est qu'ils avaient des emplois, des maisons, et tout un tas de choses comme les écoles et les soins médicaux sans débourser un centime. Il n'est pas difficile de convaincre ces gens-là de la nécessité de remettre en place l'ancien système, tout en cachant son objectif réel : la restauration de son propre pouvoir.

Haller s'est penché sur son volant, détaillant les bâtiments qui se dressaient de chaque côté de la rue.

— Parfait ! s'est-il exclamé avec un bref hochement de tête avant de ranger la voiture sur le bas-côté. Nous sommes arrivés. S'il vous plaît, n'oubliez pas que c'est moi qui pose les questions. Ne vous mêlez de rien.

— Si vous le dites...

— *Ja*, je le dis, a insisté Haller en détachant sa ceinture de sécurité. C'est parti.

La main sur la poignée de la porte, prêt à sortir, il a fait une pause, le temps d'ajouter :

— Oh, une dernière chose... Ces hommes de la Stasi que vous aviez l'impression de voir partout, hier...

— Oui ?

— Il n'y a personne aujourd'hui. J'ai vérifié pendant tout le trajet.

Hallet a souri :

— A moins qu'ils ne veuillent pas être découverts, en fin de compte...

33

La ville était truffée d'immeubles déclinant toute une palette de tons terreux, assez pâles, sable, ocre, gris tourterelle, vert cendré et brun poussière, entrecoupés de rares éclats d'un bleu ou d'un rose délavés et poussiéreux. Heike Schmidt habitait un vieux bâtiment jaunâtre de quatre niveaux. La porte d'entrée, d'un bordeaux soutenu, s'ouvrait d'une simple poussée et donnait sur un couloir tapissé de linoléum vert-de-gris. Deux rangées de boîtes à lettres métalliques ornaient le mur de gauche. Après avoir étudié les noms affichés en dessous de chaque boîte, Haller a annoncé :

— Dernier étage. Il va falloir grimper !

Il n'y avait pas d'ascenseur. Nous avons emprunté l'escalier en bois jusqu'au troisième, où Haller a traversé le palier avant de s'arrêter à une porte. Il a frappé deux coups secs. La porte s'est entrebâillée et j'ai aperçu un visage de femme assez fin, aux yeux marron.

— *Fräulein Schmidt ?*

— Oui ?

Haller a tendu un papier d'identité protégé par un porte-cartes de cuir et s'est présenté en allemand.

— Puis-je entrer, s'il vous plaît ?

Quelques secondes se sont écoulées avant que nous entendions le raclement d'une chaîne et que la porte s'ouvre.

— Entrez, a simplement dit Heike Schmidt.

Elle avait au maximum quelques mois de plus que Mariana, mais son visage était d'une pâleur grise, sans doute due à l'épuisement, et ses yeux, qui nous scrutaient nerveusement, comme sur la défensive, étaient ridés et enfoncés dans leurs orbites. Ce regard ne différait pas tant que cela de celui que j'avais surpris chez Mariana, au tribunal de York, quelques jours plus tôt. Pour la première fois, je me suis demandé si cette expression de dévastation et de défaite qui lui ressemblait si peu n'était pas, en fin de compte, le véritable reflet de l'âme de Mariana. Peut-être que la seule chose qui différenciait ces deux femmes était que Heike Schmidt n'avait jamais été en mesure de se construire une jolie carapace pour tromper le monde. Toutes deux, cependant, ressemblaient aux victimes d'un même traumatisme psychologique.

Perdu dans mes pensées, je n'étais qu'à moitié conscient de la voix de Haller expliquant :

— Mon nom est Haller et voici mon collègue venu d'Angleterre, monsieur Crookham...

— Crookham ?

J'ai réalisé que Heike Schmidt me regardait, attendant manifestement une réponse.

— Euh, oui... ai-je répondu, estimant que j'étais en droit de prendre la parole quand on m'interpellait directement.

Haller n'a pas eu l'air de se formaliser, aussi ai-je poursuivi en espérant que mon allemand balbutiant était à peu près compréhensible :

— Vous avez parlé à mon frère, Andrew Crookham, il y a quelques semaines de cela.

Grossière erreur. Heike Schmidt s'est immédiatement raidie :

— Oh... Je... a-t-elle bredouillé.

Nous n'avions fait que quelques pas à l'intérieur de son appartement et elle semblait déjà prête à nous mettre à la porte.

— Fräulein Schmidt, nous avons besoin de votre aide dans le cadre d'un meurtre, a repris Haller.

— Je ne comprends pas. Est-ce que vous êtes de la police ?

— Non, pas du tout.

Elle a froncé les sourcils :

— Mais la jeune femme à laquelle j'ai parlé, celle de votre bureau, m'a dit que...

— Elle n'a pas dit que nous étions de la police, je vous assure, l'a interrompue Haller. Je suis détective privé, j'ai ma licence, tout ceci est parfaitement légal.

Heike Schmidt a fait la moue, rejetant en arrière ses maigres épaules pour se redresser autant qu'elle le pouvait, et tout d'un coup j'ai réalisé à quel point Haller et moi-même devions lui paraître intimidants, ainsi penchés sur elle.

— Ça m'est égal, a-t-elle rétorqué. Je ne peux pas vous parler.

Haller a tenté sa chance en adoptant un ton doucereux :

— Ne vous alarmez pas, mademoiselle Schmidt, nous voulons seulement vous poser quelques questions. Vous ne courez aucun danger.

— Si je réponds à vos questions, je vais avoir des problèmes. Je vous en prie, partez... Partez tout de suite !

Haller s'est retourné vers la porte mais je suis resté à ma place.

— Venez, m'a dit le détective, vous avez entendu Fräulein Schmidt. Nous devons y aller.

J'ai pris une profonde inspiration, j'ai expiré très doucement, et tandis que Haller insistait, « Allez ! », j'ai sorti de la poche de ma veste un morceau de papier que j'ai tendu à Mlle Schmidt en ne la quittant pas des yeux. J'essayais désespérément de trouver le lien qui unissait ces deux personnes.

— Mademoiselle Schmidt, est-ce que vous reconnaissez la petite fille, sur cette photo ?

Heike Schmidt n'a rien dit, mais son regard est resté rivé sur le visage de Mariana et je l'ai vue cligner des yeux plusieurs fois, comme si elle refoulait les larmes.

— Cette petite fille est ma femme, aujourd'hui, ai-je expliqué.

Haller s'était immobilisé et ne disait plus rien.

— J'ignore quel nom elle portait quand vous vous fréquentiez, ai-je poursuivi, mais aujourd'hui elle s'appelle Mariana Crookham, et elle a de gros ennuis.

— En Angleterre ? m'a demandé Heike Schmidt.

— Oui.

Elle se mordait les lèvres, la curiosité luttant visiblement contre la peur qui la retenait encore. Finalement, la curiosité l'a emporté :

— Quel genre de problèmes ?

— Elle est accusée de meurtre. J'essaie de prouver son innocence. Elle était votre amie, n'est-ce pas, quand vous étiez petites ?

Heike a esquissé un bref hochement de tête, à peine perceptible.

— Je vous en supplie, l'ai-je implorée. Je suis sûr que cela pourrait l'aider si seulement j'arrivais à savoir ce qui lui est arrivé dans sa jeunesse.

Heike Schmidt a ouvert de grands yeux apeurés.

— Non, non... pas ça...

— Je vous en prie.

— Je ne peux pas. Ils vont... C'est impossible.

— Il y a bien quelque chose, n'importe quoi, que vous pouvez nous dire ? Peut-être concernant son père ?

— Son père ?!

Elle avait lâché ces mots dans un ricanement nerveux, presque hystérique.

— Il n'y a pas de père. Nous ne nous sommes pas rencontrées dans cette école, vous savez. Nous nous sommes rencontrées dans un orphelinat.

34

Nous avons tué le temps dans un café du coin pendant une heure, environ, tandis que l'équipe de Haller essayait de dénicher l'adresse d'un ancien orphelinat d'Etat non loin de la Grundschule, à Rudow. Puis nous nous sommes mis en route. J'avais toujours imaginé Berlin comme une ville sombre, oppressante, arpentée par une foule dense et écrasée par le poids de son histoire. Quand nous avons refait le chemin en sens inverse, cependant, en direction des banlieues du Sud-Est, la ville m'a paru remarquablement ouverte et spacieuse. Les longues avenues rectilignes et aérées, bordées de bureaux et de boutiques, me rappelaient l'étendue arbitraire de bien des villes américaines qui s'étalaient à l'infini, grignotant de plus en plus de terrain.

— Je vous ai dit que Berlin avait été décimée, m'a rappelé Haller. En 1939, la ville comptait pas loin de quatre millions et demi d'habitants. En 1945, elle en dénombrait moins de trois millions. Pendant les années 1950, les gens passaient à pied de Berlin-Est à Berlin-Ouest, et de là ils prenaient l'avion pour rejoindre la République fédérale. C'est pour cette raison que les communistes ont dû construire leur mur. C'était l'hémorragie. Aujourd'hui encore, la ville semble toujours un peu vide. Savez-vous qu'à Paris vingt mille personnes se partagent un kilomètre carré ? A Berlin, il y en a quatre mille.

J'ai souri.

— Vous connaissez chaque détail de l'histoire par cœur !

— Eh bien, tout mon business repose sur des histoires, vous savez. Et puis, je n'ai jamais bénéficié d'une éducation classique, alors je me rattrape au maximum maintenant. J'adore l'information – peut-être un peu comme votre frère, le journaliste. Est-ce qu'il était comme cela, lui aussi ?

— Oui... Je ne réalise que maintenant jusqu'où il était capable d'aller pour obtenir une information. C'est sans doute ce qui l'a tué d'ailleurs, n'est-ce pas...

— Hmm, a murmuré Haller en déboîtant habilement pour changer de file.

— Qu'est-ce qu'il y a ?

— Je crois que vous avez une leçon à tirer de ses erreurs.

— Qu'entendez-vous par là ?

— Eh bien, d'une certaine manière vous agissez comme votre frère, vous vous emballez pour une histoire qui est dans votre tête. Tout d'abord, vous essayez de trouver un autre coupable pour l'assassinat de votre frère alors que tout le monde est convaincu que c'est votre épouse. Ensuite, vous décidez d'accepter la culpabilité de votre femme mais vous vous mettez en tête qu'elle doit avoir une bonne raison pour cela : son père était dans la Stasi et il lui a infligé des traitements affreux. Vous vous lancez alors dans la recherche de preuves pour étayer cette théorie. Mais comme vous abordez cette histoire comme s'il s'agissait d'une théorie que vous souhaiteriez prouver, vous voyez le monde à travers des œillères. Quand vous apercevez un homme louche dans le train, vous imaginez tout de suite qu'il est de la Stasi. Un autre homme vous regarde à l'hôtel Adlon... et *Ach, natürlich !* bien sûr ! c'est encore un de ces types de la Stasi, envoyés par votre beau-père pour vous surveiller. Et voilà que la première information concrète que nous recevons est que votre Mariana vivait dans un orphelinat. Elle n'avait pas de père. Que faisons-nous de votre théorie, maintenant ?

— Je vois ce que vous voulez dire...

— Mon conseil sera donc le suivant : arrêtez d'inventer toutes ces histoires ou ces théories. Concentrez-vous sur les faits... Ah, nous approchons.

Nous avions traversé la ville en direction du sud. En m'aidant de mon sens de l'orientation et de quelques coups d'œil subreptices au GPS de Haller, j'ai estimé que nous nous retrouvions dans les environs de son bureau. Le coin était parsemé d'immeubles relativement bas, habilement dispersés entre ces fameux espaces verts qui semblent toujours beaucoup plus agréables sur les plans de leurs concepteurs que dans la réalité. Les rez-de-chaussée des bâtiments qui se faisaient face, de part et d'autre de la rue, abritaient des boutiques, des cafés et des bars. Les blocs d'habitation étaient entrecoupés de champs en friche, dénués de toute végétation en cette saison, ainsi que de chantiers de construction dont l'accès était interdit par des clôtures grillagées. Planté au milieu d'un vaste espace apparemment à l'abandon, un grand panneau d'affichage donnait un aperçu en modèle réduit des futurs aménagements prévus pour l'endroit. Un homme d'âge mûr, rubicond et d'apparence plutôt joviale, se tenait debout derrière le modèle réduit et le contemplait d'un air satisfait. Un nom d'agence figurait en bas de l'affiche : Tretow Immobilien GmbH.

La voix du GPS s'est fait entendre : « *Sie haben Ihr Ziel erreicht.* »

Nous étions arrivés. Après avoir garé la voiture le long du trottoir et arrêté le moteur, Haller a jeté un coup d'œil à l'affiche.

— Eh bien, bravo, merci, a-t-il marmonné. Je suppose qu'ils n'ont plus besoin d'orphelinats maintenant, par ici.

Je suis sorti du véhicule et j'ai contemplé à travers la grille l'étendue de terrain gelé et aride où Mariana avait passé son enfance. Vu la rapidité avec laquelle nous avions retrouvé Heike Schmidt puis le nom de l'orphelinat, je m'attendais naïvement à découvrir une vieille bâtisse sombre renfermant de sinistres secrets qui n'attendaient que nous pour être révélés au grand jour, comme par magie. J'étais sûr de trouver enfin les réponses à toutes les questions que je me posais sur le passé de ma femme.

Au lieu de cela, nous nous retrouvions en face d'un vide, d'une absence. C'était presque comme si les forces qui avaient dominé cet endroit par le passé avaient poussé le vice jusqu'à recouvrir soigneusement leurs traces, effaçant ainsi les preuves de leurs méfaits. Je me souvenais d'avoir vu des reportages aux nouvelles, juste après la chute du Mur : certains hommes de la Stasi étaient prêts à tout pour détruire les documents dévoilant toute l'étendue de leurs crimes. Cet orphelinat ne semblait pas avoir échappé à leur vigilance.

— Ne faites pas cette tête-là, m'a dit Haller. Si c'était si facile, je n'aurais plus qu'à m'inscrire au chômage ! Nous allons nous renseigner sur ce qui s'est passé ici, il nous faut juste un ou deux témoins, ce ne devrait pas être bien sorcier. Allez, venez !

Haller s'était garé devant une série de boutiques et nous avons commencé à passer de l'une à l'autre et lui à s'adresser aux vendeurs ou aux clients qui lui semblaient suffisamment âgés pour se souvenir de l'orphelinat. La chance a fini par nous sourire. Nous avions poussé la porte d'une boucherie à l'entrée de laquelle un cochon en plastique hilare brandissait une ardoise affichant les réductions du jour. A l'intérieur, une petite dame d'un âge certain était en train d'inspecter d'un œil averti les saucisses alignées dans une vitrine réfrigérée.

— Ha ! s'est-elle exclamée quand Haller l'a interrogée au sujet de l'orphelinat et de ses pensionnaires. Pour ça, il faut vous adresser au vieux Fredi, c'était lui l'*ABV*, ici.

— Où est-ce que nous pourrions le trouver ?

— Est-ce qu'il est midi ?

Haller a consulté sa montre :

— Oui, tout juste.

— Alors il sera à la *Kneipe* avec ses camarades, comme d'habitude, à parler du bon vieux temps en descendant des bières...

— Comment vais-je le reconnaître ?

— Demandez au barman, il vous le montrera. Tout le monde connaît le vieux Fredi. Ce qui ne veut pas dire que tout le monde l'apprécie, attention ! Mais enfin on le connaît bien, par ici.

Haller a remercié la vieille dame et nous avons quitté la boucherie.

— Qu'est-ce qu'un *ABV* ?

— *Abschnittsbevollmächtigter*, m'a répondu Haller, avant de s'esclaffer devant mon expression désemparée, les mots allemands étant parfois d'une longueur décourageante. Ce terme désigne une personne détenant par procuration le pouvoir sur un quartier ou une région. En pratique, l'*ABV* était un homme choisi par l'Etat pour observer les habitants de son quartier et reporter tout comportement anti-social.

— Un mouchard officiel, en quelque sorte..

— Exactement.

— Je croyais pourtant que la Stasi comptait déjà des centaines de milliers d'espions cachés ?

— C'est exact, mais pour la Stasi on n'était jamais trop informé, voyez-vous.

— Je comprends... Et qu'est-ce qu'une *Kneipe* ?

— C'est un terme très berlinois pour désigner un troquet, un bistrot... comme celui-ci par exemple, a-t-il ajouté en désignant du menton la porte vers laquelle nous nous dirigions.

35

Si une maison était une « machine à habiter », comme Le Corbusier avait coutume de le dire, cette *Kneipe* était sans aucun doute une machine à boire. D'une austérité extrême, elle était dénuée de toute ornementation, de toute velléité de confort. Ce n'était rien de plus qu'un espace doté d'un bar couvert de faux bois stratifié et agrémenté d'une série de tireuses à bière. Au centre de cet espace avaient été installées quelques tables de bar rondes entourées de tabourets, avec, le long des murs, quelques tables rectangulaires, plus basses. Le barman a fait un geste en direction d'une des tables autour de laquelle trois hommes étaient assis.

— Là-bas, le type en pull marron.

Je m'attendais à rencontrer un vieux schnock décrépit. En réalité, le vieux Fredi s'est révélé être une espèce de malabar au crâne rasé dégageant une tension nerveuse chargée de ressentiment semblable à une odeur corporelle directement sécrétée par ses émotions.

Haller a attrapé une chaise et s'est attablé avec eux, m'indiquant au passage de l'imiter. Puis il a posé un billet de cent euros sur la table et l'a fait glisser vers le vieux Fredi.

— Est-ce que je peux vous offrir une tournée, camarades ?

Fredi l'a regardé d'un air aussi suspicieux que menaçant :

— Qui régale ?

— Est-ce vraiment important ? Je ne suis pas flic, il n'y a rien d'officiel dans tout ça. On m'a juste indiqué que vous pourriez m'aider pour une enquête sur laquelle je travaille en ce moment.

— Et ton pote, c'est qui ?

— Mon associé.

Je n'ai pas pipé mot. Depuis l'instant où nous avions pénétré dans le bar, tous les échanges s'étaient faits en allemand. Je concentrais toute mon attention sur ce que disait Haller, m'efforçant de déchiffrer le redoutable accent berlinois.

Fredi a tendu la main pour attraper le billet qu'il a fait disparaître dans une poche de son pantalon.

— Trois litres de bière, six doubles schnaps et des bretzels !

— Et des chips ! a ajouté l'un de ses compères.

J'ai vu Haller jeter un coup d'œil dans ma direction.

— J'y vais, ai-je annoncé.

— Pour moi aussi, une bière, a dit Haller.

Je suis allé chercher la tournée tandis que Haller entamait une conversation décousue avec Fredi et ses compagnons de beuverie. Cela a pris quelques secondes de distribuer les verres et les en-cas. Fredi a avalé une longue gorgée de sa chope de bière, puis il a essuyé la mousse de ses lèvres avant d'attraper un premier schnaps qu'il a descendu cul sec.

Une fois qu'il eut bruyamment reposé son verre vide sur la table, Haller a commencé à le questionner :

— Bon, j'aimerais que vous me parliez de l'orphelinat.

— Quel orphelinat ?

Fredi a esquissé une grimace vers ses potes, comme pour se vanter de sa réponse particulièrement spirituelle.

— Celui du coin de la rue.

— Oh, celui-là... Eh ben, c'était un immeuble rempli d'enfants... qui n'avaient ni papa ni maman, bouhouou !

Fredi s'est rengorgé des rires gras de ses compagnons, il a avalé une nouvelle gorgée de bière et a regardé Haller.

— Que voulez-vous savoir de plus ?

— Je voudrais savoir ce qui a pu se passer de suffisamment grave dans cet établissement pour qu'une femme refuse d'en parler, plus de vingt ans après.

Les rires ont cessé. Fredi a plissé les paupières.

— Non, vous n'avez pas envie de savoir ça.

Haller l'a fixé droit dans les yeux.

— Laissez-moi en juger par moi-même.

Puis il a déposé deux billets supplémentaires sur la table. Je n'ai pas pu m'empêcher de songer que j'allais indubitablement les retrouver sur ma facture.

Cette fois encore, Fredi a empoché l'argent. Ayant visiblement besoin de courage pour parler de ce sujet, il a ignoré sa bière pour engloutir immédiatement son second schnaps. Puis il a considéré ses camarades comme pour quérir un conseil ou leur soutien, mais leurs regards sont restés vides, totalement inexpressifs. Quoi que Fredi s'apprêtât à dire, ils ne voulaient pas être mêlés à ça.

Il a fini par marmonner :

— Je dois être fou pour faire une chose pareille... En tout cas, il y avait un type dans l'orphelinat... un concierge. Il paraît qu'il faisait du mal aux enfants... Beaucoup de mal, si vous voyez ce que je veux dire.

Haller a pris quelques notes dans un petit carnet.

— Est-ce que vous avez fait part de ces rumeurs aux autorités ?

— Vous voulez savoir si j'ai écrit un rapport là-dessus à la Stasi... comme j'étais censé le faire ?

La voix de Fredi trahissait une certaine amertume, comme une haine de soi qui couvait, quelque part.

— Ouais, bien sûr que je l'ai fait. C'était mon boulot. Mais je ne l'ai fait qu'une fois, en fin de compte, parce qu'on m'a fait comprendre très clairement qu'on ne voulait rien savoir sur l'orphelinat. Ils ont été très précis, d'ailleurs : ils voulaient connaître les moindres détails de tout ce qui se passait dans mon secteur, mais pas un mot sur l'orphelinat... rien !

Haller a levé les yeux de son carnet.

— Comment s'appelait ce gardien ?

— J'ai oublié.

Haller a posé sa main sur son portefeuille.

— Peut-être que je peux vous aider à retrouver la mémoire...

Fredi a secoué la tête.

— Non, ça ne changera rien. Je ne veux pas m'en souvenir. Ce ne serait pas une bonne idée. Ce serait même une sacrément mauvaise idée, si vous voulez mon avis. Vous saisissez ?

— Alors cet homme est encore dans les parages ?

Un haussement d'épaules.

— Possible, ouais.

— Où ?

Fredi a lâché un rire lourd de dérision avant de balayer l'air de la main, comme pour désigner quelque chose dans le ciel :

— Ici, là, partout. Il nous observe... comme un dieu, tiens !

Ses compagnons ont ricané en échangeant des coups d'œil nerveux. Tout en les observant pensivement, je m'efforçais d'établir une connexion entre les informations qu'ils nous avaient livrées. Tout d'un coup, l'évidence m'est apparue et je me suis exclamé, sans réfléchir :

— Mais bien sûr ! Le nom, sur l'orphelinat... Tretow ! Tretow Immobilien !

Haller a levé les yeux au ciel, secouant la tête devant ma bêtise, et la sienne pour avoir accepté que je l'escorte. Un éclair de peur brute a traversé le regard de Fredi, qui a aboyé :

— Ta gueule ! Tu veux qu'on se fasse tous zigouiller ? Tire-toi ! Allez, fous le camp et emmène ton copain ! Je ne dirai pas un mot de plus.

Haller s'est levé, il a attrapé mon bras et m'a quasiment traîné jusque dans la rue.

— Ça !

Il criait presque.

— Ça, c'est exactement la raison pour laquelle je ne voulais pas que vous veniez avec moi ! Merde ! Ah, ça m'apprendra à laisser un amateur m'accompagner sur le terrain...

Il s'est éloigné d'un pas vif, s'est arrêté tout net. S'efforçant visiblement de se ressaisir, il a pris une profonde inspiration et s'est retourné vers moi. J'étais sincèrement honteux.

— Je suis désolé. Ce n'était pas mon intention de tout foutre en l'air, je...

— OK, c'est bon... De toute manière, nous n'en aurions pas tiré grand-chose de plus. Cependant, la prochaine fois que vous avez une idée lumineuse, attendez qu'on soit dans la voiture pour m'en parler, d'accord ?

— Qu'est-ce qu'on fait, maintenant ? On cherche Tretow ?

— Et on lui dit quoi ? Nous ne savons ni ce qu'il a fait, ni quand il l'a fait. Nous n'avons aucune preuve...

— Mais il faut bien que nous fassions quelque chose ! Mariana a été internée dans cet orphelinat, et apparemment ce type maltraitait les enfants... Et puis, pourquoi la Stasi fermait-elle les yeux sur cette affaire, à votre avis ? Ce type est peut-être la clé de tout !

— Exactement ! Et c'est précisément pour cette raison que nous devons être sûrs de ce que nous avançons avant de l'approcher. Nous n'aurons qu'une seule chance, il ne faut pas la gâcher.

Un silence gêné commençait à s'installer entre nous quand la porte de la *Kneipe* s'est ouverte à la volée et qu'un des camarades de Fredi, celui qui avait demandé des chips, est sorti. Il nous a jeté un coup d'œil avant de se concentrer sur la tâche selon toute apparence malaisée d'extirper un paquet de cigarettes de sa poche intérieure, d'en sortir une et de l'allumer, les épaules voûtées contre le vent. Il a pris une première taffe, inhalant profondément la nicotine, puis il s'est approché de nous.

— Vous voulez en savoir plus sur cet orphelinat ?

— Peut-être, oui, a dit Haller.

— Je peux vous aider, si vous voulez. Mais il va falloir me donner un peu de ce fric que vous avez distribué à ce sale grippe-sou de Fredi, parce qu'on peut toujours rêver pour qu'il partage ! Et lui, là, a-t-il ajouté en me désignant du menton, il ferait mieux de la fermer, cette fois.

Haller a sorti une nouvelle coupure de cent et la lui a tendue.

— Alors ?

— Il y a une femme dans le coin, Magda Färber. Elle a travaillé à l'orphelinat. Elle surveillait les gamins. Elle doit savoir ce qui se passait là-bas.

— Est-ce que vous allez m'aider à la retrouver ?

— Ça fera cent de plus.

— Cinquante. Je peux la trouver tout seul, s'il le faut. Vous me ferez juste gagner un peu de temps.

— Elle travaille à l'école maintenant, à mi-temps. C'est elle qui fait déjeuner les petits. Celle avec les cheveux orange comme les poils d'un orang-outan, et puis aussi bien coiffés, en plus. C'est pas compliqué...

— Qui se ressemble s'assemble, on dirait, a conclu Haller en lui donnant un billet de cinquante euros.

36

— Je ne trouve pas qu'elle ressemble à un orang-outan, a dit Haller.

J'étais entièrement d'accord avec lui.

La Magda Färber qui venait de sortir des cuisines de la Grundschule avait peut-être forcé sur la teinture, mais elle n'avait rien en commun avec un primate. Petite et soignée, elle était pomponnée comme une Barbie des années 1980. Son jean couleur neige n'était plus à la mode depuis un moment, sa courte veste en skaï molletonnée, d'un rose criard de mauvais goût, pas davantage, et son visage était marqué par l'âge et la pauvreté. Comparée aux saoulards attablés avec Fredi, cependant, elle faisait figure de reine de beauté.

— Je vous parie qu'elle l'a renvoyé dans ses vingt-deux mètres et qu'il ne le lui a jamais pardonné, ai-je soufflé à Haller.

— C'est fort probable. Voyons voir si elle nous envoie balader, nous aussi.

Contre toute attente, Färber a accepté de nous parler en se contentant d'une bonne tasse de chocolat chaud dans un café du coin plutôt que d'une liasse de billets alignant les zéros. L'histoire qu'elle a entrepris de nous raconter, cependant, ne correspondait en rien à ce à quoi nous nous attendions.

— Bien sûr que je me souviens de M. Tretow ! Ah, il était vraiment charmant... Et tellement gentil ! Il me demandait toujours comment j'allais, il me faisait des compliments... Il n'arrêtait pas de me répéter que j'étais jolie et que je faisais beaucoup moins que mon âge... à tel point qu'on avait du mal à me différencier des élèves, parfois ! Evidemment c'était il y a longtemps, hein ! J'avais à peine vingt ans...

Haller lui a adressé un sourire espiègle.

— Cela ne m'étonne pas ! Vous êtes une femme attirante. Si je n'étais pas marié, moi aussi...

Färber m'a regardé en arquant les sourcils et en se trémoussant de manière exagérée, comme une drag-queen.

— Hop là, écoute-le, ton patron ! Quel charmeur ! Il est toujours comme ça avec les filles, dis ? Hansi était exactement pareil, Dieu le bénisse... Enfin M. Tretow, je veux dire. Ah, il savait parler aux gens, celui-là. Mais si je peux me permettre, sa femme était une vraie langue de pute, elle. Elle s'est fait la malle à peine quelques semaines après leur arrivée et elle a emmené les enfants avec elle. Elle était trop gâtée, c'était ça son problème. Elle avait été habituée aux traitements de faveur, et quand le vent a tourné pour son mari elle n'a pas supporté. Une bonne épouse devrait rester auprès de son mari quand il traverse un coup dur. Mais elle, non ! Elle est allée se chercher un autre bonhomme à exploiter. Eh bien, vous voulez que je vous dise ? C'est pas comme ça qu'on m'avait décrit une bonne citoyenne socialiste ! Ce pauvre Hansi était dans tous ses états. Ses enfants représentaient tout pour lui, il en était tellement fier ! Mais elle lui a mené la vie dure, il n'avait jamais le droit de les voir, c'était un supplice de le regarder souffrir comme ça.

Si Haller était aussi surpris que moi de découvrir que Färber admirait Tretow, contrairement à ce que nous escomptions, il n'en laissait rien paraître.

— Vous prendrez bien une part de strudel ? a-t-il demandé en faisant un signe au garçon.

Aussitôt est apparue une grosse portion de gâteau épicé à la pomme surmontée d'une montagne de crème Chantilly, le tout baignant dans un lac de chocolat chaud. Färber y a plongé sa fourchette avec un appétit qui démentait sa minceur.

Pendant qu'elle faisait un sort à ce goûter, Haller a continué de papoter de choses et d'autres puis, comme si l'idée venait de lui traverser l'esprit, il est reparti à l'assaut :

— Ah ça, il y a dû en avoir des ragots et des commérages sur ce qui se passait à l'orphelinat, avec les enfants. Apparemment, des gens auraient même raconté que M. Tretow avait trempé là-dedans...

La grosse bouchée de strudel que Färber s'apprêtait à enfourner s'est immobilisée en plein élan, à mi-chemin entre l'assiette et sa bouche ouverte. Puis elle a reposé brusquement sa fourchette, faisant tinter la porcelaine, et nous a fixés à tour de rôle d'un air farouche.

— Ce n'est rien qu'un tas de mensonges et de calomnies ! a-t-elle éructé avec colère. Je sais que certaines personnes ont dit des choses, des choses cruelles. Ils n'ont jamais pu prouver un seul mot de ce qu'ils avançaient. Hansi était désespéré. Je me souviens encore quand il vidait son cœur devant moi, quand il me suppliait de ne pas croire à tous ces racontars ! Eh bien, moi, je lui gardé ma confiance. Et vous savez pourquoi ?

Färber nous a défiés du regard avant de nous fournir la réponse :

— Parce qu'il n'a jamais eu le moindre problème. Pas une seule fois. Personne n'est venu enquêter sur lui, il n'a jamais été emmené pour un interrogatoire et il n'a évidemment pas été arrêté, ça se serait su. Vous auriez dû voir, messieurs, comment ce pays était, au bon vieux temps – j'ai bien dit au *bon* vieux temps. Ah, les autorités savaient ce qui se passait, à l'époque. Ce n'était pas comme aujourd'hui, où des romanos ou des Turcs peuvent voler en toute impunité, et puis ces drogués, à tous les coins de rue, ces trottoirs truffés d'agresseurs, de violeurs et, oui, même d'assassins ! A l'époque, il n'y avait rien de tout cela, les criminels étaient immédiatement interpellés, on s'en occupait tout de suite. Alors si Hansi avait fait quelque chose de mal, je peux vous dire, messieurs, qu'il aurait eu des ennuis et un peu vite, et que j'aurais été la première à lui dire : « Bon débarras, bien fait pour toi ! »

Parce que c'était comme ça. Les coupables étaient punis et les innocents n'avaient rien à craindre. Mais Hansi, lui, il n'a jamais été embêté. Alors c'est sûr qu'il était innocent, vous voyez.

Elle a empoigné sa fourchette pour engloutir les dernières bouchées de son strudel avant que l'un de nous ne s'aventure à contredire sa théorie ou à lui retirer son assiette.

— Vous en voulez encore ? a demandé Haller une fois qu'elle a eu terminé.

— Oh, je ne pourrais même plus avaler une miette...

— Un café alors ? C'est bon pour la digestion.

— Ah ça, c'est pas de refus, merci.

Haller a commandé la boisson puis il a sorti de sa poche la photographie de Mariana enfant.

— Vous reconnaissez cette petite fille ?

Färber a contemplé l'image floue pendant un moment, en fronçant les sourcils. Puis tout son visage s'est éclairé d'un sourire affectueux, presque indulgent.

— Ah, ma petite Mariana ! Notre princesse ! Bien sûr que je la reconnais !

— Qu'est-ce que vous savez à son sujet ?

— Eh bien, je ne sais pas ce qu'elle est devenue en tout cas, si c'est ce que vous voulez savoir.

— Non, en fait ce qui nous intéresse, c'est plutôt comment elle était, à l'époque. Est-ce que vous vous souvenez d'elle... ou de sa famille, peut-être ?

Färber a secoué la tête d'un air désapprobateur.

— Oh, les parents, ils n'étaient pas bien. Des traîtres, d'après ce qu'on m'a dit. Le père a sans doute été exécuté, et à juste titre d'ailleurs. Quant à la mère, elle était en prison. C'est pour ça que Mariana est venue chez nous.

— C'était le traitement qu'on réservait habituellement aux enfants des traîtres, n'est-ce pas ?

— Exactement ! Quand une femme commettait un crime contre l'Etat, ses enfants étaient tout de suite pris en charge. C'était obligatoire, vous savez. On n'allait pas les laisser dans ces familles ! Ils auraient subi une mauvaise influence. Ils auraient sûrement mal tourné.

J'étais resté silencieux jusque-là, mais je ne pouvais me taire plus longtemps :

— Mais Mariana n'était pas comme ses parents, n'est-ce pas ? Est-ce que c'est ce que vous êtes en train de dire ? Elle n'était pas une mauvaise fille...

— Oh, non, roucoula Färber avec clémence. Elle était adorable. Tellement jolie, avec ce sourire merveilleux... Hansi disait toujours que ça lui brisait le cœur de la regarder parce qu'elle lui rappelait tellement sa propre fille. Je crois qu'elle était sa préférée parmi tous les enfants, même s'il ne le disait pas. Vous savez ce qu'elle est devenue ? Je me suis souvent posé la question. C'était vraiment la folie, à la fin ! Le Mur est tombé. Le pays s'est disloqué. Les enfants ont disparu les uns après les autres, comme des fantômes. Personne ne comprenait ce qui se passait.

J'ai vu Haller articuler un « non » muet à mon intention, mais je l'ai ignoré :

— Malheureusement non, c'est bien dommage. Et M. Tretow, qu'est-ce qu'il est devenu ? Vous êtes restés en contact, tous les deux ?

— Oh, il est beaucoup trop important pour perdre son temps avec quelqu'un comme moi, maintenant ! Non... lui aussi, il a disparu comme par magie. Un jour, il nettoyait les sols et entretenait les chaudières, comme d'habitude. Le lendemain, il n'était plus là. Mais comme je vous disais : tout était comme ça, à l'époque. Maintenant que vous en parlez, je me rends compte que je pense souvent à lui. Ah, qu'est-ce qu'on s'est amusés pendant ces années-là...

L'entrevue s'est terminée sur quelques réminiscences supplémentaires sur la vie de Färber. Alors que nous sortions du café, Haller m'a demandé :

— Alors, qu'avez-vous pensé d'elle ?

— Elle était visiblement très amoureuse de Tretow, mais je ne suis pas sûr qu'il y ait eu réciprocité...

— Je suis d'accord avec vous. Quant à ses déclarations concernant les prétendues fausses rumeurs, quelle est votre opinion ?

— Eh bien, si nous n'avions pas rencontré le vieux Fredi juste avant, j'aurais été tenté de la croire. Vu le fonctionnement de la RDA, il semble peu vraisemblable que personne n'ait rendu compte de tels agissements. Mais comme nous savons que le vieux Fredi a fait son rapport et qu'on lui a dit de s'occuper de ses oignons... cela veut dire que la Stasi, ou qui que ce soit, était au courant de tout et l'ignorait sciemment.

— Mais pourquoi ? demanda Haller tout en actionnant l'ouverture automatique des portes de sa BMW, qui laissa échapper un bip aigu et sonore.

— Deux raisons me viennent à l'esprit. La première, c'est qu'ils se foutaient royalement du sort de ces enfants, pour la plupart des enfants de prétendus criminels...

— Si les victimes ne présentent aucun intérêt, en effet, cela peut expliquer qu'aucune enquête sérieuse n'ait été entreprise. C'est vrai partout dans le monde. Cependant, est-ce une raison suffisante pour ignorer complètement les rapports concernant un crime ? Je ne le crois pas. Quelle est votre seconde théorie ?

— La personne qui a commis les crimes était protégée. Apparemment, Tretow avait des amis haut placés.

— Je suis d'accord avec vous. C'est la conclusion la plus évidente.

Haller a jeté un coup d'œil dans son rétroviseur avant de s'engager sur la chaussée.

— Cependant, comment est-ce possible ? Cet homme était un gardien de l'orphelinat, un concierge... Vous avez bien entendu ce qu'a dit Färber : il arpentait les couloirs avec un seau et une serpillière ! Pourquoi protégerait-on précisément cet homme-là ?

— Je n'en ai pas la moindre idée.

— Nous sommes deux sur ce coup-là ! a-t-il admis avec un gloussement. Enfin, pour être plus exact, aucune des idées que je pourrais avoir ne s'appuie sur une preuve ou sur des faits. Je peux deviner, bien entendu, mais cela ne suffit pas. Il nous faut donc trouver la personne qui nous fournira les pièces manquantes du puzzle. Quelqu'un qui sache également ce qui est arrivé à Mariana et qui sera en mesure de nous expliquer pourquoi ses parents ont été envoyés en prison, surtout.

— Qu'est-ce que je donnerais pour connaître cette personne !

— Vous la connaissez. C'est sa mère, Bettina König.

— D'accord, mais elle refuse de parler.

— Peut-être qu'elle ne veut pas en parler devant vous mais qu'elle sera plus à l'aise avec moi. Nous sommes originaires du même pays. Et puis je ne suis pas l'homme qui lui a enlevé sa fille, moi.

— Je n'ai jamais fait une chose pareille !

— Bien sûr que non. Mais qui sait ? Peut-être que c'est ce qu'elle pense, peut-être qu'elle vous en veut car rien de tout cela ne serait arrivé sans vous... Une réaction irrationnelle, mais néanmoins réelle.

— Oh, aliez, vous poussez un peu, là, non ?

— En vérité, ce serait une réaction assez naturelle de la part d'une mère malade d'inquiétude pour sa fille qu'elle n'a ni vue ni entendue depuis des années. Enfin en tout cas, ce n'est pas la seule raison pour laquelle je préférerais y retourner seul : si Dieu le veut, vous retrouverez bientôt votre épouse...

— J'y compte bien, oui.

— ... et quand ce jour viendra, vous allez sans doute avoir envie de renouer avec son passé, avec sa famille, ici, à Berlin. Dans ce cas-là, ne croyez-vous pas qu'il vaut mieux que sa mère vous considère tout simplement comme son beau-fils, et non comme une sorte d'enquêteur ? Laissez-moi lui parler en tête à tête.

— Qu'est-ce que je vais faire pendant que vous la rencontrerez, alors ? Je sais bien que vous voulez me protéger, mais il faut que je me rende utile. Je ne peux pas rester assis dans ma chambre d'hôtel à me tourner les pouces...

— Oh, faites-moi confiance, j'ai ma petite idée là-dessus... quelque chose que vous n'oublierez jamais...

Décembre 1989

Normannenstrasse, Berlin

A peine un mois avait passé depuis que les foules euphoriques avaient renversé les premiers blocs de béton du mur de Berlin, mais l'arrogante et oppressive efficacité des quartiers généraux du ministère de la Sécurité de l'Etat avait déjà cédé la place à un chaos total et paniqué. L'ordre et la discipline s'étaient effondrés, remplacés par la terreur, l'auto-apitoiement et un sauve-qui-peut généralisé. Des groupes de Berlinois de l'Est, révoltés mais encore relativement passifs, avaient commencé à se réunir autour du périmètre du complexe bureaucratique tentaculaire. Manifestement, ils n'étaient pas encore en mesure de briser les habitudes qu'ils avaient mis une vie à intégrer pour se lancer dans une initiative décisive envers ceux qui l'occupaient. Au sein du bâtiment, toutes les activités habituelles avaient été interrompues du jour au lendemain, chaque membre du personnel de la Stasi s'employant avec diligence à effacer les traces de quarante années d'oppression brutale et intense. A la cantine, on ne parlait que de ce qui adviendrait lorsque les foules chaque jour croissantes réaliseraient que rien ne s'opposait plus à ce qu'elles se soulèvent, fassent irruption dans les locaux de la Stasi et s'acharnent sur chacun d'entre eux en toute impunité.

Hans-Peter Tretow trouvait toute cette agitation pathétique. Les mêmes personnes qui s'évertuaient à camoufler les traces de leurs exactions tentaient de se rassurer les unes les autres sur le fait que l'engagement de leur vie entière au service de l'Etat communiste n'avait pas été vain. Ne voyaient-elles pas la contradiction flagrante de leur attitude ? Tretow, au moins, était honnête avec lui-même. Il avait toujours été parfaitement conscient de ses actes et des conséquences qu'ils entraîneraient s'ils venaient à être découverts. Il savait également que les informations qui lui avaient conféré un peu de pouvoir à l'époque du Mur continueraient à le protéger maintenant que celui-ci était tombé. Sa mission était donc double : d'une part il devait réactiver ces informations, d'autre part il devait faire en sorte qu'elles demeurent secrètes.

En parcourant le couloir menant au bureau de son agent de contrôle, Tretow avait dépassé un homme rougeaud et dégoulinant de sueur, vêtu d'un jean et d'un blouson de ski bon marché orné de motifs aux couleurs criardes, peinant sous le poids d'un énorme carton. Au schéma dessiné sur la boîte, Tretow avait reconnu qu'il s'agissait d'une déchiqueteuse. Croisant son regard, l'homme avait roulé des yeux.

— Tu peux le croire, ça ? Toutes nos déchiqueteuses rendent l'âme. J'ai dû aller à l'Ouest pour en trouver une !

Tretow n'avait pu s'empêcher d'éclater de rire. Si l'on faisait abstraction de leur habileté à terroriser le reste de la population, ces gens-là étaient vraiment de sacrés fumistes. Et le plus drôle était qu'ils n'en avaient absolument aucune conscience.

Voyant que l'homme de la Stasi s'était arrêté pour le dévisager, Tretow avait pris peur : est-ce que cet homme pouvait encore lui nuire alors que le régime venait de s'effondrer ? Dans le doute, il avait levé les mains en signe d'apaisement et s'était exclamé :

— Désolé, camarade. C'est cette idée de l'Ouest qui nous vend des déchiqueteuses qui m'a fait rire. Allez, laisse-moi te donner un coup de main.

L'homme avait continué à le fixer pendant un moment avant de se détendre :

— Ouais, bon, c'est pas de refus, merci.

Les deux hommes avaient transporté le carton sur deux étages et tout au long d'une succession de couloirs avant de déboucher sur un grand bureau partagé. La première chose qui avait frappé Tretow était le vacarme incessant d'une douzaine de déchiqueteuses travaillant sans discontinuer. Le personnel avait formé des chaînes pour se passer les dossiers entre les bureaux métalliques alignés contre le mur et les déchiqueteuses installées sur des tables, au milieu de la pièce, comme des seaux d'eau lors d'un incendie. Tout d'un coup, un homme avait explosé de rage, hurlant sur la machine devant lui.

De l'autre côté du carton, le nouveau camarade de Tretow avait alors haussé les épaules :

— Qu'est-ce que je disais ? En voilà une autre de foutue...

En découvrant le chaos qui s'étalait sous ses yeux, Tretow avait vite compris qu'il serait impossible de distinguer quels dossiers allaient être détruits à temps et lesquels resteraient intacts suffisamment longtemps pour qu'une personne extérieure au ministère tombe dessus et entreprenne de l'étudier de plus près. Cette constatation avait suffi à confirmer sa première intuition, selon laquelle il allait lui falloir se montrer très malin s'il voulait survivre, sans même parler de profiter de la situation.

Une fois la déchiqueteuse déballée, il s'était excusé pour retourner aussi rapidement que possible à son bureau. La pièce était vide : manifestement, son responsable était occupé à aider ses camarades à éradiquer toute trace du passé. Trois grandes armoires à classement vertes se dressaient contre le mur. L'une d'elles avait déjà été mise à sac. Les tiroirs étaient ouverts, apparemment vides. Pendant un instant, Tretow avait frémi : arrivait-il trop tard ? Le premier tiroir de la deuxième armoire était également fermé à clé. Heureusement, il s'était préparé à cette éventualité et avait dissimulé dans la poche de son manteau d'hiver une pince-monseigneur tirée de sa boîte à outils. Il ne lui avait pas fallu beaucoup plus de temps pour forcer la serrure que pour comprendre que le contenu de ce tiroir concernait essentiellement des questions techniques et administratives : des formulaires interminables de réquisition d'équipements, des notes d'information inter-services... De toute façon, Tretow n'avait pas le temps d'y regarder de plus près. La personne qui avait vidé la première armoire risquait à tout instant de revenir s'occuper du contenu de la deuxième et, chaque fois que Tretow entendait des bruits de pas dans le couloir, il était pris d'un spasme d'angoisse à la perspective de voir la porte du bureau où il se tenait s'ouvrir à la volée.

Il s'était traité de poule mouillée. Aujourd'hui plus que jamais, il s'agissait d'user de son talent de bluffeur. Il s'était tourné vers la troisième armoire et en avait également forcé la serrure. Cette fois, il était tombé sur du lourd : soigneusement classés par ordre alphabétique, il y avait là tous les dossiers personnels de tous les agents gérés par son supérieur, ainsi que les cibles de leurs chantages, pièges et autres combines malfaisantes. Trois tiroirs plus bas, il avait déniché la lettre « T ». Les données recueillies pendant une décennie de sa vie remplissaient quatre porte-dossiers suspendus. Tretow n'avait pas pu s'empêcher d'admettre qu'il était impressionné. Mieux encore : l'un des dossiers était rempli de négatifs glissés dans des chemises en plastique transparent, auxquelles s'ajoutaient deux boîtes plates contenant des petits rouleaux de films de caméra super-8. Un sourire de profonde satisfaction avait éclairé le visage de Tretow avant qu'il ne réalise qu'il n'avait rien emmené pour dissimuler son butin aux regards inquisiteurs de la Stasi. A peine avait-il formulé cette nouvelle difficulté qu'il en trouvait la solution évidente : quoi de plus discret que de les transporter au vu et au su de tous ? Qui se donnerait la peine, dans cette cohue, d'interroger un énième individu parcourant les couloirs, les mains pleines de classeurs ?

C'est ainsi que Hans-Peter Tretow avait pris possession des preuves matérielles de son travail pour la Stasi. Oh, bien sûr, il restait quelques témoins à convaincre, mais ce n'était plus qu'une question de temps et de stratégie.

37

De nos jours

York, Angleterre

Mercredi

— Les gardiens m'attendaient, a commencé Karin Martz, une femme d'une bonne quarantaine d'années, assez forte, sans attraits particuliers. A l'instant où mes pieds ont touché le sol, ils ont commencé à me hurler dessus pour me donner des ordres. Ils ne prononçaient jamais mon nom. Ici, les prisonniers n'avaient pas de noms, ils n'avaient que des numéros. Il n'était pas question de nous traiter comme des humains : nous étions des moins que rien. Nous devions garder les yeux baissés en permanence pour éviter tout contact avec les autres détenus. Nous n'avions le droit de parler à personne à l'exception de nos interrogateurs. Personne ne nous adressait jamais la parole. Nous étions inexistants.

J'étais l'unique étranger parmi la douzaine de touristes que Mme Martz guidait à travers la prison de Hohenschönhausen, en périphérie nord-est de Berlin. Pendant plus de quarante ans, les cartes officielles de l'Allemagne de l'Est n'avaient affiché à son emplacement qu'un espace vide, une zone de friche dont l'utilisation réelle n'avait jamais été révélée au grand public. C'était pourtant ici que la Stasi emmenait ses prisonniers politiques tout comme les présumés ennemis de l'Etat, pour les interroger et les torturer jusqu'à ce qu'ils confessent leurs crimes. La plupart des Berlinois et des Allemands en général en ignoraient d'ailleurs encore l'existence. Haller, cependant, m'avait recommandé cette visite et je commençais tout juste à comprendre pourquoi.

Il m'avait passé un coup de fil dès le matin :

« Je suis en route pour Nuremberg. C'est là qu'habite Mme König, maintenant. Je suis assez confiant, à mon avis on y verra beaucoup plus clair après ce rendez-vous. Je serai de retour dans l'après-midi. On se retrouve à mon bureau à 17 heures ?

— Parfait. J'ai hâte d'entendre votre compte rendu de cette rencontre !

— Et vous, alors ? Allez-vous suivre mon conseil ?

— A vos ordres, mon capitaine ! J'ai obtenu une place pour la visite du début d'après-midi.

— Formidable ! Vous verrez, vous y apprendrez beaucoup de choses au sujet de cette ville, de ce pays... et de votre femme aussi, je crois. »

Les murs gris de la prison de Hohenschönhausen, tout comme ses tours de garde octogonales, se perdaient désormais au milieu de la banalité capitaliste de ces abords de Berlin. Les bâtiments carcéraux étaient flanqués d'une rue arborée bordée de pavillons de ville d'un côté, d'un garagiste et d'un service de dépannage de l'autre. Derrière la muraille, les simples bâtiments de brique rouge, anodins, affichaient cette médiocrité incontournable prônée par l'Etat, et qui se différenciait à peine de la pire des architectures municipales d'Angleterre. Notre groupe se tenait maintenant au milieu d'un vaste quai de débarquement parfaitement ordinaire. Nous aurions pu nous trouver n'importe où, mais cette normalité apparente était aussi trompeuse que celle des fourgons à bestiaux qui avaient emporté les Juifs à Auschwitz. Car la rampe de déchargement que nous regardions n'était pas destinée à accueillir des denrées commerciales, mais bien des individus emmenés là de force et privés du jour au lendemain de tous leurs droits : cela avait également été le sort réservé aux guides de la prison devenue musée, tous d'anciens détenus.

Mme Martz nous a précédés à l'intérieur, le long d'un couloir parcouru sur toute sa longueur d'une corde, à hauteur de taille.

— C'était pour les gardiens. Quand nous traversions un couloir, ils tiraient sur cette corde qui actionnait un interrupteur. Des lumières rouges s'allumaient alors devant nous, prévenant ainsi les autres personnes présentes dans cette partie du bâtiment. De cette manière, il était facile de faire disparaître rapidement tous les prisonniers dans leur cellule. Les autres gardiens, eux, se cachaient. Le but était que nous rencontrions le moins d'humains possible, hormis ceux qui nous surveillaient et nous interrogeaient.

Elle a fait une pause pour prendre le temps d'étudier ses interlocuteurs, dont quatre étaient des femmes.

— Quand je suis arrivée ici, on m'a fait déshabiller sous les yeux d'une gardienne. J'avais mes règles, alors cette femme m'a obligée à enlever mon tampon. Puis elle m'a fouillée, à l'intérieur comme à l'extérieur. C'était un viol total, mais elle s'en fichait royalement. Une fois que vous avez intégré que les prisonniers ne sont pas des individus, la manière dont vous les traitez vous est totalement indifférente.

J'ai eu une pensée pour la mère de Mariana. Avait-elle été fouillée de la même manière ? Si c'était le cas, comme j'étais sur le point de le découvrir, cela n'en avait sans doute pas moins été le moindre de ses problèmes.

Nous avons débouché sur un couloir gris et triste, au sol recouvert de linoléum. Une série de portes identiques couvertes de vernis bas de gamme ouvraient sur des bureaux interchangeables ornés d'armoires métalliques d'un vert éteint et de rideaux de même couleur, dont le tissu était tellement fin qu'il laissait passer la lumière. Chaque espace était équipé d'un bureau derrière lequel se dressait une chaise de bureau en skaï, et un tabouret était placé sur le côté le plus proche de la porte, dans une position relativement incongrue.

— Moi aussi, j'ai été interrogée dans une pièce similaire à celle-ci, a repris Martz. Les interrogatoires s'étendaient sur plusieurs mois et avaient toujours lieu la nuit, même s'ils se poursuivaient parfois jusqu'au lendemain. Le plus long a duré vingt-deux heures. Je devais rester assise sur un tabouret comme celui-ci et garder le dos bien droit, quel que soit mon degré de fatigue.

— Excusez-moi : qu'aviez-vous fait pour être arrêtée ?

A peine avais-je fini de formuler ma question que je la regrettais déjà. Une dizaine de paire d'yeux s'étaient tournées vers moi d'un même élan indigné.

— Oh, rien, a calmement répondu Martz. Un jour, j'ai évoqué l'idée de partir à l'Ouest au cours d'une conversation avec une amie. Je n'y pensais pas sérieusement, j'en parlais, c'est tout. Mais cela a suffi.

— Est-ce elle qui vous a trahie ?

— Que de questions ! Vous auriez fait un excellent membre de la Stasi, dites donc !

Une vague de rires nerveux a parcouru notre groupe. Tandis qu'ils étudiaient le bureau de l'interrogateur, Martz me considérait d'un œil intrigué.

— Vous êtes anglais ?

J'avais parlé allemand, bien sûr, mais mon accent et mes fautes de grammaire de débutant ne laissaient planer aucun doute sur mes origines.

— Oui.

Elle m'a alors dévisagé plus ouvertement.

— Votre visage m'est familier... J'ai l'impression de vous avoir déjà vu. Est-ce que nous nous sommes déjà rencontrés ?

— Je ne pense pas, non. C'est la première fois que je viens à Berlin. Peut-être que je vous rappelle quelqu'un...

Elle a eu un hochement de tête rapide, décidé.

— Ah, j'y suis. C'était il y a quelques semaines... Un mois, peut-être deux. Un autre Anglais, qui est venu faire la visite. Il vous ressemblait. Attendez... non, il était plus jeune... plus petit aussi, à bien y réfléchir.

J'ai compris qu'elle parlait certainement d'Andy. Se pouvait-il qu'il soit venu ici, lui aussi, et qu'il ait suivi exactement la même guide que moi ?

— C'était peut-être mon frère. Son nom était Andrew Crookham, mais il se faisait appeler Andy...

— Oui, c'est ça, Andy. Il posait des tas de questions, tout comme vous... mais dans un allemand encore pire que le vôtre, si je peux me permettre.

Elle a eu un rire bref puis elle s'est ressaisie et m'a demandé :

— Vous avez dit « était ». Est-ce qu'il lui est arrivé quelque chose ?

— Il est mort. Brutalement.

— Oh, je suis vraiment désolée, veuillez m'excuser.

— Je vous en prie, l'ai-je rassurée. D'ailleurs, cela me fait plutôt plaisir d'apprendre qu'il est passé par ici. Je vais pouvoir me l'imaginer auprès de moi pendant le reste de la visite.

— Alors vous faites un petit pèlerinage sur les traces de votre frère, c'est cela ? J'espère que ce n'est pas trop triste. Enfin, poursuivons...

Nous avons descendu quelques marches, jusqu'à un couloir ménagé dans une sorte de cave immense. Le sol était en terre battue, le plafond traversé de câbles et de tuyaux d'où pendaient quelques ampoules nues, espacées d'environ dix mètres les unes des autres. Des portes épaisses recouvertes d'une peinture bleu pâle et pourvues de l'inévitable judas s'alignaient de part et d'autre du corridor.

— Soyez les bienvenus dans l'*U-Boot* ! On l'appelle ainsi parce qu'on s'y sent comme à l'intérieur d'un sous-marin, vous ne trouvez pas ? Alors... commençons la visite par une cellule standard, individuelle...

Elle a ouvert une porte donnant sur une pièce aux murs totalement nus. Les murs, le sol et le plafond étaient en béton. Elle devait faire un peu plus d'un mètre de large sur deux mètres cinquante de long. Tout en haut du mur opposé à la porte, une fenêtre minuscule faite de briques de verre avait été percée, permettant à la lumière d'entrer sans toutefois offrir de vue sur l'extérieur. Le seul mobilier de la pièce était composé d'un cadre de lit en bois dépourvu de matelas et d'un seau d'acier galvanisé surmonté d'un couvercle. L'embrasure de la porte était trop étroite pour permettre à plus de deux personnes de jeter simultanément un coup d'œil dans cet espace, si bien que nous nous sommes mis à la queue leu leu pour prendre chacun notre tour.

Après nous avoir laissés contempler l'endroit un bon moment, Martz a poursuivi ses explications :

— Voilà très précisément la cellule dans laquelle j'ai passé six mois en isolement total. Pendant la journée, je devais m'asseoir sur le bord du lit, le dos bien droit, les yeux grands ouverts. Il était hors de question que je me détende, que je m'allonge ou même que je m'adosse au mur. J'étais souvent épuisée, après ces nuits entières d'interrogatoire, mais cela ne changeait rien : je n'avais absolument pas le droit de me reposer. Toutes les cinq minutes, le judas coulissait et quelqu'un vérifiait que je n'enfreignais pas les règles. Mes surveillants ne disaient jamais rien, ils ne prononçaient pas un mot. Les seules personnes autorisées à me parler étaient mes interrogateurs. Parfois cependant, nos entrevues s'espaçaient. Dans ces cas-là, je ne parlais pas pendant des journées entières, parfois des semaines. Le silence total. J'en arrivais au point d'espérer être enfin interrogée pour avoir un semblant de contact humain... Est-ce que l'un de vous voudrait entrer dans la cellule, pour un instant ?

Nous sommes restés immobiles, comme un troupeau de moutons apeurés. Tandis que j'essayais de rassembler mon courage pour satisfaire à la demande de notre guide, j'ai croisé le regard d'un homme du groupe, un type assez jeune. Il m'a adressé un sourire.

— Après vous, je vous en prie.

— Eh bien, essayons, alors.

Cela ne semblait pas si difficile. Après tout, j'avais passé une nuit entière au poste à York. J'étais habitué au judas, maintenant. Etait-ce vraiment si dur que ça ?

— Eh bien, allez-y ! Entrez, asseyez-vous sur le lit et regardez la porte. Ne bougez pas. Vous avez bien compris ?

La voix de la guide avait soudain pris une intonation dure, implacable, terriblement persuasive.

— Euh, d'accord... ai-je balbutié.

Je suis entré dans la cellule. Karin Martz a patienté, le temps que je prenne place sur le lit. Puis, sans un mot, sans un regard, elle a refermé la porte dans un claquement métallique.

Ce n'était pas du tout comparable à la prison de York. J'avais l'impression que les années d'hostilité, de terreur et de douleur qui s'étaient inexorablement succédé ici avaient vicié l'atmosphère et souillé le béton lui-même. L'espace entier semblait se refermer sur moi, les murs m'enserrant au plus près, le plafond s'abaissant comme s'il allait tomber d'un instant à l'autre. En même temps, il m'a semblé que l'air s'échappait de la pièce. Je me suis agrippé au rebord du lit jusqu'à ce que mes articulations blanchissent. J'étais en sueur, je peinais à respirer, ma tête tournait. Il m'a fallu rassembler tout mon courage pour m'empêcher de crier. Peu à peu, l'attaque de panique s'est calmée. Mon pouls a ralenti. Je suis resté assis là pendant ce qui m'a paru une éternité, comptant les minutes jusqu'à ce que le judas s'ouvre à nouveau. J'ai esquissé le sourire le plus détendu possible.

— Est-ce que vous allez me laisser sortir...

Le judas s'est refermé avec un claquement sec.

— ... s'il vous plaît ?

Un lourd silence s'est installé dans la cellule. Un nouveau laps de temps s'est écoulé, aussi lentement que le précédent. Je commençais à m'énerver, maintenant. La plaisanterie avait assez duré, tout de même ! Pourtant, je n'ai pas fait un geste pour m'éloigner du lit. La raison me disait que rien ni personne ne pouvait me contraindre à rester enfermé dans cette cellule, et encore moins à me soumettre aux règles de cette prison, et pourtant un instinct plus profond et plus angoissé me poussait à me tenir tranquille jusqu'à ce que la porte s'ouvre. Enfin, j'ai entendu la voix de Karin Martz :

— Prisonnier, quittez la cellule.

Je me suis retrouvé entouré de visages arborant des expressions de surprise et d'inquiétude réelles : manifestement, j'affichais une mine encore pire que ce que je ressentais.

— Combien de temps êtes-vous resté enfermé, à votre avis ? m'a demandé Mme Martz d'une voix plus douce.

Cela m'avait semblé une éternité mais il y avait certainement une limite à la durée d'attente qu'un guide pouvait imposer à son groupe.

— Je n'en sais rien, ai-je fini par avouer, essayant désespérément d'avoir l'air enjoué. Quinze minutes, peut-être ?

— Cinq.

— Cinq ?!

— Demandez aux autres visiteurs !

J'ai parcouru le groupe du regard, rencontrant des visages sérieux ou plus souriants, plus encourageants, qui tous acquiesçaient.

— Seigneur, je ne l'aurais jamais cru...

— Moi, j'y ai passé six mois. Deux mois se sont écoulés avant que je sois autorisée à me laver ou à brosser mes cheveux. Mes menstrues se sont complètement arrêtées. A l'époque, j'ai cru que c'était à cause du choc. Plus tard, j'ai découvert que la Stasi glissait une pilule contraceptive dans notre nourriture, tous les jours, sans interruption. L'isolement était le même pour tout le monde. Je me souviens qu'une fois, en me rendant à un interrogatoire, j'ai croisé un autre prisonnier, un homme. C'était vraiment très inhabituel, quelqu'un avait dû faire une erreur. Bien entendu, on m'a ordonné de ne pas lever les yeux, mais j'ai quand même réussi à lui jeter un bref coup d'œil. Sa barbe était hirsute, tout comme ses cheveux, il ressemblait à Robinson Crusoé sur son île. J'aurais tellement aimé échanger quelques mots avec lui, ne serait-ce qu'un instant ! Je n'avais parlé avec aucun autre être humain depuis vingt-sept jours. J'avais peur d'avoir perdu la parole. Et pourtant, ma cellule était un boudoir de reine à côté d'autres. Venez voir...

Tandis que le groupe se remettait en branle, Karin Martz a ralenti jusqu'à ce que j'arrive à sa hauteur.

— Décidément, vous ressemblez vraiment beaucoup à votre frère, m'a-t-elle dit d'une voix suffisamment basse pour que personne d'autre ne puisse l'entendre.

— Qu'est-ce que vous voulez dire par là ?

— Eh bien, lui aussi a été le seul à se porter volontaire, la dernière fois. Vous avez l'air surpris ?

— Je ne sais pas... A vrai dire, non, cela ne me surprend pas qu'Andy soit allé dans la cellule, c'était tout à fait son genre. En revanche, le fait que vous m'ayez dit que nous nous ressemblions...

— Oh, oui. Votre lien familial est vraiment évident, vous ne trouvez pas ? Peut-être que vous aviez davantage en commun que vous ne le pensiez ?

38

Martz s'est à nouveau portée en tête du groupe.

— Nous allons maintenant découvrir la cellule en caout-chouc...

La désignation allemande, « *Gummizelle* », de consonance plutôt rigolote, ne correspondait en rien à l'effrayante et brutale réalité qui s'est présentée à nos yeux.

— Comme vous pouvez le constater, cette cellule est entièrement tapissée de caoutchouc noir, ce qui la rend à la fois parfaitement obscure et totalement insonorisée. La Stasi avait l'habitude d'administrer des drogues lourdes aux prisonniers, de manière à affecter leur sens de l'orientation. Pendant des journées entières, les prisonniers tâton-naient dans cet espace sans savoir où ils étaient. Ils se cognaient contre les murs, ils perdaient peu à peu la notion du jour et de la nuit, du haut et du bas, de toute réalité, si évidente soit-elle pour nous. Ils finissaient par craquer, par se lancer dans des monologues délirants avant d'implorer les gardiens en pleurant. Ils perdaient tout contrôle sur leur corps et leur esprit. Bien entendu, tout ce qu'ils disaient était enregistré, au cas où un indice se cacherait parmi toutes les phrases incompréhensibles qu'ils prononçaient. Une fois le prisonnier libéré, on passait la salle au karcher pour en ôter le sang, le vomi et les excré-ments qui la maculaient. D'habitude, c'était une équipe de prisonnières qui s'en chargeait dès l'aube, comme des femmes de chambre nettoyant une chambre d'hôtel avant l'arrivée du prochain client.

Au sein du groupe, l'atmosphère s'était nettement refroidie, chacun luttant contre ses propres émotions : tristesse, horreur et colère impuissante face à la cruauté de l'espèce humaine. Cela me paraissait inconcevable que tout ceci soit arrivé alors que j'étais déjà de ce monde, et pourtant c'était vrai. Il ne s'agissait en rien d'un film en noir et blanc relatant un épisode des années 1940. Pendant que j'achetais mon premier trente-trois tours de U2, pendant que j'embrassais goulûment des adolescentes, caché au dernier rang des cinémas, pendant que je m'essayais aux pires coiffures des années 1980 et que je hurlais avec les loups, en l'occurrence mes copains de terminale, affirmant à qui voulait l'entendre que, ouais, Thatcher était vraiment une vieille pute fasciste, des hommes et des femmes criaient de terreur dans des cellules recouvertes de caoutchouc...

J'ai pensé à Mariana : tout cela avait été une réalité, pour elle. Peut-être ses parents avaient-ils été torturés de cette manière, eux aussi, pendant qu'on l'envoyait à l'orphelinat où elle avait subi Dieu sait quoi. Pour la première fois, j'ai commencé à comprendre pourquoi elle n'était pas même en mesure de supporter la seule pensée de sa famille. Il avait dû y avoir tant de souffrance, tant de dommages irréversibles ! J'aurais tellement aimé pouvoir l'aider dès cette époque, mais tous les mots que je désirais tant lui dire demeuraient, mort-nés, sur le bout de ma langue. Je les avais formulés en pensée mais je ne les avais jamais prononcés devant l'unique personne à qui je les destinais.

Puis Karin Martz nous a montré ce qui, à mes yeux, incarnait la pire torture entre toutes, la quintessence du mal « made in RDA ».

Cela a commencé par une nouvelle porte métallique, une autre cellule. Deux seaux, l'un légèrement plus profond que l'autre, étaient suspendus au plafond par des chaînes, l'un au-dessus de l'autre, à environ un mètre d'écart. Trois rails de bois superposés parcouraient le plafond de part en part, à l'horizontale, juste derrière les seaux. Deux rails supplémentaires également superposés étaient installés à quelques centimètres du sol.

— Est-ce que l'un de vous devine à quoi peut servir cet étrange équipement ? a demandé notre guide.

— Ça a un rapport avec de l'eau ? a risqué une personne du groupe.

— Oui, absolument.

— Est-ce que les prisonniers devaient boire l'eau dans les seaux, comme… comme des animaux ? a lancé un autre.

— Oh non. Ils étaient bien plus mal traités que des animaux ! lui a calmement répondu Karin Martz. Alors, vous ne devinez pas ?

Nous sommes restés plantés là comme des idiots, incapables de trouver une meilleure explication. C'était sans doute mieux ainsi.

— Ce système fonctionnait de la manière suivante, a repris Martz. Les prisonniers étaient placés derrière les rails puis on les pliait en deux entre les deux rails du dessus et on les attachait afin qu'ils ne puissent pas bouger. Leur visage se trouvait ainsi exactement au-dessus du seau inférieur, qui était rempli d'eau. Ils devaient veiller à garder la tête bien droite s'ils ne voulaient pas se noyer. Mais leur tête se trouvait aussi précisément sous un trou percé dans le fond du seau supérieur, et duquel s'échappait à intervalles réguliers une petite goutte qui tombait sur leur crâne. C'est le fameux supplice de la goutte d'eau, que l'on pratique également en Chine. Au début, c'est juste un peu agaçant. Mais plus le temps passe, plus chaque goutte constitue une véritable agonie. Leur corps leur fait mal à force d'être ainsi plié en deux, ils ne ressentent plus qu'une seule et unique chose : la douleur. Ils n'ont qu'une envie, c'est de relâcher enfin la seule chose qu'ils puissent encore contrôler : leur tête… ce qui entraînerait leur mort par noyade.

L'une des femmes du groupe s'est mise à pleurer.

— Je t'en prie, a-t-elle dit à son mari, sortons d'ici. Je ne supporte plus d'entendre cela…

Ce dernier a passé un bras rassurant autour des épaules de sa femme.

— Bien sûr, ma chérie. On y va. Calme-toi, on s'en va.

Puis il a dévisagé Karin Martz et s'est presque mis à crier :

— Regardez ce que vous avez fait ! Comment pouvez-vous nous obliger à regarder toute cette violence, toute cette inhumanité ? Vous devriez avoir honte !

Le reste du groupe a observé un silence gêné, choqué par cette accusation mais incapable de s'interposer. Quand enfin le couple a tourné les talons pour reprendre les escaliers menant à la vie normale et rassurante de Berlin au XXIᵉ siècle, j'ai choisi de rompre le silence. N'échappant pas à ma nature anglo-saxonne, j'ai commencé par présenter des excuses à Karin Martz :

— Je suis vraiment confus. Je crois pouvoir parler au nom de nous tous : bien entendu, nous sommes conscients du fait que vous n'y pouvez rien... Vous n'aviez aucunement l'intention d'attrister cette pauvre dame.

Martz m'a regardé avec un étrange demi-sourire malicieux.

— En êtes-vous bien sûr ? La vérité, c'est que je suis heureuse quand des visiteurs réagissent de la sorte. Cela montre qu'ils comprennent de quoi il s'agit réellement. Ceux qui sont capables de traverser tout cet enfer sans manifester la moindre émotion et qui s'en vont ensuite, sans arrière-pensée, prendre une bière et une pizza à la brasserie du coin parce qu'ils ont un petit creux, ceux-là, oui, je les méprise.

La visite s'est poursuivie un moment : encore plus de couloirs, encore plus de cellules, encore plus de misère. Quand, enfin, nous avons émergé de l'*U-Boot* pour retourner à l'air frais, une voix s'est fait entendre :

— Pardonnez-moi cette question, madame Martz, mais comment faites-vous pour vivre avec tous ces souvenirs ? Pour ma part, je n'oublierai jamais cette journée. Comment faites-vous pour oublier toutes ces années passées là ?

— Je ne les oublie pas. Mon sommeil reste entrecoupé de cauchemars. Parfois, mon mari me réveille parce que je crie trop. Il n'y a aucun rideau aux fenêtres de mon appartement, aucune séparation entre les pièces, hormis la porte d'entrée et celle de la salle de bains. C'est un phénomène assez courant chez les anciens prisonniers, vous savez. Nous avons besoin de lumière. Nous ne supportons pas d'être enfermés. Nous affrontons toute notre vie ces mauvais traitements auxquels nous avons été soumis mais le pire à supporter, c'est que les personnes qui nous les ont infligés n'ont jamais été punies, d'aucune manière. La seule chose qui nous reste à faire, dans ces conditions, c'est de guider des touristes à travers notre propre misère. C'est un acte de mémoire. Nous voulons que les gens comprennent ce qui s'est passé ici. Nous voulons qu'ils soient vigilants, pour que cela ne puisse jamais se reproduire.

C'est ainsi que la visite s'est terminée. Les autres membres du groupe ont pris congé de Karin Martz, s'efforçant chacun leur tour de trouver les mots pour lui transmettre leur gratitude pour cette visite et leur compassion pour ce qu'elle avait enduré. Je suis resté en retrait jusqu'à ce que tout le monde soit parti, puis j'ai demandé :

— Madame Martz, est-ce que je peux vous poser une dernière question ?

— Bien entendu, m'a-t-elle répondu en souriant. Qu'est-ce que vous voulez savoir ?

— Eh bien voilà : ma femme est allemande, née ici, à l'Est. Je crois que ses parents ont séjourné ici pendant les années 80. Il est probable qu'ils aient été arrêtés en tant que prisonniers politiques à Berlin, j'imagine donc qu'on les a transférés ici. Je sais que cela peut paraître invraisemblable mais je ne connais pas leurs noms – enfin les noms qu'ils portaient à l'époque, en tout cas. Aujourd'hui, sa mère s'appelle Bettina König. Ma femme se prénomme Mariana. Elle s'appelait Mariana Slavik avant de se marier.

Karin Martz a soupiré.

— Je suis désolée, monsieur Crookham, mais je ne peux pas vous aider. Nous étions tellement nombreux, et ce pendant tellement d'années ! Et puis personne ne connaît les noms des autres détenus, puisqu'on n'avait pas de noms. Nous étions barrés de la surface de la terre, effacés. D'ailleurs, aujourd'hui encore, c'est parfois le seul recours que je trouve pour me souvenir de qui je suis ou pour accepter d'exister en tant qu'être humain. Votre femme n'a vraiment pas de parents. Elle est une fille des sans-noms, une fille de numéros.

En passant les barrières de Hohenschönhausen, j'ai prié Dieu pour qu'elle se trompe. J'ai hélé un taxi, auquel j'ai donné l'adresse du bureau de Haller. En arrivant, j'ai espéré que le fantôme de Bettina König serait remplacé par la vision bien réelle d'une femme en chair et en os.

39

Haller était mort.

J'ai pressé le bouton de la sonnette de son bureau quelques minutes à peine avant 17 heures, prêt à répondre à la salutation joviale de Kamile, mais un long silence m'a répondu. Deux sonneries plus tard, une voix entrecoupée de sanglots, à peine compréhensible, m'a signalé que le bureau était fermé. Elle a fini par m'ouvrir quand je lui ai expliqué qui j'étais et ce que je faisais là.

Une Kamile que je reconnaissais à peine est venue m'accueillir sur le palier du troisième étage. Ses yeux étaient gonflés et rouges, ses joues striées de larmes teintées de mascara et elle reniflait sans cesse.

— Ça ne va pas ? lui ai-je demandé comme si la réponse n'était pas évidente. Que se passe-t-il ?

Tout en m'escortant dans le bureau, où d'autres employés de l'agence, eux-mêmes encore sidérés et en larmes, tentaient de satisfaire à une cacophonie d'appels téléphoniques, Kamile m'a raconté ce qui était arrivé à Haller.

— Il revenait de son rendez-vous, il roulait sur l'A9, l'autoroute. Il m'avait appelée... sans doute à peine quelques minutes avant que ça arrive... Il avait l'air très content, il voulait que je vous dise qu'il avait récolté des informations formidables...

— Est-ce qu'il a dit de quoi il s'agissait ? Est-ce qu'il a raconté quoi que ce soit au sujet de Mme König ?

— Non... Il n'aime pas...

Kamile s'est interrompue, fournissant un effort visible pour se reprendre.

— Il n'aimait pas parler de choses importantes depuis son téléphone portable. Il avait intercepté trop d'appels lui-même pour ne pas savoir que d'autres pouvaient l'avoir mis sur écoute. C'est sûrement la raison pour laquelle il ne vous a pas téléphoné.

— Que s'est-il passé ?

— Apparemment, il... il aurait foncé dans un camion. La police dit qu'il a sans doute perdu le contrôle de son véhicule. Il roulait plutôt vite, autour de deux cents kilomètres-heure. Mais Haller roulait toujours à cette vitesse, il avait été entraîné en tant que pilote dans la police, il maîtrisait parfaitement sa conduite.

— Est-ce que la police sait pourquoi il a perdu le contrôle de sa voiture ?

— Je ne crois pas. D'après ce que j'ai compris, les conditions routières n'étaient pas dangereuses, il n'y avait pas beaucoup de circulation... et la route était droite à l'endroit où l'accident s'est produit.

— Il n'était sûrement pas ivre, n'est-ce pas ?

Kamile m'a gratifié d'un regard choqué.

— M. Haller n'aurait jamais, jamais pris le volant en état d'ébriété. C'était un homme bien, vous savez...

— Je suis désolé. Je ne voulais pas vous blesser, mais... je cherche juste une explication.

— La police va faire une enquête, ils vont sûrement trouver ce qui s'est passé, a dit Kamile en se ressaisissant. Excusez-moi un instant, s'il vous plaît...

Elle s'est éloignée pour aller prêter main-forte à une collègue qui lui adressait depuis déjà un moment des signes de la main frénétiques et je suis resté là, sous le choc, essayant de donner un sens à ce deuxième décès aussi brutal qu'inattendu. De toute ma vie je n'avais jamais été confronté à la moindre mort violente, et voilà que j'affrontais cette situation deux fois dans la même semaine. J'avais l'impression de porter la mort en moi, où que j'aille, tel le porteur sain d'un virus fatal.

Le téléphone de la réception s'est remis à sonner. Kamile a levé la tête et l'a considéré un instant avant de se replonger dans ce qu'elle faisait et qui semblait plus urgent. La messagerie vocale a dû se mettre en marche car la sonnerie s'est enfin interrompue. Quelques secondes plus tard, cependant, elle a repris de plus belle, dans l'indifférence générale.

J'étais sur le point de partir, j'attendais seulement le moment opportun pour prendre congé de Kamile. Le téléphone s'est remis à sonner pour la troisième fois. Cette sonnerie avait quelque chose d'insistant qui m'a fait penser que c'était la même personne qui essayait d'appeler, encore et encore, plutôt qu'une série d'appels issus de personnes différentes. Personne ne semblait vouloir décrocher. Peut-être devrais-je m'en charger, ne serait-ce que pour prendre un message ?

— Allô ? ai-je répondu avant de me corriger : *Hallo ?*

— Monsieur Crookham ? Je parle bien à Peter Crookham ?

C'était une voix de femme, une Allemande qui s'exprimait cependant sans difficulté dans ma langue.

— Oui...

Comment pouvait-elle savoir que c'était moi ?

— Bien. Alors écoutez très attentivement ce que je vais vous dire, s'il vous plaît. Mon nom est Gerber. Je suis un agent du gouvernement fédéral. Vous courez un grand danger. Ne quittez l'agence Xenon à aucun prix. L'un de mes collègues va venir vous chercher et vous escorter hors du bâtiment. Suivez-le, il vous protégera.

— Mais qu'est-ce qui se passe, bon Dieu ?

— Nous avons de bonnes raisons de croire que la mort de M. Haller n'était pas accidentelle et nous pensons que vous êtes la prochaine cible. S'il vous plaît, monsieur Crookham, restez exactement là où vous êtes.

Elle avait raccroché. J'étais encore planté à côté du bureau, abasourdi, quand Kamile est revenue à la réception et m'a demandé :

— Vous avez décroché ? De qui venait l'appel, je vous prie ?

— C'était pour moi. Une femme... Elle a dit que la mort de M. Haller n'était pas accidentelle...

Kamile a laissé échapper un petit cri avant de plaquer sa main sur sa bouche.

— Elle a dit aussi que j'étais sans doute en danger.

La secrétaire a baissé sa main.

— Comment cela, « en danger » ?

— Je n'en sais pas plus.

— Vous croyez ce qu'elle a dit ?

— Je crois, oui... je ne sais pas. Elle m'a conseillé de rester ici jusqu'à ce que quelqu'un vienne me chercher pour m'emmener en lieu sûr.

— Qu'est-ce qu'elle entend par là ? Qui pourrait vouloir... Qui pourrait avoir tué M. Haller ? Il était tellement gentil... Et vous... oh là là, je ne comprends plus rien.

Elle semblait sur le point de s'évanouir.

— Asseyez-vous, je vous en prie, ai-je dit en la guidant vers une chaise, derrière le bureau. Je vais vous chercher un verre d'eau...

— Non, merci... Ça va aller. Ça va passer. Qu'est-ce que vous allez faire ?

— Je voudrais jeter un coup d'œil dehors pour vérifier que personne ne m'attend. Où se trouve la fenêtre la plus proche ?

— Là, a répondu Kamile en indiquant une porte fermée. Dans la salle de réunion.

J'ai traversé la pièce et je suis entré dans une salle où une demi-douzaine de chaises entouraient une longue table de contreplaqué gris. Un rétroprojecteur était installé au plafond, à l'extrémité droite de la table, faisant face à un écran blanc accroché au mur opposé. Au-dessus de la table, deux fenêtres étaient fermées par des stores en tissu. Je me suis dirigé vers l'une d'elles et j'ai écarté le store d'un millimètre pour avoir un aperçu sur la rue.

Je n'ai rien vu d'anormal. J'ai essayé de me souvenir si l'une des voitures garées le long du trottoir opposé n'était pas là au moment de mon arrivée. Il y avait bien une Ford Mondeo bleu ciel dont je n'avais aucun souvenir, mais, de l'emplacement où je me trouvais, il était impossible de voir si quelqu'un était assis dedans. J'ai observé les quelques passants : une mère avec ses deux enfants en bas âge, un couple d'adolescents, trop occupés à se bécoter pour prêter attention au monde qui les entourait, un homme trapu, au visage rougeaud, avec un épais sweat-shirt à capuche. Aucun d'eux ne semblait prêt à me tuer. Mais ce n'est sans doute pas le genre de desseins qu'on affiche ouvertement.

Depuis l'entrée m'est parvenu le bourdonnement de l'interphone, suivi du clic de la porte qui s'ouvrait. Deux voix se sont fait entendre, celle d'un homme et celle d'une femme, indistinctes. Enfin, la silhouette de Kamile s'est encadrée dans l'embrasure de la porte de la salle de réunion.

— Vous avez de la visite.

J'ai hoché la tête et je suis sorti de la salle de réunion. Dans l'entrée, à quelques pas de moi, se tenait Weiss.

40

Il avait exactement la même allure qu'à l'enterrement. Son manteau était aussi impeccable, ses cheveux blonds parfaitement coiffés. Seule sa cravate avait changé : le rouge foncé remplaçait le noir du deuil.

Il a glissé une main dans sa veste. Maudissant ma naïveté, j'ai tenté de me préparer à voir apparaître l'arme qui allait m'éliminer.

Mais Weiss a sorti une carte d'identité, qu'il m'a rapidement présentée. C'était trop court pour distinguer le nom de l'agence pour laquelle il travaillait – même pour un Allemand, les mots administratifs sont difficiles à déchiffrer –, mais l'aigle, emblème de l'Allemagne, et les bandes noire, rouge et jaune de son drapeau étaient aisément reconnaissables.

— Je travaille pour *Fräulein* Gerber. Elle m'a demandé de l'excuser : elle ne voulait pas vous affoler, mais vous courez un réel danger. Suivez-moi, s'il vous plaît, il faut que nous partions tout de suite.

Je suis resté planté là un instant, hébété et indécis, jusqu'à ce que Kamile intervienne, d'une voix mal assurée :

— Vous feriez mieux de partir. Mais attendez une seconde...

Weiss a grimacé, trépignant d'impatience, mais Kamile ne s'est pas laissé intimider. Penchée derrière son bureau d'accueil, elle a farfouillé dans un tiroir avant de me tendre une carte de visite.

— Au cas où vous auriez besoin de m'appeler au sujet de Haller, ou si vous avez besoin d'aide.

— Merci.

J'ai glissé la carte dans la poche de mon pantalon.

— Allons-y maintenant, a dit Weiss sèchement.

Je lui ai emboîté le pas.

Une fois sur le palier, il a ignoré l'ascenseur, optant pour une porte latérale qui donnait sur l'escalier de secours.

— Montez ! m'a-t-il chuchoté d'un ton dur et pressant. Vite ! Je vous suis.

J'ai entrepris de gravir les marches deux par deux. Profitant d'un tournant de l'escalier, j'ai jeté un coup d'œil par-dessus mon épaule et j'ai vu que Weiss était sur mes talons. Il se retournait sans arrêt, et cette fois il avait une arme à la main. A nouveau, j'ai pris conscience de la gravité de la situation. Weiss ne plaisantait pas. Il pensait vraiment que quelqu'un était à nos trousses. Et s'il était armé, il y avait des chances pour que notre poursuivant le soit aussi. Un frisson a parcouru ma colonne vertébrale quand j'ai songé aux balles qui risquaient de me transpercer le corps.

Weiss a levé les yeux vers moi et m'a indiqué les marches d'un geste rageur :

— Ne vous arrêtez pas !

J'ai repris ma course frénétique jusqu'à ce que je tombe sur une porte coupe-feu. Un grand coup dans la barre métallique a suffi, j'ai senti une bouffée d'air glacé lorsqu'elle s'est ouverte sur une passerelle étroite parcourant toute la longueur du toit. De part et d'autre, les tuiles s'échelonnaient sur la pente raide de la toiture. Le bâtiment était de forme carrée, avec une cour au centre, tout comme ceux que j'apercevais autour de nous. Dans cette enfilade de cours intérieures, nous surplombions la plus proche de la rue.

En bas, j'ai aperçu trois hommes qui venaient de sortir de l'immeuble. L'un d'eux a penché la tête en arrière. Quand il nous a aperçus, il nous a désignés du doigt. L'homme du milieu a aboyé des ordres et le premier s'est précipité vers l'entrée du rez-de-chaussée de notre bâtiment ; les autres ont quitté la cour au pas de course pour regagner la rue.

— *Scheisse !* a crié Weiss en jetant un regard alarmé sur la cour, avant de dicter des directives rapides dans un allemand que j'étais bien incapable de comprendre. Il devait communiquer via une sorte d'oreillette. Il m'a dépassé en trombe et s'est élancé sur la passerelle glissante et verglacée, me faisant signe de le suivre.

Nous nous dirigions vers le bâtiment couvert d'échafaudages contigu au bureau de Haller. De là où je me trouvais, j'ai vu qu'il était bien protégé contre les intempéries : une bâche en plastique couvrait toute la surface de ses façades nord et sud, ainsi que le toit. Il restait néanmoins un espace suffisant pour que nous puissions nous faufiler sous le plastique. Devant nous s'étendait une autre passerelle que nous avons longée, tête baissée et dos voûté sous la bâche. De chaque côté de nous, le toit dépourvu de tuiles découvrait une structure en pente forte faite de solives en bois séparés uniquement par du vide. En contrebas, les sols et les plafonds avaient été enlevés et ne subsistaient que quelques planches en vrac déposées sur les poutres et les solives pour faciliter les déplacements des ouvriers.

J'ai évité de laisser mon regard se perdre dans le vide vertigineux tout en me rappelant que j'avais passé ma vie à déambuler au pied de bâtiments inachevés. Il était grand temps que je les découvre d'en haut, après tout.

Weiss, apparemment indifférent à son environnement, se déplaçait aussi aisément et rapidement qu'un singe, l'arme braquée devant lui, se retournant de temps à autre pour vérifier que je suivais toujours ou jetant un coup d'œil par-dessus le toit pour guetter une éventuelle menace venue d'en bas. Quelque part, dans les profondeurs de l'immeuble, une lampe diffusait une lumière spectrale, projetant l'ombre allongée et grotesque de nos corps sur le plastique, au-dessus de nos têtes.

Enfin, nous avons atteint l'autre extrémité du toit et la porte qui menait à l'escalier de secours de ce bâtiment. Elle n'était pas verrouillée et s'est ouverte à la première tentative de Weiss. Avec ses murs écaillés, ses marches en béton peint qui s'effritaient et sa rampe en acier nu, la cage d'escalier avait été épargnée par les rénovations. Weiss s'est mis à dévaler les marches à une vitesse ahurissante, trois par trois par instants, avant de s'arrêter sur un étroit palier, face à la porte de l'un des appartements inoccupés. Il a tendu l'oreille pour déceler la présence d'un éventuel poursuivant, tel un chien de chasse reniflant le vent. Rassuré par le silence, il a repris sa course, tenant fermement la rampe pour parcourir à grandes enjambées la douzaine de marches restantes avant de tourner pour filer vers l'étage inférieur.

L'escalier défilait devant moi en une succession indistincte de béton et d'acier, à mesure que nos chaussures glissaient et claquaient sur le sol. Je devais lutter pour garder les pieds sur les marches sans trébucher ou déraper, tout en essayant d'accélérer la cadence. Tout juste si j'ai pris conscience des formes sombres, vaguement humaines, qui sont soudain apparues au coin de l'étage inférieur. Weiss s'est immobilisé si brusquement que je me suis littéralement encastré dans son dos.

Je l'ai entendu marmonner un juron, « *Fick mich !* », puis un claquement sec, assourdissant, s'est répercuté dans toute la hauteur de la cage d'escalier. Weiss a esquissé un pas chancelant en arrière, émettant un grognement de douleur, puis il a fait feu à deux reprises tout en se retournant vers moi.

— Remontez, remontez ! Vite ! Vite !

J'ai fait volte-face et j'ai grimpé les marches aussi vite que me le permettaient les muscles de mes cuisses manquant cruellement d'exercice et la douleur lancinante provenant de mes poumons en mal d'oxygène. Mon cœur battait à se rompre, ma perception des choses était brouillée et la sueur dégoulinait dans mes yeux ; je parvins néanmoins à apercevoir l'ombre d'un homme sur le mur de la cage d'escalier, devant moi. Quelques pas de plus et il me verrait aussi.

J'avais atteint un palier. Une porte se trouvait sur ma gauche. Sans réfléchir, je l'ai ouverte à la volée, hurlant à Weiss de me suivre.

La porte donnait sur l'un des étages sans murs ni planchers, sans portes ou fenêtres de l'immeuble ; seule la charpente le maintenait debout. Une mince couche de planches courait sur les poutres nues jusqu'au mur côté rue, qu'elle longeait ensuite sur toute sa longueur. Un homme était installé là et s'affairait à jointoyer les briques. Il n'avait pas dû nous entendre arriver, assourdi par la radio qu'il avait calée sur une embrasure de fenêtre béante. En entendant enfin le bruit de nos pas, il s'est retourné en fronçant les sourcils, intrigué. Instantanément, son visage a pris une expression interloquée, puis choquée quand Weiss a tiré deux nouvelles balles en direction de nos poursuivants, les obligeant à courber la tête et nous faisant gagner quelques secondes. L'ouvrier a laissé tomber sa truelle ainsi que la planchette sur laquelle il préparait le ciment. Elles ont atterri avec fracas sur le plancher tandis qu'il détalait pour aller se réfugier dans un coin, à l'autre bout du bâtiment.

Je suis reparti à toutes jambes. L'adrénaline m'avait débarrassé de mon vertige. Prenant à peine le temps de m'arrêter, je me suis baissé, j'ai ramassé la truelle et j'ai foncé à travers une ouverture débouchant sur un petit balcon.

Seule une paroi de plastique me séparait maintenant du monde extérieur.

— Qu'est-ce que vous faites ? a crié Weiss.

Il s'était tapi contre le mur, d'un côté de l'ouverture. Tandis qu'il se relevait et se ruait vers moi en expédiant deux autres balles derrière lui, j'ai essayé d'entailler la bâche verte avec la pointe de la truelle. Il fallait à tout prix que j'arrive à transpercer l'enveloppe plastifiée du bâtiment.

J'ai dû m'y reprendre à deux fois avant que l'outil n'accroche le plastique, y pratiquant un petit trou. J'ai inséré les doigts de mes deux mains dans cette déchirure pour l'élargir. D'autres coups de feu se sont fait entendre et un bruit métallique perçant a retenti lorsqu'une balle est venue ricocher tout près de moi. Le trou dans la bâche était désormais assez large pour que je m'y faufile.

— Suivez-moi ! ai-je hurlé à Weiss.

Je me suis engouffré dans le trou en prenant mon élan et je me suis retrouvé dégringolant en chute libre, à dix mètres au-dessus des pavés d'une rue berlinoise.

41

J'ai atterri en plein sur mon plexus, au beau milieu des rouleaux de laine de verre. L'impact m'a coupé la respiration, me faisant haleter tandis que je rebondissais et roulais au sol. En m'agenouillant, j'ai vu Weiss exécuter une réception bien plus assurée que la mienne. Il a couru vers moi, grimaçant, et pour la première fois j'ai remarqué que la manche gauche de son costume était déchirée et imbibée de sang.

— Levez-vous ! a-t-il lancé tout en dévalant la rue et en aboyant des ordres à un interlocuteur inconnu, à l'autre bout de son talkie-walkie miniature.

D'en haut, j'entendais de nouveaux coups de feu, sans réussir à localiser leur provenance. Tout ce que je savais, c'est que je n'avais pas été touché – pas encore.

Quelques secondes plus tard, une Mercedes argentée est apparue au coin de la rue. Après avoir foncé dans notre direction, elle a braqué, déviant sa trajectoire à cent quatre-vingts degrés dans un crissement de pneus avant de s'immobiliser à notre hauteur, le long du trottoir opposé à celui où nous nous tenions. Weiss l'a rejointe en courant, ouvrant brusquement une portière arrière avant de m'empoigner et de me pousser violemment sur la banquette avant de monter à son tour. A peine avait-il refermé la portière derrière lui que la voiture démarrait en trombe.

Il m'a fallu quelques secondes pour reprendre mon souffle, après quoi je me suis tourné vers lui.

— Qui...

Je n'ai pas pu terminer ma phrase. L'effet de l'adrénaline, qui m'avait fait tenir pendant ces quelques instants de folie pure, était en train de se dissiper, me laissant sur le flanc. Les coups de feu bourdonnaient dans mes oreilles, mon corps était endolori après la chute et mon cerveau menaçait de s'arrêter complètement.

— Quelqu'un a l'air de craindre ce que vous savez ou ce que vous pourriez découvrir. Cette personne a suffisamment peur, en tout cas, pour éliminer Haller et essayer de vous faire disparaître à votre tour.

— Mais... mais je ne sais rien !

— Pas encore, peut-être...

Une femme assise à l'avant, côté passager, s'est retournée et m'a adressé un bref sourire.

— Karolin Gerber. Nous nous sommes parlé au téléphone.

— Ah, oui... bonjour.

Weiss s'est penché en avant et lui a demandé en allemand :

— Est-ce qu'on est suivis ?

Elle a incliné la tête pour jeter un coup d'œil au rétroviseur :

— Non. Ça va aller ?

Comme s'il venait de s'en souvenir, Weiss a considéré avec un mépris manifeste le tissu déchiré, le sang et la peau nue de son bras.

— Juste une égratignure. Passez-moi la trousse de premiers secours, je vais m'en occuper.

Gerber a obtempéré et Weiss à son tour m'a tendu la trousse.

— Ouvrez-la, m'a-t-il dit, repassant à l'anglais. Vous trouverez un bandage à l'intérieur. Enroulez-le autour de mon bras, en serrant bien. Ça stoppera l'hémorragie. J'irai me faire soigner plus tard.

Tout en faisant ce qu'il m'avait demandé, je me suis mis à réfléchir à voix haute :

— Ainsi, ce jour-là, à l'enterrement, quand vous m'avez dit de me tenir à l'écart de... tout ça, c'était réellement un avertissement.

— Oui, bien sûr, qu'avez-vous cru ?!

— Cela ressemblait plutôt à une menace.

— *Ja*, oui, peut-être... Je voulais vous faire un peu peur. Vous ne me sembliez pas suffisamment effrayé.

— Mais pourquoi avoir volé l'ordinateur ? Et pourquoi avez-vous saccagé le bureau de mon frère ?

Weiss m'a observé d'un air songeur, soupesant ce qu'il avait intérêt à garder pour lui. Enfin il s'est décidé :

— Au début de ma carrière, je travaillais pour une agence qui s'appelle le Bundesnachrichtendienst...

— Les services de renseignements allemands, l'ai-je coupé, me rappelant ce que Haller m'avait dit lors de notre première rencontre.

Weiss a haussé les sourcils, surpris :

— Ah, vous en avez donc entendu parler... Bien, alors vous savez peut-être que nous menions des activités d'espionnage et de contre-espionnage contre l'Est, et plus particulièrement contre la Stasi. C'est là que j'ai rencontré pour la première fois un homme répondant au nom de Rainer Wahrmann...

Wahrmann : j'avais déjà vu ce nom-là quelque part. Je me creusais la cervelle pour resituer dans quel contexte je l'avais croisé, quand Gerber a pris la suite :

— Wahrmann a une fille, alors enregistrée sous le nom de Maria-Angelika. Mais vous la connaissez mieux sous le nom de Mariana...

Cela me revenait, à présent.

— Ce nom... Maria-Angelika Wahrmann. Il était sur une liste que mon frère avait établie... la liste des filles nées le même jour que Mariana.

Weiss a acquiescé :

— Précisément. Il y a quelques semaines, votre frère est venu à Berlin pour tenter de connaître la vérité sur sa belle-sœur. C'était un bon journaliste, il était doué pour dénicher des informations. Il a mené des enquêtes dans toutes les agences officielles concernées. J'ai eu vent de ces enquêtes et je dois dire que cela m'a inquiété : votre frère semblait sur le point de trouver la véritable identité de votre femme. Cela dit, je ne crois pas qu'il en ait eu le temps. Enfin, en tout cas, si elle est restée secrète, c'est pour de bonnes raisons...

— Lesquelles ?

— J'y viendrai quand j'aurai répondu à votre première question.

Weiss m'a adressé un demi-sourire désabusé.

— Un peu de patience ne saurait faire de mal, hmm ? Donc... ce qui m'ennuyait, c'est que si j'étais au courant de la présence de votre frère ici, d'autres pourraient également apprendre ce qu'il y faisait...

— Vous voulez dire Wahrmann ?

— Peut-être, oui.

— Ou Tretow ?

Weiss a plissé les yeux.

— Vous êtes aussi au courant, pour Tretow ?

— Il est promoteur immobilier aujourd'hui, mais à l'époque il travaillait à l'orphelinat où ma femme a été pensionnaire. Quelqu'un semblait le couvrir, et cette personne dissuadait quiconque de s'intéresser à ses activités.

— Est-ce que Haller était aussi au courant de tout ça ?

— Oui.

— Alors vous n'avez pas besoin de me demander pourquoi il est mort, ni qui vient de nous agresser. Et vous comprenez également pourquoi j'étais inquiet pour votre frère. Je craignais qu'il ne s'engage aveuglément sur un terrain miné.

— Et il en est mort...

— Oui, a concédé Weiss, et dans des circonstances particulièrement affreuses, pour couronner le tout. Puis c'est votre femme qui a été arrêtée. J'avais besoin de savoir ce qui s'était passé, ce que votre frère savait exactement. C'est pour cette raison que je suis allé en Angleterre...

— Et que vous êtes entré chez lui par effraction...

— J'en suis navré, croyez-moi, mais il me semblait que je n'avais pas le choix.

— Et vous avez forcé la serrure de ma voiture et volé son ordinateur...

— Là encore : regrettable mais nécessaire.

— Et cette scène, à la maison, au beau milieu de la nuit... c'était vous ?

J'ai jeté un coup d'œil à Gerber.

— Vous deux, peut-être ?

Leur silence était éloquent.

— Mais pourquoi ? Quel était l'intérêt de cette mise en scène ?

— Laissez-moi vous répondre par une question : quand vous avez découvert ce qui s'était passé, est-ce que vous y avez cru tout de suite ? Malgré toutes les preuves flagrantes à l'encontre de votre femme, cela vous semblait-il plausible, voire même possible qu'elle soit une meurtrière ?

— Non.

— Moi non plus. Pourtant, je savais que certaines personnes étaient capables de tuer votre frère sans hésiter. C'est pour cette raison que nous avons voulu nous rendre sur le lieu du crime : pour nous forger notre propre opinion. Je n'avais pas l'intention de vous déranger ou de vous affoler. J'étais loin d'imaginer que vous reviendriez si tôt sur le lieu du crime.

— Et qu'avez-vous déduit de votre reconstitution des faits ?

— J'ai estimé que la thèse de la police tenait la route.

— Pour vous, peut-être, ai-je rétorqué. Mais j'ai l'impression que vous savez beaucoup de choses sur ma femme que j'ignore, alors que diriez-vous de me raconter la vérité... du début jusqu'à la fin ? Si vous acceptez, je vous promets de ne pas me précipiter à l'ambassade de Grande-Bretagne pour leur rapporter les agissements récents d'un agent du gouvernement allemand sur le territoire britannique. Cela vous éviterait des emmerdes diplomatiques de premier ordre. Est-ce que ce marché vous semble honnête ?

Weiss m'a gratifié d'un de ses regards inquisiteurs.

— Vous savez, monsieur Crookham, vous êtes un homme intéressant. Lors de notre première rencontre, je me suis dit : Il est fort physiquement, mais c'est un mouton. Il n'a rien d'une tête brûlée. Et voilà que vous vous jetez sans crainte d'une fenêtre qui se trouve à dix mètres du sol. Vous avez calculé que la chute était sans risque et cela vous a permis de nous trouver une échappatoire. Maintenant, vous me menacez et votre voix est différente. Je vous crois tout à fait capable de passer de la parole aux actes, désormais. Pour vous dire la vérité, je m'étais demandé ce que la fille de Rainer Wahrmann, la chair de la chair de cet homme-là, avait pu trouver chez un homme tel que vous. Je crois que je comprends, maintenant...

— Eh bien, c'est très flatteur de votre part, monsieur Weiss. Mais je vous ai posé une question : est-ce que vous acceptez le marché ?

Weiss a esquissé une nouvelle grimace et s'est enfoncé dans son siège, les mâchoires serrées, le teint terreux. De sa main valide, il m'a fait signe de lui passer la trousse de premiers secours. Il l'a calée sur ses genoux pour en inspecter le contenu et en a sorti une plaquette contenant deux gros comprimés blancs. Après avoir fait craquer la plaquette, il a avalé les comprimés avant de se laisser aller contre le dossier de la banquette.

Alors seulement il m'a regardé et m'a dit :

— *Ja*. Marché conclu.

42

— Arrêtez la voiture, a dit Weiss. Je dois passer un coup de fil.

La Mercedes s'est rangée sur le bas-côté et Weiss est sorti, refermant la portière derrière lui. Je l'ai regardé arpenter le trottoir de long en large. A en juger par l'expression de son visage et la tension de son poing gauche serré, il semblait avoir du mal à imposer son avis, mais il a dû arriver à ses fins car je l'ai vu raccrocher sur un vigoureux hochement de tête.

Il a repris place dans le véhicule et le chauffeur s'est tourné vers lui.

— Où allons-nous, chef?

— Potsdam. Templiner See.

— Vous êtes sûr que c'est une bonne idée? a demandé Gerber. Il vaudrait mieux les préparer, sinon ce n'est pas...

— Non. S'il faut le faire, autant que ce soit tout de suite.

— Et vous, alors? Vous devriez voir un médecin...

— Ça va aller. Finissons-en, maintenant. Allez à Templiner See, il est grand temps que M. Crookham rencontre Rainer Wahrmann.

Weiss regardait par la fenêtre mais il ne semblait rien voir de la ville que nous traversions par cette fin d'après-midi sombre et hivernale. Il avait la tête ailleurs. J'ai eu envie de l'interroger au sujet de Wahrmann, ce beau-père que je n'avais jamais vu, dont l'existence même m'était restée cachée, mais je ne savais par où commencer. Je lui ai donc été reconnaissant quand il a anticipé ma question :

— Qu'est-ce que votre femme vous a dit au sujet de son père ? Est-ce qu'elle vous a parlé de leur rupture ?

— Elle m'a dit qu'il avait quitté le domicile familial quand elle était petite. Qu'il ne s'était jamais donné la peine d'entretenir un contact avec elle, tout au long de son enfance et de son adolescence...

— Ce n'est pas complètement vrai. Ce n'est pas le père qui est parti. On lui a enlevé sa fille, Mariana, et sa femme... C'est moi qui ai arrangé le transfert en tant qu'agent, à l'époque. On les a placées en lieu sûr et on lui a interdit tout contact avec elles. Il ne sait toujours rien de sa fille aujourd'hui, d'ailleurs, et il va sans dire qu'il n'a aucune idée de sa situation actuelle. La séparation a été totale.

J'ai tenté d'imaginer les horreurs dont Wahrmann avait dû se rendre coupable pour se voir ainsi refuser tout contact avec sa propre famille.

— Quel salaud est-il donc pour mériter un traitement pareil ?

— Oh, rien de ce que vous imaginez, sans doute. Mais c'est en tout cas un homme peu ordinaire. A son époque, il était à la fois espion, traître et criminel aux yeux de son pays. Au moment de la naissance de votre femme, il se trouvait derrière les barreaux, condamné à trois ans fermes.

— Pour quel motif ?

— Un crime, bien entendu, mais un crime inhabituel. Il a été condamné à cause d'une plaisanterie.

— Pardon ?!

— A la fin des années 70, Rainer Wahrmann était un de ces étudiants particulièrement brillants, promis à un grand avenir. Il effectuait un doctorat en économie à l'université de la Humboldt. Pendant deux cents ans, cette université avait été la plus importante de Berlin, mais elle se trouvait à l'est quand la ville a été divisée. C'est donc là qu'étaient envoyés les étudiants formant l'élite du pays, triés sur le volet pour leurs aptitudes mais aussi pour leur allégeance au SED – le parti communiste au pouvoir.

— Wahrmann était donc un communiste convaincu ?

— A cette époque, il l'était, oui. Tout jeune homme ambitieux se devait de l'être, à vrai dire, et Wahrmann était terriblement ambitieux. C'était un véritable « golden boy » : une belle gueule, un prodige académique, fraîchement marié à une ravissante jeune femme. Mais, un soir, il s'est rendu à une fête dans l'appartement d'un autre étudiant. Il a bu un verre de trop et il a lâché une plaisanterie au sujet d'Erich Honecker, le leader du Parti. C'était comme ça : les Allemands de l'Est avaient des blagues sur Honecker, exactement comme les Russes avaient des blagues sur Khrouchtchev et Brejnev… Vous voyez ce que je veux dire ? Exactement les mêmes blagues, on changeait juste le nom…

— Et quelle était donc cette plaisanterie ?

— Vous voulez vraiment l'entendre ?

— Si elle a envoyé mon beau-père en prison, je suis assez curieux de la connaître, oui…

Weiss a fait une pause, comme tout amateur essayant de se souvenir d'une bonne blague. Pendant un instant, son masque ultra-compétent a paru troublé.

— OK. Alors voilà : Honecker roule en limousine à travers la nature, en pleine campagne. Tout d'un coup, un cochon se retrouve sur la chaussée et paf ! la voiture le percute, il meurt sur le coup. Ne sachant pas quoi faire, le chauffeur se retourne vers Honecker. « Je continue ma route, monsieur ? » Honecker lui répond : « Non, vous feriez mieux de vous arrêter à la ferme la plus proche, il faut les dédommager pour ce cochon. » Le chauffeur va donc rembourser le paysan. Quinze minutes passent, puis trente, puis une heure… Le chauffeur n'est toujours pas de retour. Enfin le revoilà, marchant de travers, chantonnant. Il est évident qu'il a bu. Il a les bras chargés de cadeaux et de paquets : des miches de pain, des légumes frais, des bocaux de cornichons, des tranches de viande – tout ce qu'un fermier peut offrir. Honecker n'en croit pas ses yeux : « Qu'est-ce qui s'est passé ? » Le chauffeur lui répond : « Je ne sais pas. Je leur ai juste dit : "J'ai Honecker dans ma voiture et j'ai tué le cochon", et voilà comment ils ont réagi… »

J'ai réussi à émettre un petit rire, plutôt forcé :

— C'est tout ?

Weiss n'a pas semblé déçu par ma réaction pour le moins mitigée.

— Oui, c'est tout. Wahrmann a raconté cette blague, quelqu'un l'a rapporté à la Stasi et il a été envoyé en prison sous prétexte de conspiration en vue de saper l'Etat.

— Comment une plaisanterie peut-elle devenir une conspiration ?

— C'est très simple. Pour que vous puissiez raconter une blague, dans la plupart des cas, il faut que quelqu'un d'autre vous l'ait racontée auparavant. A votre tour, vous diffusez la blague auprès d'une certaine audience. Et voilà la conspiration ! Ainsi Wahrmann était-il un conspirateur contre l'Etat, un subversif. A cette époque, le terme officiel allemand était *Diversant,* ce qui, traduit, signifie « saboteur »...

— Mais c'est de la pure folie !

— Le système entier était une pure folie, vous ne le saviez pas ?

J'ai songé à la société dans laquelle j'évoluais, moi. A l'agacement que m'inspiraient l'obsession pour la santé et la sécurité, le politiquement correct et cette nécessité de se soumettre à des échanges de platitudes de bon ton auxquelles personne ne croyait. Puis je me suis représenté un système reposant tout entier sur ce genre de chicaneries, élevées au rang de vertu ; un système au sein duquel honnêteté et vérité étaient punies par la loi, et où la plus insignifiante déviance pouvait mener à l'emprisonnement et la torture. C'était dans un monde comme celui-là que Rainer Wahrmann avait vécu.

— Où l'ont-ils envoyé ?

— D'abord à Hohenschönhausen, où il a été interrogé, puis dans une prison appelée Bautzen, en Basse-Saxe, non loin de la frontière tchèque. Les détenus l'avaient surnommé « Gelbes Elend », la misère jaune, à cause de la couleur des briques. Vous vous êtes rendu à Hohenschönhausen pas plus tard que cet après-midi, n'est-ce pas ?

— Oui...

— Un parc d'attractions, comparé à Bautzen.

J'ai essayé de me figurer comment un étudiant bichonné, un « golden boy » accoutumé aux privilèges, à profiter librement de tous ses droits, pourrait survivre dans un endroit tel que l'*U-Boot*, le sous-marin que j'avais visité à Hohenschönhausen. Il m'était difficile de concevoir un endroit plus dégradant encore. Wray avait évoqué ces traumatismes multigénérationnels, qui se transmettaient de parent à enfant. Le père de Mariana avait très certainement eu sa dose de traumatismes. Je ne pouvais qu'imaginer la douleur qu'elle avait héritée de lui.

— Seigneur... et il y est resté longtemps ?

— Un peu plus d'un an.

— Pourquoi l'ont-ils libéré ?

— Un vieux fonctionnaire du Parti est allé lui rendre visite dans sa cellule. Il lui a raconté que sa femme avait donné naissance à un enfant – à son enfant – pendant son incarcération. Puis il lui a proposé un marché. Un grand congrès de jeunes se préparait à Leipzig, avec des représentants de la jeunesse de tous les pays du bloc communiste et quelques sympathisants de l'Ouest. Le régime voulait démontrer l'efficacité et l'humanité de son système de justice...

— Grotesque ! ai-je lâché.

Weiss s'est contenté de me regarder. Il n'avait aucun besoin de me répéter que le système entier était grotesque.

— Continuez... Quel était donc ce marché ?

— C'était très simple. Tout ce que Wahrmann avait à faire était de se rendre à ce congrès et de prononcer un discours dans lequel il expliquait qu'il avait fauté une fois, mais qu'il était infiniment reconnaissant au système de l'avoir remis sur le droit chemin. Ainsi, il était certain de ne jamais refaire la même erreur.

Cela avait un petit air de *1984* : un Winston Smith en chair et en os, proclamant son amour pour Big Brother...

— Vous voulez dire qu'il était censé remercier les personnes qui l'avaient arrêté et torturé pour une conspiration qui n'avait jamais existé, c'est bien cela ?

— Très exactement, oui.

— Qu'est-ce qu'il a fait ?

— Il a accepté le marché. Il a prononcé son discours – un texte très brillant, au demeurant, je l'ai lu – et il est rentré chez lui, retrouver sa femme et sa fille.

— Et après ?

— Après, il est redevenu le golden boy qu'il avait été. Il était la preuve vivante de la rédemption et de l'indulgence du Parti. Il a rédigé une thèse sur « l'efficacité supérieure de l'affectation des ressources dans les économies planifiées des régimes socialistes », qui a été publiée des deux côtés du Rideau de fer. Cette thèse a donné un coup de fouet à sa carrière, on lui a confié un poste au bureau personnel du ministre des Finances, il était chargé de rédiger les discours, les rapports et les prises de position. Il n'avait pas trente ans qu'il assistait déjà à des négociations commerciales internationales, à des meetings bilatéraux entre les gouvernements de l'Est et de l'Ouest. Bien entendu, il ne tarissait pas d'éloges au sujet du système communiste.

— Comment pouvait-il... ? ai-je murmuré.

Weiss a ignoré ma question :

— Rainer Wahrmann était une vedette. Les journaux officiels d'ici publiaient ses articles. Les partis socialistes d'Europe de l'Ouest se servaient de ses rapports économiques pour prouver que le travailleur moyen de l'Est était bien mieux traité que celui de l'Ouest. Ce que ces gens ne savaient pas, c'est que tout ce que Wahrmann écrivait était mensonge, propagande. En réalité, l'économie est-allemande, tout comme les autres économies du bloc soviétique, était un échec total. Wahrmann le savait, bien sûr, mais il a choisi de mentir.

Ma sympathie pour Wahrmann, la pitié que j'avais éprouvée au vu de sa situation se dissipaient peu à peu, laissant la place à de la colère face à l'ampleur de sa trahison.

- - Vous êtes en train de me dire que le père de Mariana savait exactement à quel point le système était caduc et se moquait du peuple qu'il contrôlait, mais qu'il continuait à défendre celui-ci ?! Quelle ordure !

Weiss m'a gratifié d'un regard empreint de quelque chose ressemblant à du dédain.

— Oh, bien sûr, vous auriez agi différemment, hein ? Vous vous seriez dit : Non, je ne veux plus voir ma femme et ma fille. Je renonce à mon foyer. Je ne veux pas que ma famille ait une vie meilleure, un plus bel appartement. Je préfère rester en prison... C'est bien cela ?

— Non... bien sûr que non, mais...

— Mais quoi ? Il n'y avait qu'une option. Wahrmann l'a acceptée. Pensez à votre précieuse Mariana, demandez-vous ce qui était le mieux pour elle et maintenant répondez-moi : croyez-vous qu'il ait fait le mauvais choix ?

— Je... je ne sais pas.

— Si, vous savez. Il a fait la seule chose qu'il pouvait faire, ou tout au moins la seule option possible pour un homme ordinaire. Laissez-moi vous poser une autre question, maintenant : pensez-vous que votre épouse est une femme ordinaire ?

Cette question était beaucoup plus facile.

— Non, non. Sûrement pas.

— Eh bien, son père non plus. C'est l'homme le plus intelligent que j'aie jamais rencontré. Il savait exactement ce qu'il faisait. Mais personne d'autre que lui ne le savait. Rainer Wahrmann les a tous eus.

Avant même que je puisse lui demander ce qu'il entendait par là, Weiss s'est détourné pour regarder par la vitre. Nous avions selon toute apparence quitté la ville et depuis quelques minutes nous roulions sur une deux-voies traversant ce qui semblait être un parc ou une campagne très boisée.

— Nous sommes presque arrivés, m'a dit Weiss. Dix minutes, quinze tout au plus. J'espère que cela signera l'aboutissement de votre enquête.

43

Vers 18 h 15, nous nous sommes garés devant la maison de Wahrmann, une belle villa de style moderne, en bordure d'un lac. Le père de Mariana avait dû tirer quelque profit de cette existence consacrée au crime et à l'espionnage, car sa demeure affichait tous les signes extérieurs de richesse : le portail lourd et impénétrable, l'interphone près de l'entrée, le gravier crissant de l'allée bordée de haies parfaitement entretenues et menant à la façade blanche, immaculée, de la villa. J'étais curieux de voir qui nous accueillerait à la porte : un majordome peut-être, ou alors une épouse particulièrement jeune et jolie, comme une sorte de trophée ?

Au lieu de cela, une infirmière aussi immaculée que la maison nous a ouvert la porte. Elle nous a gratifiés d'un regard sévère avant d'adresser un hochement de tête de reconnaissance à Weiss, puis elle nous a laissés entrer.

— Soyez brefs, a-t-elle recommandé en escortant Weiss le long du couloir. Je n'exagérais pas, vous savez : il est très fatigué. Il n'arrive pas à se concentrer plus de quelques instants.

— Vous l'avez prévenu ?

— Il sait que c'est le mari de sa fille, oui. Mais c'est tout.

Puis sa voix a changé, son ton froidement professionnel laissant la place à une inquiétude sincère et affectueuse pour son patient. Je ne pourrais dire si elle s'adressait à Weiss ou à moi-même quand elle a dit :

— Je vous en prie, soyez très prudents. Il a beaucoup souffert, tout au long de sa vie. Il ne faut pas le faire souffrir davantage.

Je ne savais absolument pas à quoi m'attendre. Depuis l'instant où j'avais décidé de me rendre à Berlin, j'avais commencé à préparer mentalement des petits discours pour le moment où j'allais me retrouver face au père de Mariana, qui qu'il puisse être. J'avais toujours su qu'il l'avait abandonnée mais, au-delà de ce fait, mon opinion le concernant n'avait cessé de changer quasiment d'heure en heure. Haller m'avait très justement rappelé que je ne devais pas le tenir trop rapidement pour responsable de tous les problèmes de Mariana, mais qu'est-ce que j'étais censé penser, maintenant ? A en juger d'après la description que m'avait faite Weiss, Rainer Wahrmann était une sorte de survivant génial mais dénué de tout scrupule. Et voilà que l'infirmière me décrivait un pauvre invalide victime de quelques circonstances tragiques...

Nous avons traversé un hall d'entrée carrelé et nous sommes arrêtés devant une lourde porte en bois.

— Seulement lui, a-t-elle déclaré en me désignant.

— Il faut que je lui parle, a objecté Weiss.

L'infirmière a levé une main pour l'arrêter.

— Non, une seule personne à la fois, j'insiste.

Elle a ouvert la porte et j'ai pénétré dans ce qui avait dû être une pièce de réception raffinée, dont le mobilier s'accordait harmonieusement avec le style Bauhaus de la villa. C'était à cet espace que se réduisait désormais l'univers de Rainer Wahrmann... Un lit médicalisé flanqué d'une table de nuit avait été installé à un bout de la pièce, mais l'homme était assis dans un fauteuil Barcelona de cuir noir et d'acier chromé, non loin de la fenêtre. Cette dernière occupait presque l'intégralité du mur du fond et offrait une vue imprenable sur l'eau, noire à cette heure de la journée, du lac avoisinant. J'ai été frappé par la similitude existant entre cet endroit et le salon de ma propre maison. La pièce était peinte de blanc neutre : toute la dramaturgie visuelle résidait dans le paysage qui s'étendait au-delà de la vitre. Ici aussi, je m'apprêtais d'ailleurs à rencontrer un homme affrontant la mort.

Wahrmann avait dû être un très bel homme, cela se voyait à la structure élégante des os de son visage – la mâchoire forte, l'arête du nez droite, le front aristocratique – et à l'allure présidentielle de sa coupe de cheveux d'un gris d'acier. La chair de son visage et les muscles de son corps, en revanche, s'étaient affaissés, réduits à l'état d'enveloppe flétrie et desséchée, à peine plus imposante qu'un épouvantail, sur laquelle ses vêtements pendaient lâchement.

Un tuyau respiratoire inséré dans ses narines était relié à une bouteille d'oxygène arrimée à un chariot à roulettes, à côté de son fauteuil. Il a esquissé un geste faible en direction d'un deuxième siège, également un Barcelona, placé en face du sien.

— Je vous en prie, asseyez-vous.

Il a observé un bref silence pendant que je prenais place, puis il a ajouté :

— Veuillez m'excuser, je ne peux pas vous saluer comme il conviendrait. Je suis légèrement indisposé, malheureusement.

Il a esquissé un sourire, et bien qu'il ne dégageât sans doute pas plus d'une once du charme qu'il avait dû posséder autrefois, j'ai soudain reconnu Mariana dans les commissures de ses lèvres et l'éclat fauve, presque félin, de ses yeux.

— Je suis sincèrement navré de vous trouver mal en point...

— Leucémie, a-t-il dit d'une voix calme, pragmatique. Encore un petit cadeau de la Stasi. Je ne suis pas le seul à en avoir bénéficié. Ils se servaient d'un vaporisateur radioactif pour garder une trace de ceux qu'ils suspectaient d'activités subversives. Et puis après la chute du Mur, au moment des règlements de comptes, j'ai été empoisonné au thallium. A ce moment-là, je m'étais remis des effets des radiations, mais qui sait ? peut-être que cela a fait pencher la balance...

Wahrmann a haussé ses maigres épaules, puis il m'a fixé avec des yeux encore brûlants de cette vie et de cette énergie qui désertaient peu à peu son corps.

— Parlez-moi de Mariana, ma petite fille. Il lui est arrivé quelque chose, n'est-ce pas ? Magda, mon infirmière, n'a rien voulu me dire. Dieu la bénisse, elle cherche seulement à me protéger. Mais mon cerveau fonctionne encore, même si le reste de mon corps ne répond plus. Vous avez fourni des efforts considérables pour me retrouver, la situation doit donc être sérieuse. Vous êtes venu seul, sans Mariana, ce qui laisse supposer qu'elle n'est pas en mesure de me rencontrer ou qu'elle ne le souhaite pas. Mais enfin, l'important est que vous soyez là, maintenant. Dites-moi : qu'est-ce qui vous amène ?

Une fois de plus, j'ai relaté les événements des dernières semaines, aussi clairement et aussi brièvement que possible, en finissant avec la mort de Haller et ma fuite de son bureau. Wahrmann m'écoutait patiemment, posant de temps à autre une question précise et logique, clarifiant ou relevant tel ou tel aspect particulier de mon récit. Je sentais presque physiquement le pouvoir de son intelligence, qui me poussait à formuler mes pensées avec une pertinence et une cohérence dont je ne me serais jamais cru capable.

— Vous comprenez donc, ai-je conclu, que si j'arrive à savoir ce qui lui est arrivé dans cet orphelinat, je serai peut-être en mesure de fournir au Dr Wray les clés lui permettant d'accéder au subconscient de Mariana et, qui sait, de donner aux avocats quelques éléments utiles à sa défense. Je sais que vous n'avez pas vu Mariana depuis des années. Je sais que vous n'avez joué aucun rôle dans son éducation. Mais elle ne peut tout de même pas vous être totalement indifférente, n'est-ce pas ? Est-ce que vous pouvez m'aider ?

Wahrmann a saisi une petite carafe d'eau qui reposait sur une table, non loin de son fauteuil, et a rempli un verre qu'il a porté à ses lèvres d'un air pensif. Puis il a levé sur moi un regard empli d'une culpabilité et d'une détresse immenses.

— Je ne sais pas. Que Dieu m'en soit témoin : je n'en ai pas la moindre idée.

— Comment cela, vous ne savez pas ?! Vous êtes son père, tout de même !

— Non, je vous jure que je n'en sais rien. La vie de ma propre fille est un mystère pour moi, une de ces énigmes que je n'ai jamais été en mesure de percer. C'est entièrement ma faute, je l'admets volontiers. C'est moi qui suis parti. Quand ma petite fille avait le plus besoin de moi, je l'ai abandonnée entre les mains d'un monstre.

Cette confession semblait avoir pour but de lui attirer un peu de sympathie, mais je n'allais pas le laisser s'en tirer à si bon compte.

— Eh bien, cela ne m'étonne pas tant que cela, après tout ce que Weiss m'a dit de vous.

Les yeux de Wahrmann se sont étrécis.

— Qu'est-ce qu'il vous a donc raconté ?

— Il m'a dit que vous étiez un criminel, un traître et un espion.

Je m'attendais à un démenti virulent. Au lieu de cela, Wahrmann est parti dans un éclat de rire qui s'est rapidement transformé en un mélange confus et étouffé de crachotements, de halètements et d'accès de toux.

— Ça va ? Je vais chercher l'infirmière...

Wahrmann m'a arrêté d'un geste, secouant la tête entre deux quintes.

— Non non, ça va aller. Excusez-moi juste un instant...

Une nouvelle gorgée d'eau a calmé sa toux. Il était de nouveau en mesure de parler :

— Est-ce que Weiss vous a parlé de lui, aussi ?

— Il m'a dit qu'il avait travaillé pour le BND, et c'est d'ailleurs par ce biais qu'il vous a rencontré...

— C'est la vérité. Mais depuis la Réunification il est officier au Bureau fédéral de la protection de la Constitution : de l'espionnage domestique, en d'autres termes. En tout cas, dans un cas comme dans l'autre, il a combattu la Stasi ou ses anciens membres ainsi que leurs tentatives pour saboter la République fédérale.

— Il vous connaissait donc déjà quand vous travailliez pour la Stasi ?

Wahrmann a esquissé un sourire.

— Tout au contraire : il m'a rencontré quand j'espionnais pour l'Ouest.

44

Découvrir la vérité au sujet du père de Mariana revenait à essayer d'attraper une anguille à mains nues : à chaque fois que je pensais la saisir enfin, elle semblait glisser entre mes doigts.

— Attendez un instant. Weiss m'a dit que vous aviez écrit des mensonges, de la propagande pour le ministère des Finances de la RDA. Vous étiez donc de leur côté.

— C'est exact. Officiellement, je faisais mon possible pour chanter les louanges de notre glorieux Etat socialiste.

— Et officieusement... ?

Wahrmann a soupiré.

— Comment vous expliquer cela ? Voyons voir... Quand j'ai été envoyé à Bautzen...

— Après votre plaisanterie sur Honecker ?

— Exactement... d'ailleurs, j'ai toujours été convaincu que la véritable raison de mon emprisonnement n'avait rien à voir avec une quelconque conspiration contre le gouvernement. Je crois plutôt que ce qui ne leur a pas plu, c'est que j'ai raconté cette blague d'une manière très sérieuse. Je dénigrais ouvertement la comédie marxiste-léniniste.

J'ai froncé les sourcils, éberlué : pouvait-on réellement envoyer quelqu'un derrière les barreaux pour un tel motif ? Mais tout semblait possible, désormais.

— Je vous en prie, a poursuivi Wahrmann, faites un effort ! Cela ne vous fait pas rire ? C'était une plaisanterie.

J'ai réussi à lâcher un gloussement embarrassé :

— Je suis désolé. Je ne sais plus que croire...

— C'est normal. Je suppose que cela prend du temps pour des personnes extérieures de comprendre ce qu'était la vie dans l'ancien bloc soviétique – pour moi aussi, d'ailleurs. J'avais grandi dans la foi en l'Etat et la conviction de la nécessité de défendre notre révolution. C'est en expérimentant la réalité de la dictature et de l'injustice que j'ai changé d'opinion. La route de Bautzen a été mon chemin de Damas : tout d'un coup, j'étais déterminé à faire tout ce qui était en mon pouvoir pour saper l'Etat et le Parti.

— Pourtant, vous avez bien prononcé un discours louant la manière dont vous aviez été traité en prison, non ?

— C'est vrai. Comment vouliez-vous que j'en sorte, sinon ? Mieux j'arrivais à les convaincre du fait que j'étais converti, plus ils me faisaient confiance et plus je pouvais leur nuire.

— Quels dommages leur avez-vous donc causés ?

— En 1985, on m'a envoyé à un sommet de négociations commerciales bilatérales à Bonn, en Allemagne de l'Ouest. La veille au soir de la conférence, une grande réception était organisée pour tous les participants. J'ai attendu que l'un des hommes de l'Ouest que je connaissais des autres sommets économiques, un dénommé Dienst, se rende aux toilettes. Je l'ai suivi. Il n'y avait personne d'autre. Je lui ai remis une enveloppe, j'ai fait demi-tour et je suis ressorti des toilettes sans un mot.

— Que contenait l'enveloppe ?

— Les chiffres précis de la production industrielle est-allemande des quatre derniers trimestres.

— C'est tout ?

— Oui.

— Et s'il les avait tout bonnement ignorés ?

— C'était impossible. Dienst était un homme intelligent. Un seul coup d'œil aux chiffres que je lui ai transmis suffisait à lui démontrer que notre économie était nettement moins performante que ce que quiconque pouvait imaginer à l'Ouest. Sachant que l'économie de la RDA était, de loin, la plus avancée de toutes les économies communistes, on pouvait en conclure que les autres étaient en bien plus mauvais état encore. Dienst a immédiatement rapporté mes chiffres au BND et leur a dit qui j'étais et en quelle mesure je pouvais leur être utile. Bien entendu, le BND a tout d'abord fait preuve de la plus grande méfiance. Un grand nombre de citoyens de la RDA qui se portaient volontaires pour espionner pour le compte de la RFA étaient en réalité des agents doubles de la Stasi. Il en allait de même pour de nombreux officiers du BND, d'ailleurs : le plus grand risque que j'encourais était de tomber sur l'un d'eux. Nous avons cependant fini par trouver un accord et nous avons mis au point un système de boîtes aux lettres mortes. C'est ainsi que j'ai commencé à passer régulièrement des informations à l'Ouest.

— Est-ce que votre femme, Bettina, était au courant de tout cela ?

— Non, elle ne savait rien. Je ne voulais pas la mettre en danger.

— Mais vous preniez des risques énormes ! Vous aviez une famille, c'était votre rôle de la protéger. Et Mariana, dans tout cela ?

Wahrmann a fermé les yeux. J'ai compris qu'il évoquait Mariana, qu'il essayait de se rappeler son visage. Ni lui ni moi n'étions en mesure d'approcher davantage Mariana en ce moment.

— C'était une enfant merveilleuse, a-t-il dit en rouvrant les yeux et en m'adressant un sourire mélancolique. Ravissante, tout comme sa mère. Les gens nous disaient toujours que Bettina avait manqué une carrière de star du cinéma, et Mariana était de la même trempe. Elle était d'un naturel doux et joyeux, elle riait tout le temps. Et puis elle était tellement intelligente : elle posait sans cesse des questions, rien ne lui échappait, elle voulait toujours en savoir plus. Tout le monde l'adorait. Bettina l'appelait « mon petit rayon de soleil ». J'étais l'homme le plus comblé du monde avec cette femme et cette petite fille.

J'avais ressenti la même chose en tant que mari de Mariana.

— Et pourtant ?

— Et pourtant, je suis parti. Je l'ai trahie. Ce n'était pas mon intention, mais le résultat a été le même.

— Mon frère est mort, Mariana est enfermée dans une institution spécialisée et moi je suis là pour tenter de rassembler les morceaux. Tout cela uniquement parce que vous avez trahi votre pays. Est-ce bien cela ?

— Croyez-vous vraiment que je trahissais mon pays ? Vous êtes allé à Hohenschönhausen, pourtant. Vous savez maintenant de quoi ce pays était capable. Je ne le trahissais pas, non. Au contraire, j'essayais de le sauver.

— Mais vous aviez un devoir envers votre famille. Cela passait tout de même avant le reste, non ?

Wahrmann a esquissé une grimace.

— Voilà le dilemme, la bataille qui me tenait éveillé la nuit. Bien entendu, un homme a des devoirs envers sa famille. Mais n'a-t-il pas également le devoir moral de lutter contre la tyrannie et l'oppression ? Est-ce qu'il doit fermer les yeux sur ce qui se passe autour de lui, sous prétexte d'une famille à protéger ? Oui, ce serait sans doute l'option la plus sûre, la plus raisonnable. Mais si tout le monde faisait le choix de la raison, la tyrannie ne rencontrerait jamais d'obstacle. Qu'arriverait-il à toutes ces familles, dans ces conditions ? Seraient-elles plus en sécurité ? Il faut bien que quelqu'un se rebelle.

— Mais vous l'avez fait aux dépens des personnes que vous aimez.

— Et depuis, j'ai payé tous les jours pour cette décision, tout comme elles.

J'ai alors réalisé l'injustice dont je faisais preuve à son égard. Quand Weiss m'avait parlé du marché que Wahrmann avait conclu avec le système de l'Est, je l'avais accusé de trahir ses principes. Maintenant qu'il m'affirmait qu'il ne s'était pas vendu à la Stasi, je l'accusais de traîtrise envers sa famille. Ce qui me prouvait ceci : peu importait le choix qu'il faisait, il était perdant à tous les coups. Dans un système tel que celui-là, aucun homme digne de ce nom ne pouvait s'en sortir indemne.

— Je suppose que vous avez été démasqué ?

— *Ach, ja...* C'était inévitable. Cela n'a même pas duré un an. Ensuite... Eh bien, vous avez entendu ce qu'ils m'ont infligé pour une malheureuse blague. La trahison, c'était encore autre chose. J'ai été condamné à perpétuité, sans autorisation de parler à quiconque.

J'ai essayé de m'imaginer ce que ce devait être de voir se refermer cette porte métallique en sachant qu'on passerait le restant de ses jours dans un confinement aussi parfaitement destructeur.

— Comment vous en êtes-vous tiré ?

— Oh, je savais que le pays était au plus mal. Je me suis donc répété qu'il n'allait pas tarder à s'effondrer : dix ans encore, vingt tout au plus.

— Finalement, vous n'avez dû patienter que trois ans. Mais pourquoi Mariana a-t-elle été confiée à un orphelinat ?

— Parce qu'ils ont également arrêté Bettina.

— Vous m'avez dit qu'elle ne savait rien de vos activités...

— Et c'est la vérité. Mais cela n'a fait aucune différence à leurs yeux : le fait qu'elle ne m'ait pas empêché d'agir suffisait à la rendre coupable.

— Comment pouvait-elle empêcher quelque chose dont elle n'avait pas connaissance ?

— Elle ne le pouvait pas, bien sûr, mais cela n'avait pas d'importance, pour eux : ils ont condamné Bettina à trois années d'emprisonnement, qui l'ont détruite. La femme que j'avais aimée est morte dans cette cellule. La femme qui en est ressortie n'était plus qu'une coquille vide, dans laquelle l'amour et la joie avaient été remplacés par de la colère, du poison et de l'amertume.

— Et Mariana ?

— Tous les enfants de prisonnières politiques étaient pris en charge par l'Etat. Tout contact avec les parents leur était interdit : pas de lettres, pas de cadeaux, rien. Bettina est sortie de prison au mois de septembre 1989. A cette époque, l'ordre ancien commençait à s'effriter. Les manifestations contre le gouvernement se multipliaient, des milliers d'individus quittaient le pays, rejoignant l'Ouest à travers la Hongrie. Malgré cela, personne n'a voulu dire à Bettina ce qui était arrivé à Mariana, ni où elle se trouvait. Au mois de novembre qui a suivi, le système entier s'est écroulé complètement.

Wahrmann semblait fiévreux, son front était couvert de sueur. Il puisait visiblement dans ses dernières forces pour me raconter cette histoire, mais il ne semblait pas vouloir s'arrêter et je n'avais aucune intention de l'interrompre.

— Tous les jours, a-t-il poursuivi, Bettina a essayé de contacter des fonctionnaires pour prendre rendez-vous, mais elle s'est heurtée à l'impossibilité de parler à qui que ce soit. Finalement, en décembre, elle est parvenue à trouver quelqu'un qui lui a dit que Mariana était ici, à Berlin. Bettina s'est rendue à l'orphelinat. Mariana n'avait plus que la peau sur les os, elle mourait littéralement de faim ici, en pleine ville. Le personnel de l'orphelinat n'avait plus d'argent pour acheter de la nourriture pour les enfants restants. Ils se débrouillaient avec les quelques restes que leur donnaient les voisins et les légumes d'hiver des potagers des environs.

— Je les ai vus. Comment Bettina a-t-elle pu récupérer Mariana ?

— Elle l'a emmenée avec elle, sans autre forme de procès. Ils étaient soulagés d'avoir une bouche de moins à nourrir, de toute manière. Mais Mariana...

Wahrmann a détourné le regard, s'efforçant de garder une contenance.

— ... Mariana n'a pas reconnu Bettina... sa propre mère. Elle criait et pleurait quand elle l'a amenée jusqu'à l'arrêt de bus. Quand elles sont arrivées à l'appartement que Bettina partageait avec ses parents, enfin, la tempête était passée. Mariana était silencieuse et son regard était vide, comme celui d'un zombie. Le rayon de soleil s'était éteint. Elle ne parlait jamais de l'orphelinat, pas un mot. Il a vite été évident qu'elle était profondément traumatisée.

J'ai eu toutes les peines du monde à lui poser la question qui me brûlait les lèvres, tellement j'avais peur de la réponse.

— Est-ce qu'elle avait été abusée... sexuellement ?

297

— Je ne crois pas qu'elle l'ait été, elle, m'a répondu Wahrmann, la manière dont il insistait sur le « elle » suggérant que d'autres n'avaient pas eu sa chance. Bettina a amené Mariana chez un docteur pour être examinée, et celui-ci lui a affirmé qu'elle était encore, eh bien... intacte. Mais il lui était arrivé quelque chose, c'était certain. Quelque chose de très grave.

— Est-ce qu'elle a fini par en parler, un jour ?

— Non, jamais. Pas un mot...

— Et vous ? Que vous est-il arrivé pendant ce temps ?

— Les prisonniers politiques ont été libérés de prison en janvier 1990. Je suis retourné à Berlin. On ne peut pas vraiment parler de retour à la maison. Bettina était folle de rage à cause de ce que je leur avais infligé, à elle et à Mariana...

La voix de Wahrmann s'est éteinte.

— Vous avez retrouvé du travail ?

— Eh bien, ma connaissance de l'économie de l'Allemagne de l'Est a été d'une utilité non négligeable pendant le processus de Réunification. J'ai également été en mesure d'aider les autorités lors de certaines de leurs enquêtes concernant l'ancien personnel de la Stasi.

— Vous avez donc contribué à envoyer certains de ces salauds derrière les barreaux ?

— Quelques-uns, oui, peut-être... mais beaucoup moins que ce que j'aurais voulu. Il n'y a jamais eu de véritable chasse aux crimes perpétrés à l'Est, vous savez. Les délits demeurés impunis sont innombrables, tout comme le nombre de victimes restées sans la satisfaction de voir leurs tortionnaires jugés.

— Alors Bettina et vous, vous vous êtes séparés et elle a emmené Mariana à l'Ouest...

Wahrmann a dû prendre une nouvelle gorgée d'eau avant de poursuivre :

— Oui, c'était devenu... nécessaire.

— Pourquoi ?

— Certains de mes anciens collègues de l'Est n'étaient pas très contents de me voir fricoter avec un gouvernement qu'ils considéraient encore comme leur ennemi.

Tout comme vous, ils m'accusaient d'infidélité, de traîtrise envers mes compatriotes. Il y a eu des tentatives...

J'ai encaissé le reproche, mais j'ai essayé de ne pas y accorder davantage attention.

— C'est donc à ce moment-là que vous avez été empoisonné au thallium ?

— Oui. On a aussi saboté les freins de ma voiture... Ils ont lâché alors que je roulais sur une route normale, droite, par une journée claire, ensoleillée...

Tout comme Haller, me suis-je dit. Lui était-il arrivé la même chose ?

Wahrmann a enchaîné :

— Après ça, ils ont menacé Bettina et Mariana. On leur a donc procuré un nouveau patronyme, de nouveaux certificats de naissance et de nouveaux passeports... C'était plus prudent pour ma petite Mariana. Il fallait que je la laisse partir, pour sa propre sécurité.

Si durs qu'aient pu être les emprisonnements successifs de Wahrmann, sans parler des longues périodes d'interrogatoires qui les avaient précédés, il m'apparaissait clairement désormais que rien ne l'avait davantage brisé que la destruction de sa famille. Sa voix était hésitante, ses épaules s'étaient affaissées et son visage semblait plus marqué encore qu'auparavant.

— Les attaques contre vous se sont arrêtées, après cela ?

— Oui. Vous savez comment c'est : le temps fait son œuvre. Je crois qu'ils avaient cessé de me voir comme une menace. Et puis mes ennemis avaient mieux à faire, ils devaient affronter des enjeux plus importants. Je suis retourné à l'université de la Humboldt, d'abord en tant que simple enseignant, puis en tant que professeur. J'ai également rempli des missions de consultant pour diverses banques. C'est grâce à cela que j'ai pu m'offrir tout cela...

Wahrmann a fait un geste de la main englobant tout ce qui l'entourait.

— Ces dernières années, je me suis concentré sur la manière dont les marchés des capitaux mondiaux avaient commencé à échapper à tout contrôle.

Ses yeux ont eu une étincelle d'amusement ironique.

— Comme vous avez pu vous en apercevoir, je suis spécialisé dans les systèmes économiques caducs.

— N'étiez-vous pas curieux de savoir ce qui était arrivé à Mariana, à l'orphelinat ?

— Je n'ai jamais cessé de chercher, mais c'était très difficile de retrouver les enfants qui y ont séjourné en même temps que Mariana. La plupart des dossiers avaient été perdus ou détruits, et quand j'ai enfin trouvé des noms d'enfants, ils semblaient tous avoir disparu de la surface de la terre. Sans parler de ceux qui avaient viré vagabonds, ou encore junkies. Au moins une demi-douzaine d'entre eux sont morts très jeunes : des overdoses, des accidents de la circulation, voire même le froid.

— Et personne ne s'en inquiétait ? Tous ces jeunes qui mouraient les uns après les autres...

— Ils n'étaient que des enfants des rues, tout le monde s'en fichait. Parfois, j'ai même eu l'impression que certaines personnes – des personnalités haut placées pour la plupart – faisaient tout pour éviter de véritables enquêtes policières. Un grand nombre d'anciens fonctionnaires de la Stasi continuaient d'exercer une grosse influence, vous savez.

— Que savez-vous de Hans-Peter Tretow ?

— Ah !

Wahrmann a lâché un soupir exaspéré.

— Je sais qu'il travaillait à l'orphelinat au moment où Mariana y était. Je suis convaincu qu'il est en partie responsable de l'état dans lequel elle se trouve actuellement. Je le soupçonne d'avoir joué un rôle dans la disparition de ses anciens camarades de classe. C'est également ce que pense Weiss. Cependant, nous n'avons jamais été en mesure d'établir un quelconque lien entre lui et un crime particulier. Et maintenant, c'est trop tard. Il y a un délai de prescription. Au-delà d'une certaine date, on ne peut plus condamner quelqu'un pour des crimes commis dans le passé.

— Pourtant il y a bien quelque chose qui l'effraie encore, quelque chose qu'il veut à tout prix cacher, non ? Réfléchissez : les freins de Haller ont lâché sur une route droite, par un temps sans nuages. Est-ce que cela ne vous rappelle rien ?

Les yeux de Wahrmann se sont agrandis quand il a fait le lien avec sa propre mésaventure.

— Moi aussi, j'ai été attaqué sur le chemin du bureau de Haller. Weiss est persuadé que Tretow se cache derrière les deux incidents. Il y a donc quelque chose qu'il veut protéger, et ce, quel qu'en soit le prix.

Wahrmann a réfléchi un instant avant de reprendre la parole :

— Oh, il y a bien un crime qui n'est soumis à aucune prescription...

— Lequel ? ai-je demandé, même si je connaissais déjà la réponse.

— Le meurtre. Peut-être que tout au fond d'elle-même, très profondément, Mariana a enfoui des souvenirs dangereux pour Tretow...

45

Un coup sec à la porte a rompu le silence qui s'était installé entre nous. Un instant plus tard, l'infirmière est entrée. Elle a regardé Wahrmann puis m'a lancé un regard désapprobateur.

— Tout va bien, a dit Wahrmann, décelant la critique implicite. M. Crookham et moi faisons le point sur l'histoire de la famille.

— Vous avez besoin de repos, a répondu l'infirmière.

— J'en aurai bientôt plus qu'il ne m'en faut.

Un air affligé a brièvement perturbé la façade professionnelle et autoritaire de l'infirmière.

— Vous devez absolument vous recoucher, quand même.

— Accordez-moi encore deux minutes, a repris Wahrmann. Après, je vous le promets, je serai sage.

L'infirmière a émis un soupir théâtral et a secoué la tête comme pour dire « Qu'allons-nous faire de vous ? », puis elle a regagné la porte.

— Deux minutes, pas une seconde de plus, a-t-elle rappelé en partant.

Wahrmann a redirigé son attention sur moi.

— Je suis désolé de n'avoir pas pu vous aider davantage. Au moins, vous disposez maintenant des informations manquantes pour aider les médecins qui s'occupent de Mariana. Cela va grandement leur faciliter la tâche, j'en suis sûr. Ils finiront bien par lui arracher la vérité.

— A vous entendre, on dirait que je devrais abandonner mes recherches.

— Que pouvez-vous faire d'autre ?

— Poser des questions directement à Tretow, par exemple ? Il sait exactement ce qui s'est passé, lui.

Wahrmann a lâché un rire grave et acerbe.

— Et qu'est-ce qui vous fait croire qu'il accepterait de vous écouter, sans parler de vous révéler quoi que ce soit de valable ?

— Je ne sais pas. Mais je vais vous dire un truc : je suis prêt à parier qu'il est aussi curieux de savoir qui je suis et ce que je sais que je le suis vis-à-vis de lui.

— A la différence que Hans-Peter Tretow est capable de tuer. C'est vous-même qui l'avez dit.

— Il ne peut plus vraiment s'attaquer à moi, pas après tout ce qui s'est passé. Cela risquerait surtout de lui apporter de sérieux ennuis, vous ne croyez pas ? De toute façon, Tretow est un peu en sous-effectif en ce moment. Les agents de Weiss sont déjà aux trousses des hommes qui nous ont tiré dessus. Ils ont d'autres chats à fouetter.

Agacé, Wahrmann a lâché un « Pff ! » tout à fait semblable à ceux de Mariana.

— Ecoutez-vous parler comme un dur... N'avez-vous prêté aucune attention à ce que je vous ai dit ? Ignorez-vous ce qu'il arrive à un homme qui joue les héros ? Vous êtes architecte. Alors tenez-vous-en à l'architecture. Moi aussi, j'aurais mieux fait de m'en tenir à l'économie. Mariana a déjà perdu son père, voulez-vous qu'elle perde aussi son mari ?

— Je viens de vous le dire, je ne crois pas qu'elle va me perdre...

Il a tendu la main vers moi et m'a saisi le bras d'une poigne étonnamment dure.

— Je me moque de ce que vous pensez, Crookham. Je ne suis pas prêt à prendre d'autres risques. Retournez à votre hôtel. Je demanderai à Weiss d'assurer votre sécurité. Offrez-vous une bonne nuit de sommeil puis filez à l'aéroport et repartez en Angleterre avec le premier avion. Dites aux médecins tout ce que vous savez. Aidez ma fille. Aidez-la à guérir.

— Mais je n'en sais pas assez pour l'instant. Elle restera en prison...

— Oui, mais elle finira bien par être libérée. Et là, elle aura besoin de vous pour reconstruire sa vie. Promettez-moi de ne pas contacter Tretow.

— Eh bien... d'accord.

— Dites-le.

— Je promets de ne pas contacter Tretow.

Je suis retourné à mon hôtel. Weiss s'est rendu à l'hôpital pour faire soigner sa blessure qui n'avait que trop attendu, pendant que Gerber patientait dans la salle d'attente. L'agent qui nous avait servi de chauffeur s'est emparé du siège de bureau, dans ma chambre, et s'est posté devant ma porte.

Cinq minutes plus tard, je surfais sur Internet pour tenter de trouver un moyen de contacter Hans-Peter Tretow.

Piétinant dans mes recherches, j'ai fini par sortir faire un tour. Je voulais voir l'homme qui avait anéanti la vie de Mariana. Je voulais pouvoir dire à Andy que j'avais trouvé l'homme qui lui avait ôté la vie. Je voulais venger mon frère, mais aussi Haller. Et si cela signifiait que je mente à Wahrmann, qu'à cela ne tienne. Il avait menti plus d'une fois, lui aussi, et il s'était toujours trouvé des justifications.

Je me suis demandé comment Andy aurait procédé, à ma place. Eh bien, il aurait sûrement commencé par faire une simple recherche dans l'annuaire. Les pages blanches en ligne de Deutsche Telekom répertoriaient quatre Tretow. Deux étaient des femmes et aucun des autres ne se prénommait Hans-Peter. Magda Färber avait dit que Tretow avait des enfants, dont un était une fille qui ressemblait à Mariana.

J'ai donc appelé chacun de ces numéros.

Sur les quatre personnes, deux – un homme et une femme – n'étaient pas chez eux. J'ai laissé des messages sur leur répondeur. Le deuxième homme m'a raccroché au nez avant même que je finisse de lui demander s'il connaissait Hans-Peter Tretow. La dernière femme, cependant, a été très polie, s'excusant de ne pas pouvoir m'aider. C'était très aimable de sa part mais cela ne me rapprochait pas de ma proie. Je devais trouver un autre moyen de le joindre.

La société du bonhomme, Tretow Immobilien, figurait également dans les pages entreprises de l'annuaire, mais, lorsque j'ai appelé, je suis tombé sur un message enregistré m'informant que le bureau était fermé jusqu'à 9 heures, le lendemain matin. J'ai songé à appeler Heike Schmidt – Andy n'aurait eu aucun scrupule là-dessus –, mais je ne pouvais me résoudre à l'effrayer davantage en faisant réapparaître Tretow dans sa vie. J'étais sur le point de renoncer lorsque je me suis souvenu de Kamile, la réceptionniste de l'agence de détectives de Haller. J'avais encore sa carte de visite dans ma poche.

— Vous m'aviez dit que je pouvais appeler en cas de besoin, ai-je dit lorsqu'elle a décroché son portable.

En arrière-fond, j'entendais des gens parler, des verres tinter, et de la musique. Apparemment, Kamile et ses collègues avaient décidé de noyer leur chagrin.

— Ah, oui... oui, bien sûr.

— Je suis désolé... Je suis la dernière personne à laquelle vous devriez penser en ce moment. Mais c'est au sujet de la mort de Haller. Je crois savoir qui l'a tué, ou en tout cas celui qui se cache derrière son meurtre...

A présent, j'avais toute son attention.

— Qui est-ce ?

— Un dénommé Hans-Peter Tretow. Et si c'est bien lui, il a aussi essayé de m'éliminer, ainsi que M. Weiss, cet après-midi.

— Mais pourquoi ? Qu'est-ce que vous ou M. Haller lui avez fait ?

— Nous nous sommes approchés trop près de la vérité. Il a un secret qu'il veut à tout prix dissimuler. Cela remonte à l'époque communiste et c'est en rapport avec ma femme Mariana... Seulement voilà, j'essaie de mettre la main sur Tretow mais je n'arrive pas à le joindre. C'est pour cela que j'ai besoin de vous. Pourriez-vous m'aider à le retrouver ?

— Eh bien, je ne vous serai sans doute pas très utile. Je ne suis pas détective...

— Non, mais vous connaissez des gens qui le sont. Pourriez-vous les mettre sur le coup ? Je veux dire, ils savent comment obtenir des numéros, n'est-ce pas ?

— Oui, oui, bien sûr, a répondu Kamile. Je vais en parler à un ou deux collègues. Je suis avec eux en ce moment. Peut-être que l'un d'eux pourra faire quelque chose pour vous...

Quand j'ai raccroché, l'horloge de mon téléphone indiquait 20 h 42. J'ai commandé un dîner au service de chambre et j'ai attendu qu'une personne de Xenon Detektivbüro me rappelle. A 22 h 13, le téléphone a sonné. Quand j'ai décroché, une voix m'a demandé :

— Etes-vous M. Crookham... M. Peter Crookham ?

— Oui...

— Hans-Peter Tretow à l'appareil.

46

— Vous me cherchiez, a commencé Tretow.

— Comment l'avez-vous appris ?

— Est-ce vraiment important ? Vous vous êtes renseigné sur mon compte auprès de plusieurs personnes. L'une d'elles m'a contacté – plus d'une, d'ailleurs. Dites-moi : que puis-je pour vous ?

Il avait du bagou, le salaud, il fallait bien se rendre à l'évidence. Sa voix ne laissait transparaître aucune agitation. Ce n'était pas non plus le ton d'un homme d'affaires innocent, traqué au téléphone par un parfait inconnu.

— Eh bien... ai-je dit, cherchant mes mots.

Oh, et puis à quoi bon tergiverser : autant en venir au fait. Ce type avait envoyé ses hommes à mes trousses dans le seul but de me tuer. Il était un peu tard pour se préoccuper des mondanités.

— Je veux que vous me disiez pourquoi Haller a été tué et pourquoi des gens m'ont tiré dessus aujourd'hui. Je veux aussi que vous m'expliquiez ce qui est arrivé à ma femme Mariana dans cet orphelinat où vous travailliez comme gardien dans les années 80. Dites-moi ce qui se passe, bon sang !

— Qui parle de meurtre et de fusillades ? a répliqué Tretow. Vous devriez vous méfier des fausses accusations, monsieur Crookham. Elles peuvent avoir de lourdes conséquences...

— Je ne cherche pas à vous accuser, Tretow. Je veux vous proposer un marché. Je veux savoir ce qui est arrivé à Mariana. La seule chose que je souhaite faire de cette information, c'est la communiquer à son psychiatre pour qu'il s'en serve pour aider ma femme à guérir. Dites-moi ce que je dois savoir, et je vous promets de prendre le premier avion, demain matin, et de rentrer chez moi.

Hans-Peter Tretow n'a pas nié, ni feint l'ignorance. Il a simplement posé une question directe :

— Et si je refuse ?

— Ma femme est dans une unité psychiatrique protégée. Mon frère est mort. Mon entreprise bat de l'aile. Enlevez-moi l'espoir de guérir Mariana et je n'aurai plus rien à perdre. Je raconterai n'importe quoi à qui voudra bien m'écouter. Je commencerai à recoller les morceaux entre un meurtre dans le Yorkshire, un accident sur l'auto-route A9, la démolition d'un orphelinat et le riche et respectable homme d'affaires qui veut construire des appartements d'une valeur de plusieurs millions d'euros sur le site où il abusait autrefois d'enfants en bas âge. Et si je n'arrive pas à me faire entendre par quiconque, je vous jure que je m'occuperai de vous personnellement.

La menace m'a paru plutôt faible, pendant que je la formulais. Tretow n'allait sûrement pas trembler dans ses bottes. Il s'est contenté de dire :

— Il y a dans votre hôtel deux agents du BfV, l'agence de sécurité intérieure. Pouvez-vous quitter l'hôtel sans vous faire repérer d'eux ?

— Je crois, oui.

— Vous devez en être sûr. Je veux que vous soyez seul...

Je me suis rappelé l'avertissement de Wahrmann et mon refus un peu désinvolte d'en tenir compte. Peut-être avais-je eu tort.

— Pourquoi ? Pour que vos hommes puissent me tuer en toute tranquillité ?

Tretow a soupiré.

— Ne soyez pas si mélodramatique, monsieur Crookham.

— Ah oui ? Est-ce que j'étais mélodramatique aussi quand ils m'ont tiré dessus, cet après-midi ?

— Vous ne cessez de m'accuser, mais vous ne détenez pas la moindre preuve de ce que vous avancez, monsieur Crookham.

— Et le mail de menace que vous avez adressé à mon frère ? Car je suppose que c'était vous, ou peut-être l'un de vos sbires, qui l'avez envoyé ?

— Supposez ce que vous voulez. Le fait est que je n'ai rien à voir avec la mort de votre frère. Ça, c'est certain. En ce moment, mon seul désir est de poursuivre mon activité sans perturbation inutile. Je préférerais largement un accord pacifique entre deux hommes raisonnables. Alors, pouvez-vous sortir de l'hôtel sans vous faire repérer, oui ou non ?

— Absolument.

— Dans ce cas, je veux que vous le fassiez dans quinze minutes très exactement. Prenez l'entrée de service, au fond de l'hôtel. Tournez à gauche sur la Chausseestrasse et commencez à marcher. Quels vêtements porterez-vous ?

— Pardessus noir, jean. Je suis grand, un mètre quatre-vingt-dix. Vous ne pouvez pas me louper.

— Très bien. Dans quinze minutes alors.

La conversation s'est interrompue.

J'ai passé les treize minutes suivantes à étudier toutes les images de l'hôtel que je parvenais à trouver sur Google Earth et Streetview, pour m'assurer que je savais exactement où j'étais par rapport au reste du bâtiment et à la sortie qui donnait sur la Chausseestrasse. Puis j'ai enfilé mon manteau, je suis sorti de ma chambre et j'ai dit au vigile que je descendais boire un dernier verre au bar de l'hôtel. Il a parlé dans un micro fixé à son poignet et, après avoir écouté la réponse, il m'a fait un signe de tête affirmatif.

J'ai pris l'ascenseur pour descendre au sous-sol puis j'ai longé au pas de course les couloirs qui reliaient tous les locaux, bureaux et autres services qu'un hôtel dissimule dans ses tréfonds. J'espérais trouver une cage d'escalier à l'arrière du bâtiment, me permettant de remonter au rez-de-chaussée. Elle se trouvait à coup sûr quelque part à côté des cuisines et, de fait, elle s'y trouvait bien. J'ai emprunté l'escalier et je me suis retrouvé juste devant la sortie de secours, qui donnait sur une cour goudronnée où quelques voitures et un gros fourgon étaient stationnés. La cour était entièrement cernée de bâtiments mais, sur un de ses côtés, un porche en arc ouvrait sur la rue. Je suis passé dessous et me suis retrouvé sur la Chausseestrasse.

J'ai tourné à gauche, conformément aux instructions, et j'ai commencé à marcher. A peine dix secondes plus tard, une Passat VW noire arrivant d'en face s'est arrêtée à ma hauteur. A l'avant, la vitre côté passager s'est baissée et un homme s'est penché depuis le siège conducteur. Il avait les cheveux gris, le visage aussi tiré et ridé qu'un trophée de chasseur de têtes. L'homme de l'aéroport. Son sourire semblait dire : « Eh oui, vous aviez raison. C'est bien moi. » Mais le seul mot qu'il a prononcé a été :

— Montez.

47

La Passat s'est rangée dans une rue, à quelques centaines de mètres à peine du Reichstag, le bâtiment du Parlement allemand. Sur le trottoir d'en face se trouvait un petit centre commercial alternant boutiques et cafés, tous fermés à cette heure tardive. Quand nous sommes descendus de voiture, le conducteur m'a indiqué la direction opposée, de l'autre côté du trottoir et le long d'un chemin étroit, glissant de neige fondue. Il s'ouvrait entre deux rangées de stèles de béton, les premières à peine plus hautes que mes genoux, les suivantes de plus en plus hautes, jusqu'à atteindre environ deux fois ma taille. D'autres allées croisaient la nôtre en angle droit, les stèles se succédant dans toutes les directions, suivant les courbes irrégulières du sol et formant une sorte de grille apparemment illimitée. La seule lumière qui nous parvenait venait du rayonnement faible de la ville, et les stèles projetaient des ombres noires et impénétrables sur le chemin. Cette armée d'imposants monolithes noirs s'élevant de part et d'autre de nous me faisait l'effet d'immenses œillères de béton : mon regard était obligatoirement concentré sur ce chemin qui s'étendait devant mes pieds sans que je puisse en distinguer le bout.

Nous étions seuls ou presque. De temps en temps, une silhouette ou deux traversaient mon champ de vision, loin devant moi, entre deux rangées de stèles, se déplaçant sans bruit, rapides et quasi invisibles, tels des fantômes dans un gigantesque cimetière. Mais la plupart du temps nous n'étions que nous deux, marchant en silence à travers un monde sinistre et inquiétant alternant obscurité et pénombre.

Tout d'un coup, une flamme s'est élevée dans l'ombre impénétrable qui s'étendait devant nous, suivie de près par le rougeoiement vif d'une cigarette allumée.

Le conducteur s'est immobilisé et j'ai suivi son exemple mais il m'a poussé en avant en grognant :

— Avancez.

Je me suis dirigé vers la lueur de la cigarette dont le propriétaire, à son tour, a fait un pas en avant, sortant ainsi de l'obscurité. Bien qu'il fût encore à moitié caché par les ombres et la fumée, j'ai reconnu le visage de l'homme des affiches : Hans-Peter Tretow. Ce soir, il ne montrait rien de la mine rubiconde et conviviale que j'avais gardée en mémoire. Les yeux de Tretow étaient méfiants et calculateurs tandis qu'il observait mon avancée et sa bouche formait une courbe sinistre entre ses bajoues lourdes et charnues. Il était plus petit que moi mais plus massif, et bien qu'il dût approcher de la soixantaine, il dégageait encore une force physique importante et quasi menaçante. Il puait l'argent, aussi. Son manteau était orné d'un lourd col de fourrure et, quand il s'est approché de moi, j'ai senti les relents d'une lotion après-rasage lourde et épicée.

— Alors vous voilà, Peter Crookham.

J'ai répondu d'un hochement de tête.

— Et c'est vous qui avez épousé ma jolie petite Mariana... la tueuse.

— Mariana n'a jamais tué personne.

— Et pourtant, un homme est mort. Savez-vous où nous nous trouvons ?

— Bien entendu. Au Mémorial de l'Holocauste.

— C'est bien cela, oui. L'endroit où les Allemands s'excusent pour les péchés qu'ils sont censés avoir commis. Nous avons beaucoup pratiqué cela, savez-vous ? Pendant des années. Mais on ne peut pas s'excuser éternellement, ni pour tout. Aujourd'hui, nous en avons assez des excuses. Nous en avons ras le bol du passé. C'est pour cette raison que tout le monde se fout de ce qui s'est passé pendant toutes ces années, en RDA. Ils veulent oublier tout ça. Vous pouvez le comprendre ?

— Si vous le dites...

— Tant mieux, parce que dans ce cas vous comprendrez aussi que vos menaces à mon égard n'ont aucun sens. Toutes ces choses que vous racontez sur ce que vous allez dire au sujet d'actes que j'aurais prétendument commis, toutes ces menaces censées faire regretter aux gens d'acheter mes appartements... oubliez tout ça, mon vieux.

Après avoir jeté son mégot de cigarette par terre, il l'a vigoureusement écrasé sur le sol couvert de neige fondue, comme pour renforcer son propos.

— Personne n'imprimera jamais votre histoire, OK ? Personne ne vous fera passer à la télé. Alors ne vous attendez pas à des excuses de ma part. Pourquoi est-ce que je devrais m'emmerder à m'excuser ? Ceux qui devraient demander pardon, ce sont surtout Wahrmann et sa pute stupide de femme.

— Ne soyez pas ridicule. Ils n'ont pas maltraité leur fille...

Tretow a écarquillé les yeux, feignant une surprise exagérée.

— Tiens donc ? Ce sont bien eux, pourtant, qui ont envoyé leur jolie petite fille dans un orphelinat de l'État, abandonnée, toute seule, alors qu'elle aurait été bien mieux chez elle, dans sa famille. J'ai juste pris sous mon aile une petite fille malheureuse et effrayée. J'étais son ami. C'est moi qui ai pris soin d'elle quand son père n'était pas là pour le faire. Je lui ai dit que si son père ne l'aimait pas, s'il avait volontairement choisi de l'abandonner, je serais toujours là pour elle, moi. Alors arrêtez de me dire que c'est de ma faute si elle est dingue aujourd'hui, hein. Je n'y suis pour rien. Et puis d'ailleurs je ne l'ai pas « maltraitée », comme vous dites. Demandez à son père. Après tout, c'est lui qui l'a forcée à écarter les cuisses pour un docteur.

La voix de Tretow s'était élevée, son ton s'était fait plus agressif à mesure qu'il s'échauffait, emporté par son discours d'autojustification. A l'écouter vanter son rôle de protecteur de Mariana, j'avais envie de l'étrangler. Mais cette dernière phrase toucha son but.

Un sourire vorace s'est lentement dessiné sur son visage.

— Ah, je vois que vous êtes au courant... Alors allez vous faire foutre, si vous croyez que j'ai abusé de cette gamine !

Son refus d'assumer une quelconque responsabilité entamait ma patience et cette provocation était de toute évidence délibérée. Tretow voulait que je perde mon sang-froid, je le sentais. Luttant pour ne pas hausser le ton, j'ai répliqué :

— Vous avez suffisamment nui à Mariana comme cela. Et pas seulement à elle, d'ailleurs. J'ai vu les ravages que vous avez causés. Plus de vingt ans après, ces enfants sont encore des épaves...

— Ha ! Vous parlez de Heike Schmidt ?

— Comment savez-vous que je l'ai rencontrée ?

— De la même manière que je sais tout ce que vous faites depuis que vous avez posé le pied sur le sol allemand, voyons. Ce fou de Haller était vraiment trop crédule. Les anciennes loyautés sont plus coriaces que ce qu'il croyait... Quant à Heike... *Ach*, je pourrais vous en dire, des choses, au sujet de cette fille. Je pourrais vous en dire beaucoup sur Mariana aussi, bien sûr. Mais je suis un homme d'affaires, moi. Je veux quelque chose en retour.

— Quoi, par exemple ?

— Eh bien, vous cherchez des informations, vous devrez donc me donner des informations en échange. Cela fait longtemps que je n'ai pas vu Mariana. Je l'aimais vraiment beaucoup, à l'époque, et je serais heureux d'apprendre comment elle va aujourd'hui, comment se passe votre vie de couple. Par exemple... est-ce que vous avez des enfants ?

De toutes les questions qu'il pouvait me poser, comment avait-il deviné que celle-ci me blesserait le plus ? Il ne pouvait tout de même pas être au courant de l'opération de Mariana... Ou peut-être que si ? Ce ne pouvait être qu'un coup de chance, ou tout au plus l'intuition d'un psychopathe doué pour causer le plus de douleur possible.

Tretow a haussé les épaules.

— Oh, très bien. Si vous ne voulez pas me répondre, notre entrevue est terminée. Bonsoir, monsieur...

— Non. Nous n'avons pas d'enfants.

— Hmm, cela me surprend, à dire vrai. Vous n'en voulez pas ? A moins que ce ne soit Mariana ?

— Elle ne peut pas avoir d'enfants.

Que je sois damné si je lui en donnais la raison !

— Voilà, j'ai répondu à votre question. A vous maintenant. Commençons par Heike Schmidt.

Tretow a poussé le soupir de satisfaction d'un homme qui vient de prendre une première gorgée d'un cognac particulièrement raffiné.

— Ah, Heike... Elle affichait toujours ce visage quelconque et revêche, mais elle était douée, c'était une bonne petite pute. Elle avait ça dans le sang, dans les os...

J'ai pensé à la femme brisée et solitaire, derrière sa porte d'entrée fermée à clé.

— Comment pouvez-vous dire une chose pareille ? C'était une petite fille, une gamine !

Tretow m'a lancé un regard libidineux.

— Et vous croyez, vous, que les enfants ne s'intéressent pas au sexe ?! Vous croyez que ça ne leur plaît pas ? Ah, vous n'avez pas vu Heike comme je l'ai vue, moi, avec tous ces hommes politiques et ces industriels de l'Ouest... Comme si elle était née pour se prostituer. Je peux vous montrer les films, si vous voulez...

— Vous êtes un pervers, un malade.

— Tss-tss... Heike ne s'est jamais plainte. Elle avait de jolies robes, elle avait des poupées Barbie. Toutes les autres filles l'enviaient. C'est comme ça que Mariana l'a convaincue de le faire, au début... Ha, ha ! Vous devriez voir votre tête, monsieur Crookham. Vous avez l'air tellement surpris ! Et pourtant vous devez crever d'envie d'en savoir plus. Malheureusement pour vous, il va falloir que vous répondiez à la question suivante pour en apprendre davantage. Plus d'une question, d'ailleurs. Alors... Mariana : est-elle toujours aussi jolie ?

— Pas la dernière fois que je l'ai vue, non. Aujourd'hui, c'est une épave. Et ça, grâce à vous, j'en suis certain.

— Calmez-vous, monsieur Crookham. Décrivez-moi Mariana, s'il vous plaît. Oh, quand elle n'est pas en train de commettre un meurtre, bien entendu. Racontez-moi, ou alors je m'en vais...

— Elle est très belle, comme elle l'a toujours été. A mes yeux, c'est la plus belle femme du monde.

— Elle est charmante, aussi ?

— Oui, très charmante.

Tretow a hoché la tête avec affabilité.

— Ah, tant mieux, très bien. Je suis heureux d'entendre qu'elle est restée la Mariana que j'ai connue. Après tout, ce sont ces qualités qui lui permettaient de recruter les autres filles. Elles l'adoraient toutes pour sa beauté. Elle était vraiment la princesse de l'orphelinat. *Fräulein* Färber a dû vous le dire, non ? Quand elle leur proposait de l'accompagner pour une petite virée, une expédition à Potsdam, par exemple, ou un pique-nique à la campagne, elles s'empressaient toutes de dire oui. Elles étaient ravies ! Les filles, mais aussi quelques garçons, allaient s'amuser avec leurs gentils nouveaux oncles, et Mariana restait avec moi...

J'ai repensé à l'aisance avec laquelle Mariana avait recruté les clients qui avaient apporté tant de succès à notre bureau d'architectes, et je me suis demandé si elle avait eu conscience, alors, de tous les schémas qu'elle répétait. La tache de son enfance s'étendait sur mes propres souvenirs d'elle, teintant tout ce qu'elle touchait. Il me fallut respirer profondément, lentement et délibérément pour contenir ma rage :

— Est-ce qu'elle savait ce qu'elle faisait ? Est-ce qu'elle savait ce qui arrivait aux autres enfants ?

Tretow avait l'air enchanté de l'effet produit.

— Je ne sais pas... Qu'est-ce que vous en pensez, vous ? Bien entendu, les enfants n'avaient pas le droit de parler de ce qui se passait, pas même entre eux... mais vous savez bien comment sont les enfants. C'est difficile pour eux de garder un secret. Il y a une chose, cependant, dont je suis certain : nous avons passé énormément d'heures ensemble, Mariana et moi. Elle m'a aidé au jardin potager, aussi. Et c'est parce qu'elle était si spéciale, si utile aussi, que je ne l'ai jamais touchée. Peut-être un petit bisou de temps en temps, mais ça s'arrêtait là. Oh, nous avons pris quelques photos, bien sûr. Elle adorait qu'on la prenne en photo. C'était une petite créature tellement vaniteuse, et elle était si fière de sa beauté ! Vous l'avez remarqué, vous aussi ? Alors ? Vous vous en êtes aperçu ?

— Pas vraiment, non. Elle n'est pas du tout vaniteuse.

Cette réponse n'a pas semblé plaire à Tretow.

— Ah, là, je crois que vous essayez seulement de défendre votre femme, monsieur Crookham. C'est très louable, bien entendu. En tout cas, je savais que Mariana était très, très précieuse. Je la gardais pour une occasion spéciale, un client particulier. Il y avait bien ce ministre, dans votre gouvernement, un homme très haut placé, vraiment, et dont les goûts... Enfin, en tout cas, il avait vu la photo de Mariana. Il aurait fait n'importe quoi, il aurait tout donné pour passer une heure avec elle. Avec une fille comme Mariana, vous voyez, c'est la première fois qui compte le plus. Après...

J'ai fait un pas vers lui, le poing levé.

Tretow a reculé, les deux mains tendues devant lui.

— Holà ! On se calme. Mon collègue M. Meyer, qui vous a accompagné jusqu'ici, nous regarde. Ne vous laissez pas abuser par son apparence, il a l'air un peu âgé mais il n'en reste pas moins très dangereux. Alors il vaut mieux que nous ne nous disputions pas...

Tretow a laissé retomber ses mains et s'est avancé d'un pas, m'obligeant à reculer pour gagner de l'espace.

— Vous devriez m'être reconnaissant, au contraire, a-t-il poursuivi, moins soucieux de me poser des questions, tout d'un coup.

Il semblait vouloir tout me dire sur Mariana, jusqu'aux détails les plus affreux, conscient du fait que chaque mot qu'il prononçait, chaque révélation qu'il me faisait, me lacérait comme un coup de fouet.

— Je me suis très bien occupé de votre femme, même quand elle me suppliait de lui procurer un gentil oncle comme celui de Heike et des autres filles... Elle se sentait un peu lésée, voyez-vous. Elle voulait faire comme ses copines. Elle se disait qu'elle n'était pas assez jolie, qu'il lui manquait quelque chose. C'est pour ça qu'elle était toujours partante pour poser pour des photographies et des films. Elle voulait me faire plaisir, me prouver qu'elle pouvait être jolie quand elle faisait des efforts. Tenez, voici quelques photos...

C'est là que j'ai perdu mon sang-froid. Quand Tretow a baissé les yeux, juste le temps de passer une main dans son manteau pour récupérer les clichés, j'ai fait un pas en avant, je l'ai attrapé par le col de son manteau et je l'ai brutalement poussé contre le monolithe qui se dressait derrière lui. Sa tête s'est renversée en arrière, il y a eu un craquement clairement audible. Tretow a titubé en avant avec un hurlement de douleur, portant les mains à son crâne, et j'ai entendu un bruit de cavalcade, dans mon dos.

Je me suis retourné pour voir Meyer accourir dans ma direction, les mains baissées. Un rayon de lumière s'est reflété sur la lame nue du couteau qu'il tenait dans sa main droite. J'ai fait un pas vers lui et, juste avant de me trouver à portée de son arme, je me suis penché et j'ai expédié un coup de poing maladroit mais pas moins brutal pour autant vers le côté de sa tête. Visiblement surpris, Meyer a paré avec retard et mon poing est venu heurter sa tempe de toute la force de mes cent kilos.

Mon agresseur s'est plié en deux comme un chat de bande dessinée percutant une casserole. Au moment où mes articulations s'écrasaient contre sa boîte crânienne, une douleur abominable m'a traversé la main droite. L'espace d'une fraction de seconde, la douleur m'a rendu plus fou de colère encore. Tandis que Meyer s'effondrait à genoux, j'ai pivoté sur le côté, ma jambe a dessiné un arc fluide et mon pied l'a percuté de plein fouet à la base du menton, l'envoyant s'étaler de tout son long sur le chemin, inconscient.

Du coin de l'œil, j'ai vu Tretow se diriger vers moi. Il semblait encore un peu hébété par sa rencontre inopinée avec le monolithe, et quelque peu incertain sur ses pieds, mais il se remettait à vue d'œil. Lui aussi brandissait un couteau – peut-être sorti de la même poche dans laquelle il se vantait de garder les photos – et il avançait lentement, les genoux fléchis, sa lame pointée sur moi.

Il était armé, contrairement à moi. J'avais eu une sacrée chance au cours de mon premier duel, mais je ne bénéficiais plus, maintenant, de l'effet de surprise. Pour couronner le tout, une de mes mains était hors service.

J'ai fait un pas en arrière, le regard rivé sur le couteau de Tretow. Juste derrière moi se trouvaient deux stèles séparées par un vide : un croisement de travées. Si j'arrivais jusque-là, plus rien ne pourrait m'empêcher de faire volte-face et de m'enfuir en courant.

J'ai fait un autre pas en arrière...

Et j'ai buté contre le corps de Meyer.

J'ai trébuché, essayé désespérément de rester debout sur ce sol couvert de neige fondue mêlée de verglas, puis j'ai fini par perdre l'équilibre et par tomber, tendant instinctivement les mains derrière moi pour amortir ma chute et hurlant de douleur lorsque mes phalanges brisées entrèrent en contact avec les dalles du chemin.

Au moment où je me redressais sur mes coudes, Tretow est apparu dans l'intervalle séparant les stèles entre lesquelles je venais de m'écrouler. Ses épaules et son torse se soulevaient au rythme de sa respiration pendant qu'il effectuait un nouveau pas dans ma direction. J'ai lancé mes pieds vers lui, espérant le toucher au genou ou tout au moins au tibia, mais il n'a eu aucune peine à éviter le coup. J'ai tenté ma chance une nouvelle fois, il a fait un pas de côté et s'est faufilé entre moi et le monolithe le plus proche, son couteau s'approchant de plus en plus de moi.

Désespéré, j'ai frappé à nouveau avec ma jambe droite, en direction de sa main armée ; Tretow a esquivé et riposté dans la seconde, sa lame venant déchirer le tissu de mon jean avant de taillader la chair de mon tibia.

Il a fait encore un pas. Il se tenait maintenant juste au-dessus de moi. J'ai levé mon bras gauche dans l'espoir pathétique de le repousser, mais nous savions tous les deux que je n'avais plus aucune chance.

Ses lèvres se sont retroussées sur un sourire de prédateur assoiffé de sang et j'ai compris à cet instant qu'il revivait un plaisir connu : il avait déjà tué auparavant.

Il s'est penché en avant, enserrant ma gorge de la main gauche tandis que sa main droite se levait au-dessus de moi pour me planter sa lame dans le cœur. J'aurais dû être terrifié, mais contre toute attente le sentiment qui m'a envahi alors était une étrange acceptation. Mon frère était mort de plusieurs coups de couteau et j'allais connaître la même fin que lui. D'une certaine manière, cela ressemblait à un acte expiatoire, comme si je payais pour mes péchés et ceux de ma femme.

L'espace d'un instant, le visage de Tretow s'est retrouvé à quelques centimètres du mien. L'odeur de sa lotion après-rasage était suffocante, et sa voix aussi doucereuse et mielleuse que la caresse d'un amant quand il m'a susurré :

— Les preuves sont dans le jardin potager...

Puis il a levé encore plus haut son arme...

Et son visage s'est littéralement décomposé sous mes yeux, tandis qu'un claquement assourdissant se répercutait entre les stèles de béton. Un geyser de sang, de fragments d'os et de matière cérébrale a giclé sur mon visage, les esquilles me piquant comme des aiguilles d'acupuncture. J'ai perçu une sorte de cliquetis derrière moi : le son d'une balle ricochant sur une dalle de l'allée avant d'aller finir sa course contre le béton d'une stèle.

Le corps de Tretow a basculé sur moi, m'écrasant contre le sol en une parodie d'ultime et atroce embrassade. Pris en sandwich entre lui et l'allée glaciale, humide et dure comme de l'acier, j'ai perdu pied :

— Va-t'en, va-t'en ! me suis-je mis à hurler, tout en passant hystériquement la manche de mon pardessus sur mon visage, pour tenter de débarrasser ma peau et mes cheveux du contenu du crâne de Tretow.

C'est alors que j'ai aperçu une paire de bottes de femme sous un jean serré. J'ai reconnu la voix de Gerber, me lançant sur un ton d'épouse contrariée par un mari distrait :

— Vous auriez dû me dire où vous alliez...

Je ne me suis même pas donné la peine de lui répondre. Un profond sentiment de calme prenait doucement le pas sur le dégoût, la nausée et la panique que m'avait inspirés cette étreinte impromptue avec le corps de Tretow, à mesure que je réalisais que ma quête m'avait enfin mené au saint Graal. Je comprenais maintenant pourquoi Mariana avait tué mon frère, et je savais aussi ce qui l'avait poussée à le faire.

48

Jeudi

Ils m'ont conduit aux urgences les plus proches, où l'on m'a bourré d'analgésiques. Puis on a fait une radiographie de ma main, on m'a plâtré et on a recousu ma jambe. Aux toilettes, j'ai utilisé ma main valide pour laver les derniers restes de Tretow de mon visage, puis j'ai carrément glissé toute ma tête sous le robinet en fredonnant muettement :

— « *I'm gonna wash that man right out of my hair*[1]... »

C'était de l'humour noir, bien sûr – la chanson d'un homme ayant traversé la vallée de la mort et qui s'en était sorti par miracle.

Gerber et Weiss m'attendaient dans le couloir de l'hôpital. Ils m'ont interrogé sur la succession d'événements m'ayant mené jusqu'à cette confrontation au beau milieu du Mémorial de l'Holocauste. Moi aussi, j'avais une question pour Gerber :

— Comment avez-vous pu me retrouver là-dedans ?

— Cela n'a pas été simple. Le truc, c'est que j'avais placé un émetteur dans la doublure de votre manteau pendant que vous vous entreteniez avec Wahrmann. Mes collègues et moi avions le sentiment que vous étiez capable de faire quelque chose d'irréfléchi. Mais Tretow a vraiment choisi le pire endroit, s'agissant de vous retrouver. Il y a près de trois mille stèles de béton là-bas, et chacune

---

1. Chanson tirée de la comédie musicale *South Pacific*, créée en 1949 par Oscar Hammerstein II.

d'elles non seulement constitue une excellente cachette, mais en plus bloque tout type de signal. C'est seulement quand vous avez hurlé de douleur que je suis parvenue à vous localiser.

J'ai regardé l'énorme moufle de plâtre qui ne laissait dépasser que le bout de mes doigts...

— Alors comme ça, c'est ma main cassée qui m'a sauvé la vie... Le prix ne me semble pas si élevé que ça, du coup...

— Votre main vous a sauvé la vie deux fois, puisqu'elle vous a aussi permis de neutraliser Meyer...

— Il va s'en sortir ?

— Oh oui. Même si ses cervicales ont bien morflé.

— Tretow... Il a prononcé quelques mots, juste avant de mourir. Quelque chose comme : « La réponse est dans le potager ».

Weiss a froncé les sourcils.

— Savez-vous ce qu'il entendait par là ?

— Je crois, oui. Il y avait des parcelles de terre, à côté de l'orphelinat. Elles sont encore là aujourd'hui, d'ailleurs, même si l'orphelinat a disparu. Enfin, en tout cas, Tretow possédait une de ces parcelles et il avait l'habitude d'y emmener les enfants, ou tout au moins ses chouchous parmi les gamins. Je crois que nous risquons de trouver quelque chose là-bas, quelque chose qui nous expliquerait enfin ce qu'il faisait exactement.

— Nous allons commencer les recherches dès l'aube, demain matin.

— Il y a autre chose. Tretow m'a dit qu'il possédait encore des bandes filmées avec des hommes, des hommes importants. Vous devriez essayer de les retrouver avant que d'autres ne s'en chargent.

Weiss a jeté un coup d'œil à Gerber, qui s'est aussitôt levée tout en sortant son téléphone portable de son sac. Quand elle a passé le seuil de la porte, elle était déjà en train de donner des instructions pour fouiller le domicile de Tretow. Je me suis retourné vers Weiss.

— Il m'a dit aussi qu'il avait des photos... des photos de ma femme, Mariana, quand elle était petite. Il m'a dit qu'elles se trouvaient...

— Elles étaient dans la poche de son manteau, m'a interrompu Weiss d'une voix douce. Elles sont... comment dire... très explicites, très dérangeantes. Je ne vous conseillerais pas de les regarder maintenant. En tout cas, nous pourrions en faire des copies destinées aux avocats de votre femme. Elles devraient jouer en sa faveur.

— Merci.

J'ai fermé les yeux pendant un moment, repensant aux photos que Mariana m'avait envoyées au début de notre relation. Etait-elle consciente, alors, des parallèles avec son enfance, ou rejouait-elle le même scénario de manière inconsciente, alors qu'elle s'exposait ainsi devant l'objectif de l'appareil photo, se sentant contrainte de le faire mais sans savoir pourquoi ?

— Qu'allez-vous faire, maintenant ? m'a demandé Weiss. Je peux demander à quelqu'un de vous ramener à votre hôtel, si vous voulez. Vous pourrez dormir une heure ou deux avant de prendre l'avion pour l'Angleterre...

— Pas encore. Il y a un endroit où je dois aller... quelqu'un à qui je dois parler.

49

Il était 5 h 30 du matin, il faisait encore nuit noire. Ce n'était pas vraiment une heure pour les mondanités. Cela ne m'a pas empêché d'enfoncer la sonnette et de garder le doigt dessus, même si aucune réponse ne s'est fait entendre pendant dix secondes, puis trente... presque une minute entière avant que l'interphone ne laisse échapper un craquement et qu'une voix fatiguée et agacée ne demande :

— Qui est là ?

— C'est Pete Crookham, il faut qu'on parle.

— Allez-vous-en. Je n'ai rien de plus à vous dire.

— Attendez, s'il vous plaît... Tretow est mort. Vous êtes en sécurité, maintenant.

— Que voulez-vous dire ?

— Il est mort, je vous le promets. Laissez-moi entrer et je vous expliquerai tout...

Heike Schmidt a pressé la commande d'ouverture de la porte et je suis monté à l'étage où se trouvait son appartement. Elle a préparé un café et nous avons pris place à la table de sa cuisine pour que je lui raconte la version des faits que j'avais déjà relatée à Gerber et Weiss, en omettant cependant les remarques de Tretow au sujet de Heike Schmidt elle-même.

Au début, Heike s'est montrée sceptique, presque indifférente, mais plus j'avançais dans mon récit, plus elle semblait y croire et j'ai vu son intérêt, son attention, voire même son excitation, croître au fil de mes paroles. Elle m'interrompait de temps en temps pour me demander de préciser quelque détail ou me faire répéter un passage qui lui plaisait tout particulièrement. J'avais presque l'impression d'être un papa en train de lire une histoire à son enfant. Il y avait véritablement quelque chose d'enfantin dans la jubilation qu'elle manifestait en écoutant les détails les plus atroces du récit.

— Est-ce que sa tête a tout simplement explosé, comme une pastèque ? m'a-t-elle demandé après ma description des derniers instants de la vie de Tretow.

— Je crois, oui. C'est ce qu'il m'a semblé, en tout cas.

— Et vous étiez vraiment couvert de matière cervicale ?

— Oui. J'ai eu un haut-le-cœur. Ce n'était pas spécialement agréable, vous vous en doutez.

— Beurk !... Enfin, en tout cas, il n'y a aucune chance qu'il s'en soit sorti, n'est-ce pas ? Il ne s'en remettra jamais ?

— Non, il est mort pour de bon et il ne reviendra pas, vous pouvez en être sûre.

J'avais l'impression de m'adresser non à la Heike Schmidt d'aujourd'hui, mais à la gamine qu'elle avait été à huit ou neuf ans. La petite fille abusée et exploitée qui s'était cachée au fond d'elle pendant toutes ces années émergeait prudemment, pointant le bout de son nez dans la lumière.

— Est-ce que je peux vous poser quelques questions, maintenant ?

— Oui, bien sûr.

— En fait, il y a deux choses que j'aimerais vraiment savoir. La première va vous sembler absurde, j'en suis conscient : est-ce que Tretow portait une lotion après-rasage, à cette époque ?

Schmidt n'a pas répondu. Elle est partie d'un grand éclat de rire qui, au lieu de se tarir au bout de quelques instants, s'est au contraire multiplié et amplifié en une série de gloussements incoercibles. A plusieurs reprises, elle a essayé de reprendre son calme pour parler, mais à peine ouvrait-elle la bouche qu'elle repartait de plus belle, me laissant nerveux, voire alarmé par ce débordement d'émotions. J'étais surtout gêné. Enfin, Schmidt a essuyé ses larmes, inspirant profondément avant de me répondre :

— Oh oui, il portait une lotion après-rasage. D'ailleurs...

Elle a recommencé à rire. Puis elle a réussi à se calmer.

— D'ailleurs... Oh, contrôle-toi, Heike ! D'ailleurs, nous avions pris l'habitude de l'appeler Monsieur Qui-Pue à cause de ça. Il avait un parfum épouvantable.

— Privileg ?

— Oui ! C'est vraiment curieux, comment savez-vous cela ?

Elle poussait des petits cris de ravissement.

— Quand il est arrivé à l'orphelinat, il n'arrêtait pas de nous bassiner les oreilles avec les eaux de toilette françaises et américaines qu'il utilisait au bon vieux temps, il se plaignait de devoir se contenter maintenant de ce qu'il appelait « cette saleté communiste bon marché ». Après, quand... quand nous travaillions tous pour lui, il se procurait parfois de bonnes marques, mais nous avons continué à l'appeler Monsieur Qui-Pue...

Tout d'un coup, le démon qui avait hanté mon imagination depuis la nuit de l'assassinat d'Andy a pris forme : ce n'était rien d'autre que Monsieur Qui-Pue, un pervers infâme qui s'aspergeait de parfum bon marché malodorant pour couvrir la puanteur de sa corruption.

— Pourquoi cette question sur Privileg ? m'a demandé Heike Schmidt.

— Mon frère en avait déniché une bouteille quand il est venu à Berlin. Je crois qu'il le portait la nuit de sa mort, et je pense que cette odeur et les souvenirs qu'elle a réveillés en Mariana ont été l'élément déclencheur de son accès de... vous voyez ce que je veux dire, ce qui l'a rendue folle.

— Mon Dieu, mais c'est affreux... Vous croyez que votre frère savait que c'était le parfum de Tretow ?

— Non, je suis quasiment sûr qu'il l'ignorait. Connaissant Andy, il a dû vouloir faire une blague...

— Aïe, ce n'était peut-être pas la blague la plus amusante...

— Pas vraiment, non, et ma prochaine question ne va pas être très drôle, non plus... Mais il faut que je sache : que se passait-il sur la parcelle de terre de Tretow ?

Heike Schmidt n'a rien dit. Elle est restée assise en silence pendant quelques instants, puis elle s'est levée et a saisi la bouilloire à l'ancienne qui reposait sur la cuisinière et l'a tripotée distraitement avant de se préparer un nouveau café.

— Vous en voulez un ? m'a-t-elle demandé sans prendre la peine de se retourner.

— Non, merci, je n'ai besoin de rien.

Elle a ouvert un tiroir, à côté du four, et en a sorti un paquet de cigarettes.

— Je suis censée avoir arrêté, m'a-t-elle expliqué.

Toute trace d'innocence candide avait déserté son visage. C'était une femme adulte qui se tenait devant moi : une femme qui en avait trop vu et qui avait trop souffert.

Elle a retenu ses cheveux d'une main avant de se baisser pour allumer sa cigarette à la flamme de la gazinière. Enfin, elle a rapporté sa tasse de café et une soucoupe jusqu'à la table, où elle s'est assise à nouveau. Elle a laissé tomber un peu de cendre dans la soucoupe.

— Cela ne vous dérange pas ?

— Bien sûr que non. Vous êtes chez vous.

Schmidt a fumé sa cigarette jusqu'au filtre, ne pipant mot avant de finalement l'écraser dans la soucoupe. Puis elle a esquissé une grimace.

— Trop vieille... un goût dégueulasse.

Elle a avalé quelques gorgées de son café pour chasser la saveur du tabac. Après cela seulement, elle a essayé de répondre à ma question :

— Tretow a toujours fait comprendre très clairement aux enfants qui... qui travaillaient pour lui que nous ne devions jamais parler de ce qui se passait entre nous et ces hommes : pas même à nos meilleurs amis, pas même aux autres enfants qui nous accompagnaient lors de ce qu'il appelait «nos petites virées à la campagne». C'était notre secret à nous. Bien sûr, nous étions tous au courant, puisque nous faisions tous...

Elle s'est interrompue, incapable de poursuivre pendant un moment. Je n'ai pas cherché à l'aider : rien de ce que je pouvais dire ne le pourrait.

— Nous faisions tous la même chose, a-t-elle fini par lâcher. Enfin, je dis ça, mais je n'en ai aucune certitude, parce que... Je suppose que c'est aussi pour cette raison que Tretow ne voulait pas que nous parlions entre nous : il voulait nous empêcher de savoir...

— Et Mariana ? Est-ce qu'elle savait ?

— Pas au début, non. Tout ce qu'elle voyait, c'est que nous recevions des cadeaux de ces hommes. Elle était un peu jalouse. Elle suppliait Tretow de lui attribuer un gentil oncle, à elle aussi, mais il refusait à chaque fois. Il disait qu'elle était sa perle, sa princesse, et qu'il la réservait à un vrai prince.

Ouais, me suis-je dit. Un gros politique britannique baveux, tu parles d'un prince...

— Vous avez dit : « pas au début »... Est-ce qu'elle a fini par l'apprendre ?

— Nous avons tous fini par l'apprendre. Deux d'entre nous ont parlé, deux garçons. On les appelait Timmy et Marko. Vous voyez ces petits garçons qui sont aussi ravissants que des filles ? Timmy était un de ceux-là. C'était la version masculine de Mariana. D'ailleurs, ils s'entendaient très bien, tous les deux. Timmy jouait toujours avec les filles. Il était très mignon, très gentil, pas comme les autres garçons. Marko était son contraire, un petit garçon difficile, qui n'avait peur de personne et était toujours fourré dans une bagarre ou une autre, parfois même avec des garçons plus âgés. Mais si quelqu'un faisait du mal à Timmy, Marko volait à son secours. Pour une raison que j'ignore, ils avaient beau être diamétralement opposés, ils n'en étaient pas moins les meilleurs amis du monde. Ils se racontaient tout. Un jour, Timmy a été contrarié par ce qu'on lui avait demandé de faire, ou alors par la manière dont on l'avait traité, je ne sais pas. Toujours est-il qu'il s'est confié à Marko et que celui-ci a commencé à en parler à tout le monde, en clamant qu'il allait dire à

Monsieur Qui-Pue qu'ils ne voulaient plus aller voir les oncles. Tretow est devenu fou de rage.

Le visage de Schmidt s'est tordu. Elle a commencé à pleurer tout en s'efforçant de poursuivre son récit.

— Il... il... Oh, Seigneur, je suis désolée...

— Ne vous excusez pas. Prenez votre temps.

— Il les a tués. Il les a battus, encore et encore...

Schmidt a tâtonné aveuglément sur la table pour trouver une autre cigarette.

— Il nous a obligés à regarder leurs corps couverts de sang et il nous a dit qu'il nous ferait subir le même traitement si nous parlions à qui que ce soit. Il nous a bien fait comprendre qu'il pouvait nous tuer, s'il le voulait, qu'il pouvait tuer n'importe lequel d'entre nous comme une simple mouche et que personne ne s'en apercevrait jamais... Nous l'avons cru, bien sûr. Après tout, il avait tué Timmy et Marko, et nous avons bien vu que ni la police ni personne n'avait réagi. Ensuite, il a découpé les corps en morceaux – Dieu merci, il ne nous a pas obligés à regarder ça – et il les a mis dans des sacs-poubelle qu'il a emportés dans son potager. Il nous a forcés à creuser, chacun notre tour, jusqu'à faire un grand trou, puis il y a placé les sacs et nous avons dû les recouvrir de terre. Nous avons même dû choisir des plantes, dans une petite serre qu'il possédait, et nous les avons plantées dans la terre que nous avions retournée, pour que personne ne puisse voir ce qu'il avait fait. Là encore, il a insisté : il ne fallait en parler à aucun prix, jamais. Et jusqu'à aujourd'hui, jamais je ne l'ai fait...

— Ces garçons... Est-ce que Mariana les avait... ?

Schmidt m'a regardé droit dans les yeux et m'a adressé un triste petit hochement de tête :

— C'est elle qui les avait recrutés, oui. Elle avait tellement de charme à l'époque déjà, alors qu'elle n'était qu'une petite fille ! Vous voyez, je savais que j'étais laide, comparée à elle, mais cela m'était égal. Elle m'avait choisie comme amie et cela suffisait à me faire sentir un peu spéciale. Je sais que cela doit paraître idiot...

— Pas du tout, non. Croyez-moi, je sais exactement ce que vous ressentiez.

— Alors vous savez sans doute aussi qu'elle était capable de convaincre n'importe qui de faire n'importe quoi pour elle. Mais elle ne savait pas ce qui se passerait, elle ne savait pas ce que Tretow allait faire à Timmy et Marko. Comment aurait-elle pu le savoir, d'ailleurs ?

— Mais une fois que c'est arrivé, une fois qu'elle les a vus morts, elle a dû s'en vouloir, non ?

— Oui, je crois. Mais elle n'en a jamais parlé.

— Oui…

Cette honte secrète s'était enfoncée profondément en elle, recouverte de couches successives d'autoprotection jusqu'à ce qu'un soir, au fin fond du Yorkshire, un homme entre dans sa maison en portant sur lui l'odeur de Tretow, de Monsieur Qui-Pue, réveillant le cercle infernal de la mort et du sang. Maintenant, je comprenais enfin pourquoi Mariana avait dit qu'elle était coupable, que tout était de sa faute, qu'elle était une *böses Mädchen*. Elle ne faisait pas allusion à la mort d'Andy, elle n'avait aucune conscience des événements récents. C'était la petite fille en elle qui parlait de ses deux camarades et s'accusait de leur mort.

Perdu dans mes pensées, j'ai mis un moment à réaliser que Heike Schmidt me tapotait le bras…

— Monsieur Crookham… Monsieur Crookham, répétait-elle.

— Oui ?

— Est-ce que la police va aller fouiller le jardin potager ?

— Oui, les recherches vont commencer dès l'aube.

Heike Schmidt a jeté un coup d'œil par la fenêtre de la cuisine : de noir le ciel était en train de passer à un gris un peu plus clair.

— Allons-y, alors. Je vais leur faire gagner du temps. Je vais leur montrer où creuser.

50

Six mois plus tard

Au nord de York

Mariana avait planté deux gros pots de lavande à l'entrée de son potager. Des bourdons et des papillons d'un blanc crémeux bourdonnaient et voletaient à qui mieux mieux entre les fleurs mauves, dans la chaleur de ce soleil de fin de journée. Elle était agenouillée, une petite fourche à désherber dans la main, à côté d'une plate-bande dans laquelle elle venait de planter des courgettes. Leurs grandes feuilles drues côtoyaient l'orange et le jaune vif des capucines et l'éclat carmin de tomates cerises grimpant le long d'un treillis métallique, tout au bout du carré de terre.

Je l'ai observée un instant tandis qu'elle reposait la fourche dans l'herbe, à côté d'elle, et restait agenouillée là, silencieuse, contemplant la vie qu'elle avait semée. Puis j'ai refermé la barrière derrière moi. Au son de celle-ci, Mariana a tourné la tête et a souri en m'apercevant.

— Tu y vas, alors ?

— Je ne vais pas tarder. Je voulais juste voir comment ça allait.

Je lui ai tendu le mug de porcelaine.

— Je t'ai apporté une tasse de thé.

Mariana s'est levée, a épousseté ses genoux nus et s'est approchée de moi.

— Merci, gentilhomme, a-t-elle dit en effectuant une petite révérence moqueuse tout en saisissant la tasse.

J'ai regardé son ravissant visage. Il était un peu plus mince qu'auparavant, un peu plus frêle, avec des ombres plus marquées sous les pommettes et de nouvelles rides qui s'esquissaient à peine, encore, autour des yeux et de la bouche. La vie était revenue dans ses pupilles de tigre, mais il y avait un nouvel éclat réfléchi et légèrement mélancolique dans la manière dont elle considérait le monde qui l'entourait. Je me suis penché vers elle pour lui donner un petit baiser.

— Mais je vous en prie, gente damoiselle.

— Mmm, a-t-elle murmuré en savourant une première gorgée, il est parfait.

— Tu parles du thé ou de mon baiser ?

Mariana a ri de contentement.

— Des deux.

— Tu avais l'air d'être à des années-lumière d'ici, tout à l'heure.

Un voile de tristesse est passé sur son visage.

— Je pensais à mon père, au fait que je m'étais trompée sur son compte pendant toutes ces années. J'ai été cruelle de le haïr autant.

— Eh bien, au moins, tu as eu la chance de le voir. C'est mieux que rien.

— C'est merveilleux d'être enfin réconciliée avec lui... mais ça m'a vraiment fait mal, aussi. Nous avons eu si peu de temps pour nous deux, pour rattraper...

— Je sais, oui... Tu es sûre que ça va aller ?

Cela faisait cinq semaines désormais que Mariana suivait un processus de libération progressive de l'hôpital psychiatrique. Semaine après semaine, elle allait être autorisée à passer de plus en plus de temps à la maison, jusqu'à ce qu'elle parvienne enfin au statut de patiente ambulante. Cette nuit serait sa première seule dans la maison.

Sur la base d'éléments d'ordre psychiatrique, d'un rapport détaillé des activités de Hans-Peter Tretow envoyé par la police berlinoise et des témoignages de Weiss et de Heike Schmidt, le juge avait été clément au-delà de toute espérance, lors du procès de Mariana. Il l'avait reconnue comme non responsable de ses actes au moment de la mort d'Andy et ne présentant plus aucun risque pour la société. Pour cette raison, elle avait été placée sous la surveillance du Dr Wray, laissant à celui-ci le soin de choisir la forme et la durée du traitement le plus approprié, en institution légèrement sécurisée dans un premier temps, puis dans la clinique privée où il pratiquait. Mariana avait également été autorisée à s'absenter pour raisons familiales, le temps de faire le voyage jusqu'à Berlin pour voir son père avant qu'il ne meure. La présence de sa fille après tant d'années avait semblé offrir à Rainer Wahrmann la conclusion nécessaire pour quitter le monde en paix. Au moment de sa mort, Mariana et sa mère se tenaient à son chevet.

— Oui, oui, ça va aller, m'a répondu Mariana. Grâce à toi.

— Bon, très bien, je constate que tu te débrouilles beaucoup mieux sans moi, l'ai-je titillée.

— Mais non.

Elle a passé ses bras autour de mon cou et m'a gratifié d'un regard qui s'est planté droit dans mon cœur et dans mon âme.

— Tu m'as sauvé la vie.

Je n'ai pas su quoi dire. Je n'avais pas de réplique toute faite pour répondre à toute la charge de sentiments que sa voix avait véhiculée. J'ai donc opté pour une réaction très britannique et, posant mes mains sur ses hanches et l'attirant plus près de moi, j'ai dévié son émotion à grand renfort d'autodénigrement :

— Oh non, tu sais, je n'étais pas tout seul...

— Mais c'est toi qui as cru en moi. C'est toi qui t'es battu pour moi. C'était toi, mon chevalier en armure étincelante.

J'ai esquissé un sourire ironique tout en secouant la tête.

— Ah non, moi, je suis juste ton mari. C'était écrit dans le contrat. Et puis, de toute manière, je t'aime. J'avais envie de le faire.

Mariana s'est dressée sur la pointe des pieds pour caresser mon visage du bout des doigts, puis elle m'a fixé droit dans les yeux, avec insistance, avant de demander :

— Tu m'aimes encore, après tout ça ? Tu arrives à aimer une folle, une meurtrière ?

— Bien sûr.

Elle a froncé les sourcils.

— Comment peux-tu dire une chose pareille en sachant ce que j'ai fait, en connaissant toute la vérité à mon sujet ?

— Mais justement, c'est parce que je sais tout ça que je peux t'aimer. Avant, je croyais que je t'aimais, mais je n'aimais qu'une image de toi, un fantasme. Maintenant, après tout ça, tu me sembles complètement réelle. Je sais le pire et le meilleur de toi. Mes sentiments n'en sont que plus profonds, plus solides.

— Moi aussi, je connais tout de toi, a-t-elle dit, si doucement que c'en était presque un murmure, et je t'aime plus que tu ne peux l'imaginer.

Nous nous sommes de nouveau embrassés, plus longuement, plus passionnément, puis Mariana s'est écartée en lançant :

— Allez, ça suffit. Il faut que tu y ailles !

Je l'ai attrapée par le poignet.

— Un dernier baiser ?

Elle a frappé mon torse d'un air faussement ragcur.

— Non, non, non !

Je l'ai laissée s'éloigner.

— Il faut que j'avance avec mon jardinage, a dit Mariana d'un ton vif et affairé maintenant qu'elle avait satisfait son besoin d'être rassurée. Et puis il est temps que tu te mettes en route, si tu veux arriver à l'heure pour le dîner. Vickie sera furieuse, si tu es en retard pour votre grande réconciliation...

— OK, OK. Je vois bien que je suis de trop...

— Transmets-lui toutes mes amitiés, même si je sais qu'elle ne les acceptera pas. Et, Pete... a ajouté Mariana en tendant la main pour attraper la mienne. Sois prudent sur la route. Reviens-moi sain et sauf. Je ne veux plus jamais être séparée de toi.

— Compte sur moi, lui ai-je assuré en retirant ma main.

Mais elle m'a agrippé plus fort encore.

335

— Il y a quelque chose que je voudrais que tu saches. J'ai écrit au Dr Reede. Quand tout ça sera fini, j'irai le consulter au sujet de mon opération. Je sais que c'est très, très difficile, mais, si c'est possible, je ferai tout pour inverser le processus.

— C'est... c'est une excellente nouvelle, ai-je balbutié en essayant de contrôler la bouffée d'émotion que ses mots avaient libérée en moi : un sentiment d'espoir joyeux, d'exultation mêlée d'une terreur qui semblait faire écho à la douleur que la découverte de la lettre dudit Dr Reede m'avait infligée.

— Est-ce que je peux te demander... J'ai besoin de comprendre : pourquoi as-tu fait ça ? Enfin... pourquoi ne m'en as-tu pas parlé avant ?

Mariana m'a contemplé avec un regard empreint de souffrance.

— Je ne sais pas. J'aimerais tellement pouvoir te donner une bonne raison, mais même quand je l'ai fait, je n'en avais pas. Peut-être que je trouvais que je ne méritais pas d'avoir des enfants, sans savoir exactement pourquoi. Il y avait cette peur, aussi... Cette horrible terreur noire... Je pensais...

Elle semblait soudain au bord des larmes.

— ... je pensais que j'allais leur faire du mal... J'étais persuadée qu'ils ne pourraient jamais être en sécurité avec moi. Mais je ne comprenais pas pourquoi...

Je l'ai serrée dans mes bras et elle a enfoui sa tête dans ma poitrine.

— Mais tu comprends maintenant, n'est-ce pas ? Tu sais que ce n'était pas ta faute, tu sais que tu étais une victime, n'est-ce pas ?

Elle a esquissé un petit mouvement d'acquiescement, la tête toujours contre mon torse. J'ai senti qu'elle prenait une profonde inspiration avant de laisser doucement ressortir l'air de ses poumons. Puis elle a relevé le menton et m'a regardé droit dans les yeux.

— Oui. Je comprends maintenant. Et je veux que nous ayons des enfants.

51

Le cimetière, qui semblait si nu, si mort le jour de l'enterrement d'Andy, était maintenant la preuve même de la renaissance perpétuelle. Les arbres étaient en feuilles, l'allée bien entretenue qui séparait les tombes exhalait de merveilleuses senteurs d'herbe fraîchement coupée et l'air était empli de chants d'oiseaux. L'église normande, si morne le matin des funérailles, dégageait maintenant un sentiment de pérennité réconfortant. Plus de neuf cents ans s'étaient écoulés depuis sa construction. Génération après génération, des hommes et des femmes avaient été baptisés et mariés entre ses murs, puis enterrés dans son cimetière, et elle était toujours là et y serait pour d'innombrables générations encore, un lieu de paix et de repos éternel.

Je n'ai pas la foi, je serais bien incapable de croire en un dieu qui me connaîtrait et prendrait soin de moi, ou en une âme qui vivrait éternellement. Mais j'aime les rituels, les messes, l'effet rassurant d'un hymne que je connais depuis ma plus tendre enfance, et cette odeur si spécifique des églises, un mélange de poussière et de vieux bancs de bois. Je suis donc entré dans celle-ci et me suis agenouillé quelques instants pour rassembler mes pensées avant de me rendre à l'emplacement où reposait Andy.

Après être resté un moment debout à regarder sa tombe, je me suis accroupi pour déposer quelques fleurs dans le vase qui avait été placé à la base de sa pierre tombale. Qu'est-ce que j'étais censé faire, maintenant ? Je me sentais intimidé, incertain, presque embarrassé, mais il n'y avait personne d'autre que moi dans le cimetière et rien ne m'empêchait donc de parler. Mort ou vivant, il était bien là, et il était toujours mon frère.

— Je sais, ça fait un bail que j'aurais dû venir. J'ai eu pas mal de trucs à régler. Je voulais arranger les choses... Enfin autant que possible, en tout cas... Bon Dieu, j'aurais tellement aimé que tu sois avec moi en ce moment, mec. J'aurais tellement aimé aller boire un coup avec toi au pub du coin, prendre enfin cet apéro qu'on s'était promis la dernière fois, tu sais, cette nuit-là, et rigoler un bon coup. Pendant tout le trajet, dans la voiture, je me suis préparé, et maintenant je suis là comme un con et je n'ai pas la moindre idée de ce que je dois dire, sinon que... Je suis tellement désolé, Andy. Je suis tellement, tellement désolé...

Tout d'un coup, mes épaules se sont soulevées, mon souffle s'est bloqué dans ma gorge, et pour la première fois j'ai pleuré mon pauvre frère mort.

Remerciements

Bien entendu, cet ouvrage n'aurait jamais pu voir le jour sans la gentillesse, la générosité et l'aide infaillibles des Allemands : trois d'entre eux, en particulier. Le psychothérapeute consultant installé à Londres Bernd Leygraf m'a été d'un secours infini pour comprendre les mécanismes permettant à des douleurs enfouies durant l'enfance d'exploser en une violence adulte, ainsi que la transmission du fardeau d'un péché ou d'une douleur de génération en génération. A Berlin, Matthias Willenbrink, directeur du groupe d'agences de détectives AXOM, s'est révélé être le meilleur des guides touristiques de la ville et de son histoire récente, une mine d'anecdotes passionnantes sur le travail de détective et un observateur perspicace de la manière dont les anciens fonctionnaires de la Stasi se sont reconvertis en détectives privés. Merci aussi à Jochen Meismann, de l'agence de détectives Condor, tout particulièrement pour sa description de la bureaucratie allemande pour ce qui concerne les certificats de naissance.

Les scènes se déroulant à Hohenschönhausen ont été largement influencées par les témoignages archivés des anciens prisonniers suivants : Sigrid Paul, Mario Röllig, Edda Schönherz, Matthias Bath, Horst Jänichen, Herbert Pfaff et Wolfgang Arndt. Le récit de la visite de Hohenschönhausen (elles ont lieu tous les jours et sont effectivement guidées par d'anciens prisonniers) est entièrement fictif, mais les descriptions des différents bureaux, des couloirs et des cellules ainsi que des traitements abominables infligés aux prisonniers sont, je l'espère, un reflet aussi réel que possible de l'endroit et de sa sinistre histoire.

L'ouvrage d'Anna Funder, *Stasiland*, s'est révélé un guide captivant et merveilleusement facile à lire sur l'état d'esprit de l'ancien Etat d'Allemagne de l'Est, de ses agents et de ses victimes : je le recommande vivement à toute personne qui s'intéresserait au sujet.

Mille mercis, également, à Agatha Rogers, du Priory Hospital de Southampton, pour ses explications concernant les lois protégeant la confidentialité des patients, ainsi qu'à Marina Cantacuzino, du Forgiveness Project, dont j'ai toujours gardé à l'esprit les conseils et les explications sur la manière d'accepter la perte d'un être cher. Bob Colover, avocat ayant à son actif des décennies d'expérience, magistrat et professeur de droit, m'a été d'un secours immense en me guidant à travers les méandres de la loi et de ses procédures dans un cas de responsabilité restreinte. J'ai consciemment pris certaines libertés avec ce qu'il m'a dit. Toute erreur légale relève donc de ma propre responsabilité et non de la sienne.

J'aimerais aussi remercier mon père, David Churchill Thomas, pour deux choses. D'abord, parce qu'il m'a expliqué comment un homme tel que Rainer Wahrmann signalait sa disponibilité à servir d'agent aux services secrets de l'Ouest (mon récit de sa désertion était beaucoup plus long mais n'a pas survécu dans son intégralité au processus éditorial). Ensuite, parce qu'à travers sa carrière diplomatique, qui nous a menés de la Russie à Cuba en passant par trois années bien différentes à Washington, il a inconsciemment insufflé en moi une fascination et une répugnance intenses pour le communisme totalitaire.

Un jour, pendant la rédaction de cet ouvrage, j'ai signalé à mon père que j'avais regardé *La Vie des autres (Das Leben der Anderen)*, le long-métrage couronné d'un oscar de Florian Henckel von Donnersmark traitant de l'Allemagne de l'Est. Une grande partie du film se déroule dans un appartement de Berlin-Est truffé de micros de la Stasi. « Tu as passé les deux premières annéés de ta vie dans un appartement identique », m'a-t-il répondu.

Il est apparu que l'immeuble que nous habitions à Moscou entre 1959 et 1961, pendant toute la durée du poste de mon père à l'ambassade britannique, était sous écoute du KGB. Les différents diplomates étrangers qui avaient vécu là n'avaient jamais eu accès au grenier, sans doute pour ne pas déranger les agents qui les écoutaient en plein travail. Ainsi les premières années de mon existence, tout comme celles de Mariana, se sont-elles déroulées dans l'ombre de la police secrète.

Peut-être, après tout, que toute fiction se révèle finalement autobiographique.

Composition et mise en pages : FACOMPO, LISIEUX

Cet ouvrage a été imprimé en France par

à Saint-Amand-Montrond (Cher)
en janvier 2013

Numéro d'impression : 124808
Dépôt légal : janvier 2013